7 - 14
121 - 154
181 - 211
364 - 379

COLLECTION IDÉES

Paul Bénichou

# Morales
# du grand siècle

Gallimard

# INTRODUCTION

Le présent essai a eu pour origine le désir de retrouver quelques-uns des rapports qui ont pu unir, au cours d'un siècle fameux, les conditions sociales de la vie et ses conditions morales. On s'est appuyé sur ce principe de bon sens, dont aucune critique n'a jamais pu se passer, que la pensée morale, consciente ou confuse, surtout celle qui se manifeste dans des ouvrages d'une aussi grande diffusion que les ouvrages littéraires, a ses racines toutes naturelles, et son terrain d'action, dans la vie des hommes et dans leurs relations, et on a essayé de percevoir quelles formes diverses revêtait cette connexion dans une des époques littéraires les plus connues du public.

Cette attitude n'a nullement été inspirée par l'indifférence ou le dédain pour la signification générale des problèmes de valeurs, mais au contraire par le désir de poser ces problèmes dans leurs termes véritables. On ne se passe pas de juger les idées, parce qu'on prétend se soucier d'en décrire le sens, et la source. Pareil souci peut ne pas procéder seulement de l'amour du concret, du désir

de considérer les idées comme des faits, ce qu'elles
sont incontestablement par un certain côté; il
s'agit aussi, en éclairant les conditions variables
ou sont nés tels jugements sur l'homme ou telles
idées du bien, de permettre une appréciation
mieux fondée de ces jugements ou de ces idées.
Comment évaluer autrement ce qui, dans les
valeurs morales du passé, peut dépasser les circonstances et se rapporter à la condition humaine
actuelle, ou même à ce qu'on peut supposer
être, dans la condition humaine, le moins sujet
au changement ? La pensée constructive n'a rien à
gagner à un excès de confiance en elle-même ; l'illusion est le principe le plus ordinaire de sa fragilité.

En ce qui concerne la littérature et la pensée
du xviie siècle, il n'est pas rare, à vrai dire, de voir
des considérations d'histoire sociale se mêler chez
les spécialistes aux jugements généraux. Dès ses
débuts, chez un Sainte-Beuve, voire un Victor
Cousin, la critique moderne apparaît traversée
par le souci de rapporter à des circonstances
sociales les idées que le xviie siècle a émises sur
l'homme. Ce souci a été avivé ensuite par la constatation, de plus en plus évidente, des conflits
d'idées, des variations morales, des heurts de
courants divers qui forment, sous une apparence
de majestueuse unité, le fond de la littérature
classique. Rien ne contribue davantage à fortifier
le sens du réel et du relatif, que le spectacle de la
diversité ou des contradictions au sein des choses.
C'est peu de distinguer une époque, un milieu, une
ambiance sociale : il n'est pas d'époque qui ne soit

le champ d'une lutte entre des forces différentes,
entre des idées contraires. Le rapport de la littérature et de la société n'est pas celui de deux êtres
homogènes façonnés à la ressemblance l'un de
l'autre. La loi de la diversité et de la contradiction
domine chacune d'elles et c'est de ce point de vue
qu'on aperçoit le mieux leur dépendance réciproque. Les idées apparaissent d'autant plus
liées à la société qu'on les conçoit davantage
comme les éléments d'un débat qui accompagne
et stimule les conflits réels de l'histoire.

A la fin du dernier siècle et au début du nôtre, c'est
une idée admise qu'il y a au xviie siècle deux littéra-
tures différentes : celle du sublime, du brillant,
du romanesque, et celle de la nature et de la vérité.
Cette idée, systématisée avec pas mal d'outrance
par Brunetière, a fini par contrebattre, non sans
difficulté, dans l'enseignement et dans les conceptions du public le plus averti, l'idée traditionnelle
de l'homogénéité sereine du grand siècle. On force
parfois la réalité, en prétendant faire coïncider
l'opposition des deux formes d'esprit avec celle
de deux époques, séparées à peu près par la date de
1660 : les deux tendances ont longuement coexisté,
enchevêtrées ensemble, s'amalgamant tour à
tour et se combattant l'une l'autre, sans qu'il
soit facile de discerner ni péripétie ni date décisive
dans leur mêlée. Mais la simplification même
ouvre à l'esprit des vues suggestives, en permet-
tant de retrouver, dans l'évolution littéraire du
xviie siècle, ainsi décrite à gros traits, et dans
l'évolution morale plus profonde dont elle témoi-

gne, le dessin de son histoire politique : le temps
des beaux sentiments, des romans, des poèmes
héroïques et de la poésie brillante serait celui de
l'agitation aristocratique; le triomphe de la raison
et de la nature, celui de la royauté louisquatorzienne, déjà embourgeoisée. L'idée d'une semblable correspondance a trouvé place plus d'une
fois, sous une forme plus ou moins appuyée, chez
les écrivains du xix$^e$ siècle. On pourrait, en la
creusant, être tenté de décrire dans le xvii$^e$ siècle
le dernier champ de bataille moral de la féodalité
et du monde moderne.

Mais l'opposition ainsi établie au sein du
xvii$^e$ siècle entre deux tendances fondamentales,
quand on entreprend de la décrire sur le plan
moral, et non plus sur le plan littéraire, tend à
changer sensiblement d'aspect. Les termes n'en
sont plus, désormais, l'imagination qui va au
grand, et le bon sens en quête de vérité, pas même
la religion de l'idéal et celle du réel. Il s'agit d'un
débat, plus passionné et plus direct, sur l'excellence ou la médiocrité de la nature humaine. Tous
les conflits de pensée du xvii$^e$ siècle, dès qu'ils
atteignent quelque gravité et quelque ampleur,
ont pour objet dernier l'estimation de l'humanité.
Les écrivains de cette époque se définissent moins
par leur préférence pour le beau ou pour le vrai,
que par le cas plus ou moins grand qu'ils font
de la vertu humaine, entendue au sens général
de valeur, force ou grandeur. Et une fois replacé
sur ce terrain, qui est le sien, le débat ne comporte
pas seulement deux partenaires opposés, deux

camps clairement contraires : celui qui exalte l'humanité et celui qui la déprécie. Se prolongeant dans tous les sens, influençant solidairement morale et psychologie, qui toutes deux prêtent leurs armes au combat, attirant pour la diviser la pensée religieuse elle-même, la discussion sur l'homme déjoue les formules faciles et les interprétations sommaires. Le xviie siècle a connu plusieurs morales différentes, diversement opposées ou alliées l'une à l'autre suivant les cas. Qui veut simplifier doit au moins distinguer trois centres d'intérêt : une morale héroïque, qui ouvre un passage de la nature à la grandeur, et en définit les conditions ; une morale chrétienne rigoureuse qui donne au néant la nature humaine tout entière ; enfin une morale mondaine, à la fois sans illusions et sans angoisse, qui nous refuse la grandeur sans nous ôter la confiance. Du même coup le problème des influences sociales se complique, et, la grande opposition de la France féodale et de la France moderne ne suffisant plus, il faut recourir à un tableau de forces plus circonstancié et plus complexe. Cependant une rencontre heureuse, ou plutôt, si l'on y réfléchit, la nature ordinaire des choses a voulu que les trois conceptions fondamentales que nous venons de définir se rencontrassent presque à l'état pur chez les trois moralistes les plus grands de ce siècle, Corneille, Pascal, Molière. C'est ce qui a permis de conserver à cet essai sur les courants moraux du xviie siècle la forme plus familière d'une série d'études sur les plus importants des écrivains classiques.

*

De tout ce qui précède il ressort que nous avons négligé délibérément les discussions purement esthétiques ou littéraires qui se sont engagées au cours du XVII<sup>e</sup> siècle, et ce qui dans les œuvres classiques pouvait se rapporter à ces discussions, pour n'envisager les créations des écrivains que sous leur aspect éthique. L'interpénétration des valeurs esthétiques et des valeurs morales, aussi étroite dans la littérature du XVII<sup>e</sup> siècle que dans toute autre, imposerait à qui voudrait définir leurs rapports un surcroît d'analyse et finalement une tâche nouvelle. Aussi nous sommes-nous bornés à considérer les écrivains classiques sous l'angle moral, c'est-à-dire en tant que leurs œuvres prétendent répondre aux problèmes essentiels de la vie de la conduite humaine. Nous avons vu surtout dans la littérature le creuset où notre expérience directe de la vie et de la société s'élabore déjà philosophiquement, mais sans rien perdre encore de sa force immédiate. Plus que toute autre, la littérature française répond à cette définition. Il n'en est pas qui laisse apparaître de façon plus saisissante le lien qui unit les problèmes de la vie et ceux de l'esprit. On ne dit pas autre chose quand on l'appelle littérature de moralistes.

Le danger, pour qui veut définir ces rapports complexes de la vie sociale et de la pensée, est d'attenter à l'individualité des grands écrivains en prétendant les intégrer dans un ensemble imper-

sonnel qui les dépasse. On risque ainsi, en pour-
suivant une systématisation hasardeuse, de défi-
gurer ces réalités particulières, mais privilégiées
du point de vue du patrimoine humain, que sont
les grands hommes et les grandes œuvres. Mais,
outre que l'opposition de l'individuel et du social
est une de celles qui résistent le moins à la pensée,
sitôt qu'elle s'exerce sans préjugé, nous avons
essayé de maintenir sans cesse un contact visible
entre les démarches concrètes de l'écrivain, et les
termes, forcément plus schématiques, du débat
social dans lequel elles s'inscrivent. Nous avons
voulu que la connexion de l'écrivain et du milieu
apparût, dans les pages qui vont suivre, sous son
aspect le plus naturel, le plus évident, celui sous
lequel elle se présente toujours dès qu'on s'est
familiarisé avec un moment de l'histoire humaine.
Ainsi serait évité le reproche si souvent adressé
à la méthode que nous avons suivie, de détruire
les réalités pour leur substituer des abstractions.
Reproche qui s'allie volontiers au reproche contraire, celui de déprécier les valeurs générales de
l'esprit humain au profit des contingences du
devenir social. Car c'est justement entre la réalité
concrète de l'écrivain et le fait général de l'homme
que se situe la société, c'est-à-dire le vaste milieu
dont les changements dépassent l'individu, et
laissent subsister l'espèce. Mais aussi est-ce de là
qu'on aperçoit à la fois, dans leur juste lumière,
le destin particulier de tel individu pensant et la
portée universelle de sa pensée. Qu'il faille considérer comme une illusion le sentiment du penseur

d'être immédiatement en face des problèmes de
la condition humaine, auxquels ses idées ne sont
à ses yeux que de fidèles réponses, cela n'a rien
d'offensant pour la pensée, dont il faut bien admettre,
malgré qu'elle en ait, qu'elle est comme toutes
choses, relative aux circonstances. Cela n'a rien de
contraire non plus à l'esprit et aux méthodes de
la science, qui précisément, quand elle observe la
création des valeurs morales, ne saurait mieux
se définir que par le devoir de critiquer avec
rigueur les illusions de la conscience. Le tout est
d'exercer ce devoir avec prudence et uniquement
pour donner à l'œuvre que l'on examine tout le
sens et toute la richesse qu'indépendamment de
la conscience de son auteur elle renferme réellement. Les essais qu'on va lire ne répondent pas à
une autre intention.

# LE HÉROS CORNÉLIEN

Il est peu d'écrivains aussi grands que Corneille qui soient aussi sommairement jugés que lui. Il y a à cela bien des motifs, dont le plus puissant est, sans doute, l'aversion du plus grand nombre pour la littérature moralisante, dans laquelle les souvenirs de collège enferment la tragédie cornélienne. Le retour à Corneille un peu partout signalé depuis quelques années n'a guère affecté le grand public. Corneille demeure, pour le lecteur moyen de notre temps, une sorte de classique aggravé, en qui les bienséances littéraires, communes à toute l'école, se doublent d'une inhumaine bienséance morale. Aussi continue-t-on de lui refuser généralement cette sympathie, que la hardiesse attribuée à leur génie a value à Racine ou à Molière.

A vrai dire, il a fallu beaucoup de temps et de recul, de ce recul qui n'aide pas forcément à voir clair, pour qu'on en vînt à faire du nom de Corneille un symbole d'hostilité aux puissances de la nature. Les contemporains, à tort ou à raison, admiraient en lui la fougue, l'élan, la chaleur. Saint-Évremond écrit par exemple que Corneille

« enlève l'âme » et laisse à Racine le faible avantage qu'il « gagne l'esprit » [1]. De même, M^me de
Sévigné admire dans Corneille « ces tirades... qui
font frissonner » [2]. Corneille lui-même, dans son
*Examen* du *Cid* (écrit presque trente ans après sa
tragédie), se souvenait d'avoir remarqué, pendant
les premières représentations, qu'au moment
où Rodrigue venait chez Chimène, après le duel,
« alors que ce malheureux amant se présentait
devant elle, il s'élevait un certain frémissement
dans l'assemblée, qui marquait une curiosité
merveilleuse »... Le souvenir de ce Corneille vivait
encore chez les romantiques qui, en France et à
l'étranger, l'exceptaient volontiers de leurs attaques contre la froideur et la platitude classiques.
Le milieu naturel de la tragédie cornélienne a bien
été l'enthousiasme; tous ceux qui, au xix^e siècle,
se sont efforcés de retrouver l'atmosphère du
public cornélien l'ont senti, même quand ils
cédaient par ailleurs aux idées régnantes sur
Corneille : Sainte-Beuve évoque l'auditoire vibrant
du *Cid* [3]; Guizot relie l'admiration, par laquelle
la tragédie cornélienne agit surtout sur le public,
à un « sentiment exalté de notre existence » [4].

Pourtant, au xvii^e siècle déjà, des voix diffé-

---

1. Saint-Évremond, *Jugement sur quelques auteurs français*, au tome V des *Œuvres mêlées*, édition d'Amsterdam
(1706).
2. Lettre du 16 mars 1672.
3. Sainte-Beuve, *Nouveaux Lundis*, t. VII, articles sur
Corneille, 1864.
4. Guizot, *Corneille et son temps*, 1852.

rentes se font entendre. Sans nier tout à
fait la force entraînante de Corneille, certains
pensent qu'elle agit seulement sur les facultés
les plus hautes, et sont tentés de trouver froid un
auteur qui n'échauffe que l'intelligence et le sens
moral. La Bruyère et parfois Boileau ne sont pas
loin de ce sentiment, qui comporte évidemment
toutes sortes de réserves dans l'admiration. On
lit, dans le *Parallèle de M. Corneille et de M. Racine*,
de Longepierre (1686) : « Le premier met de l'esprit,
c'est-à-dire du brillant et des pensées partout...
Le cœur se refroidit, tandis que l'esprit s'échauffe. »
D'après ce parallèle, Racine seul parle au cœur :
c'est le contraire, terme pour terme, de ce que
disait Saint-Évremond. Ainsi, dans le siècle même
de Corneille, tantôt on le porte aux nues pour la
puissance exaltante de son œuvre, tantôt on lui
dénie la chaleur et la passion.

Cette contradiction est en réalité celle de deux
moments successifs, quoique liés et mêlés l'un à
l'autre, de la société française. L'enthousiasme
cornélien baigne tout entier dans l'atmosphère de
l'orgueil, de la gloire, de la générosité et du romanesque aristocratiques, telle qu'on la respirait en
France pendant le règne de Louis XIII, telle qu'elle
remplit toute la littérature de cette époque. Le
sublime cornélien avait déjà quelque chose d'un
peu archaïque sous Louis XIV, et, quand M$^{me}$ de
Sévigné écrivait en 1672 : « Vive donc notre vieil
ami Corneille ! », sans doute ne pensait-elle pas
seulement à l'ancienneté des œuvres, mais à celle,
plus grande encore, de l'inspiration. Les vieux

sujets d'exaltation qui avaient trouvé un regain
de faveur au temps de Corneille commençaient,
un demi-siècle après le *Cid*, à paraître plus froids.
Comment s'étonner qu'à la fin du xixe siècle, à
plus de trois siècles de distance, on ait eu bien
souvent de la peine à saisir l'impulsion qui anime
l'œuvre de Corneille? Privé de sa vie et de son
mouvement, le sublime cornélien a fini par se
dresser au-dessus des passions comme une cime
refroidie. Les bourgeois bien-pensants du xixe
siècle ont trouvé leur compte dans la conception
d'un Corneille presque puritain, et sublime à la
façon bourgeoise, par la contrainte et par l'effort.

Il était cependant bien difficile de réduire aux
termes stricts du devoir les irrégularités de sentiment et de conduite des héros cornéliens [1]. Pour
parer à la difficulté, Brunetière introduisit une
distinction subtile entre le devoir, qui est souvent
malmené dans le théâtre de Corneille, et la volonté,
qui y règne toujours. On ne peut dire que tout
tourne à l'avantage de la saine morale dans les
pièces de Corneille, « mais ce qui est plus vrai,
ce qui l'est même absolument, c'est que le théâtre
de Corneille est la glorification ou l'apothéose de
la volonté » [2]. Le profit moral qu'on peut tirer
du théâtre cornélien subsiste grâce à cette
distinction, puisque l'effort de la volonté, même
quand il est mal orienté, est louable par essence.

---

1. Chimène épouse le meurtrier de son père, Horace tue
sa sœur, Cinna conspire contre son bienfaiteur, etc.
2. Brunetière, *Études critiques*, 6e série.

Corneille, même dans ce qu'il a d'irrégulier, nous enseigne l'énergie ; à nous de mieux l'employer que ses héros. Jules Lemaître [1], plus nuancé, et aussi plus contradictoire, découvre derrière la fameuse volonté cornélienne un orgueil démesuré, une « ambition emphatique » qui semblent à certains moments le scandaliser; cependant il conclut, pour l'indispensable édification de ses lecteurs, que « Corneille demeure notre grand professeur d'énergie », sans se préoccuper davantage de la source ni de la nature de l'énergie cornélienne. S'en tenant plus strictement au sentiment de Brunetière, et l'approfondissant encore, Lanson [2] exclut complètement l'affectivité, en tant qu'élément agissant, du théâtre cornélien. « La tension, la puissance de la volonté, écrit-il, voilà tout le point de vue d'où Corneille regarde l'âme humaine. » Et il précise que cette volonté exécute, dans chacune de ses démarches, un jugement de la raison. Que reste-t-il, dans une pareille conception, de la vieille image de Corneille ? Et faut-il croire que ses premiers admirateurs l'aient si mal connu ?

＊

Le sublime cornélien n'est pas propre à Corneille ; il emplit tout le théâtre tragique de son temps. Les êtres d'exception à l'âme forte et grande

1. J. Lemaître, *Corneille*, dans l'*Histoire de la langue et de la littérature française*, de Petit de Julleville, 1897.
2. Lanson, *Corneille*, 1898.

peuplent les tragédies de Rotrou, Mairet, Tristan,
du Ryer. Et ce qui frappe d'abord, chez ces écrivains comme chez Corneille, c'est le ton exalté,
l'attitude glorieuse des héros qu'ils offrent en
modèles au public. Ni la contrainte, ni le silence des
désirs ne semblent être le partage des « grandes
âmes » comme on les conçoit alors ; chez toutes
s'épanouit la même forme glorieuse et ostenta-
toire du sublime, le même étalage des puissances
du moi, le même grandissement moral de l'orgueil
et de l'amour. Corneille et ses contemporains
reproduisent en cela une tradition dont les premiers
éléments sont assez lointains. Le terme de *féodal*,
appliqué à l'inspiration de Corneille, peut, à première vue, sembler anachronique. Mais il n'en est
pas d'autre pour désigner ce qui, dans la psychologie des gentilshommes du xviie siècle, persiste des
vieilles idées d'héroïsme et de bravade, de magnanimité, de dévouement et d'amour idéal, ce qui
s'oppose aux tendances plus modernes de l'aristocratie à la simple élégance morale ou à l'« honnêteté ». Les idées, les sentiments et les comportements qui avaient accompagné la vie féodale se
sont maintenus vivants bien longtemps après la
décadence de la féodalité. Aucune révolution
violente n'avait frappé les institutions anciennes
qui s'étaient altérées progressivement, sans que
l'individualisme noble, l'esprit d'aventure, le goût
de l'outrance et des sublimations rares eussent
jamais complètement disparu. L'époque de Corneille est justement, dans les temps modernes,
une de celles où les vieux thèmes moraux de

l'aristocratie ont revécu avec le plus d'intensité.

Il ne peut s'agir ici de retracer l'histoire et les vicissitudes de l'idéalisme noble entre le moyen âge et Corneille. Il y a là un courant de pensée ininterrompu, que la Renaissance avait modifié et en un certain sens renforcé plutôt qu'elle ne l'avait contrarié. Le prestige de la chevalerie héroïque s'était rajeuni au contact retrouvé des héros antiques, vus à travers Plutarque ou Sénèque. De même l'idéal amoureux hérité du moyen âge avait puisé une nouvelle force dans Platon redécouvert. La morale héroïque des siècles féodaux et la théorie courtoise de l'amour arrivent ainsi modernisées et enrichies jusqu'au temps du *Cid*, où des circonstances sociales favorables, renouveau de la conscience et du prestige nobles, poussée d'agitation politique chez les grands, leur donnent l'occasion de jeter un suprême éclat. C'est dans ce sens qu'on peut parler d'inspiration féodale chez Corneille, comme d'une influence à la fois lointaine et vivace. Discerner cette influence, c'est faire tomber le masque dont on a couvert les traits du Corneille véritable; c'est aider à voir dans sa morale autre chose que la répression de la nature; c'est comprendre qu'une certaine forme de passion, inséparable de la tradition noble, anime tous ses héros.

La société noble n'a jamais admis la censure des passions pour condition de la valeur humaine. C'est à peine si elle a pu concevoir ce que nous appelons la loi morale, cet impératif abstrait qui s'impose à nous du dehors. Le joug que la règle

morale impose d'ordinaire aux désirs est le même
que la société impose aux individus. Or c'est le
caractère essentiel de la féodalité, que le joug
social se fasse faiblement sentir aux nobles. Le bien
ne peut résider pour eux dans la privation, dans
la contrainte pénible du devoir sur les appétits du
moi. Toute vertu doit prendre appui au contraire
sur leur personne. Leur seul devoir est d'être dignes
d'eux-mêmes, de porter assez haut leurs visées, et
de donner aux petits des exemples suffisamment
édifiants de leur grandeur. Ils se doivent de dédaigner les ambitions réduites, de mépriser tout ce
que le vulgaire peut atteindre comme eux. Ainsi
l'orgueil double, juge, accrédite tous leurs appétits.
Ce mécanisme moral, simple et puissant, où sans
cesse s'exalte le moi, est si loin d'impliquer une
condamnation véritable de la nature, il la flatte
tellement au contraire, qu'on le voit constamment
dénoncé, dès le moyen âge, par les moralistes
chrétiens. L'Église, puissance disciplinaire universelle, remplit sa fonction en censurant les mouvements de l'orgueil noble; la société laïque n'en
continue pas moins à vivre et à penser selon sa
propre impulsion. Le début des temps modernes
n'a pas sensiblement modifié cette situation. La
Renaissance et le retour aux sources antiques ont
plutôt ranimé l'audace du moi aristocratique, ont
communiqué le prestige de la pensée philosophique
au vieil appétit de succès et de gloire, et ont posé
de nouveau à l'Église, sous une forme plus aiguë,
le problème de l'adaptation de la doctrine chrétienne à la psychologie noble. En un sens, le

contact de l'antiquité païenne a permis une affirmation plus audacieuse que jamais des valeurs
aristocratiques modernisées, haussées au niveau
d'une glorification de la puissance humaine à travers le type de l'aristocrate. Sans se détacher de
ses origines, la vieille morale noble entre dans une
lumière nouvelle, plus semblable à la nôtre, et où
son relief propre cesse parfois d'être remarqué.
Elle ne s'est guère modifiée pourtant, et il ne faut
qu'un effort de sympathie ou d'accommodation
pour en ressaisir les contours sous le dessin déjà
moderne de la tragédie cornélienne.

*

Un théâtre sans ressorts affectifs puissants est
chose difficile à concevoir. En fait les passions
occupent tout le théâtre cornélien. Elles forment
la trame première, mais toujours apparente, de
ce tissu compliqué, qui s'effilocherait si l'ambition,
l'amour, les intérêts de famille n'en unissaient
toutes les parties. Il est vrai que les mouvements de
l'affectivité tels qu'ils se présentent chez les personnages de Corneille sont de nature à dépayser
les lecteurs modernes. Aujourd'hui, en vertu d'une
habitude d'esprit naturaliste, le sens commun
voit avant tout dans la passion un entraînement
violent, étranger à tout sentiment de dignité,
et plus enclin à faire abdiquer le moi qu'à l'exalter.
Le tragique des passions ne va pas sans catas-
trophes morales, sans désastres du moi. Toute
la littérature naturaliste, depuis Racine jusqu'à

nous, a vécu sur cette conception. C'est cette vue
qui fausse le sempiternel parallèle de Corneille et
de Racine : pour n'être pas poète de la perdition,
Corneille est considéré, au contraire de son successeur, comme l'ennemi des passions. Mais, dans la
tradition dont il s'inspire, il en est tout autrement : les désirs, si impétueux qu'ils soient, sont
liés à l'exaltation de l'orgueil. Et c'est précisément
par là que l'idée du bien s'introduit dans la vie des
grands, et corrige le dérèglement de l'instinct.
C'est moins dans la rigueur du devoir que dans les
mouvements d'une nature orgueilleuse que prend
naissance le sublime cornélien.

Sans doute y a-t-il, dans l'existence même qui
définit tout orgueil, un principe de contrainte à
l'égard des démarches spontanées de la nature.
C'est si vrai que le sens commun, passant un peu
légèrement à la réciproque, dénonce volontiers un
orgueil caché derrière toute sévérité. Il n'en reste
pas moins qu'une morale vraiment sévère pour les
passions condamne normalement l'orgueil, et que
le puritain ne peut être taxé d'orgueil sans être
en même temps taxé d'hypocrisie. Dans le caractère
féodal, dont ce genre d'hypocrisie est le moindre
défaut, l'orgueil s'affirme comme tel avec autant
d'ingénuité que d'insolence. La gloire et les appétits voisinent et se mêlent sans cesse, se soutenant
bien plus souvent qu'ils ne se contredisent. Si la
gloire exige une concession préalable des désirs,
cette concession est largement compensée par
l'éclat du succès, beaucoup plus apparent chez un
Rodrigue que le tragique du sacrifice. On ne sau-

rait trop insister sur l'optimisme profond de cette
conception, où la vertu coûte toujours moins au
moi qu'elle ne finit par lui donner, où elle se fonde
moins sur l'effort que sur une disposition permanente à préférer les satisfactions de la gloire à
celles de la jouissance pure et simple, quand par
malheur il faut choisir.

Le choix est loin d'être toujours nécessaire. Le
plus souvent la satisfaction des désirs et la gloire,
loin de s'exclure, ne font qu'un; leur unité est la
donnée première du théâtre cornélien, sur laquelle
se bâtissent ensuite les développements compliqués
de l'héroïsme. Cette charpente primitive du système est bien visible dans les scènes, si nombreuses,
où le sentiment du grand naît d'une rivalité
d'ambition, à nos yeux toute matérielle : ainsi
Don Gormas exhalant sa colère de se voir écarté d'une
charge importante, devant Don Diègue qui l'a
obtenue et s'en félicite. Pareille scène semblait
grande à sa manière; un conflit d'intérêts y apparaît dès l'abord avec tout l'éclat d'une rivalité
de gloire; toute passion, haine, désir, dépit, s'y
résout en mouvements d'orgueil, tout discours
en défi; par là le simple intérêt dramatique se
trouve dépassé; la sympathie, sollicitée, s'exalte.
A ce niveau, elle est bien naïve encore, aussi
naïve et élémentaire que les mouvements qui la
font naître. Identité de l'appétit vainqueur et
de la gloire, étalage ingénu du moi, chocs de
l'orgueil offensif et de l'orgueil blessé, c'est là tout le
côté archaïque du spectacle cornélien. Cependant
ce Corneille-là, jusqu'à nos jours, n'a jamais cessé

d'agir sur le public; on imagine l'effet qu'il pouvait produire sur ses premiers auditoires, dont rien ne le séparait. Dans ce qui subsistait alors de la société féodale, les valeurs suprêmes étaient l'ambition, l'audace, le succès. Le poids de l'épée, la hardiesse des appétits et du verbe faisaient le mérite; le mal résidait dans la faiblesse ou la timidité, dans le fait de désirer peu, d'oser petitement, de subir une blessure sans la rendre : on s'excluait par là du rang des maîtres pour rentrer dans le commun troupeau.

L'amour emphatique des grandeurs et le penchant à se célébrer soi-même marquent à peu près indistinctement tous les caractères de Corneille : à tous la « gloire » imprime le même air de famille. On cite Nicomède, chantant sa propre valeur sur tous les tons, et faisant d'une tragédie entière un hymne du Héros à lui-même; mais Nicomède ne diffère pas essentiellement des autres. Rodrigue s'il souffre davantage, ne s'estime pas moins. Horace, mis en accusation devant le roi après le meurtre de sa sœur, n'oublie pas ce qu'il vaut :

> *Je ne vanterai point les exploits de mon bras ;*
> *Votre Majesté, Sire, a vu mes trois combats :*
> *Il est bien malaisé qu'un autre les seconde...*
> *Si bien que pour laisser une illustre mémoire,*
> *La mort seule aujourd'hui peut conserver ma gloire* [1].

Pour être complet, ce sont tous les héros de Corneille qu'il faudrait faire comparaître. Douter

1. *Horace*, V, 2.

de soi serait, pour n'importe lequel d'entre eux,
sortir du caractère héroïque.

Chez les femmes, la gloire réside dans la conquête
d'un époux puissant, et particulièrement d'un
époux royal : d'où ces personnages de princesses
en proie à une véritable manie du trône, qui emplissent presque toutes les tragédies de Corneille à
partir de *Rodogune*. Telle est, dans *Agésilas*, la
princesse Aglatide, qui répugne à épouser le prince
qu'on lui destine, et s'écrie avec naïveté :

> *Il n'est pas roi, vous dis-je, et c'est un grand défaut* [1].

Plus admirable encore est la Domitie de *Tite et
Bérénice*, qui aime d'abord Domitian, frère de
l'empereur Titus, et s'en explique ainsi :

> *Je le vis et l'aimai. Ne blâme point ma flamme ;*
> *Rien de plus grand que lui n'éblouissait mon âme...*

Elle l'aime aussi longtemps que Titus est loin
d'elle et qu'elle croit l'empereur amoureux de
Bérénice : mais, dit-elle,

> *A peine je le vis sans maîtresse et sans femme,*
> *Que mon orgueil vers lui tourna toute mon âme ;*
> *Et s'étant emparé du plus doux de mes soins,*
> *Son frère commença de me plaire un peu moins* [2].

Le frère de l'empereur est en effet moins grand que
l'empereur lui-même. De même Sophonisbe, dans
la tragédie qui porte son nom, se glorifie de préférer à son mari Syphax, vaincu et enchaîné, Massi-

1. *Agésilas*, I, 1.
2. *Tite et Bérénice*, I, 1.

nissa, qui vient de le vaincre. C'est à Syphax lui-
même qu'elle le dit, et sans honte :

*Ma gloire est d'éviter les fers que vous portez* [1].

Un mouvement constant porte l'homme noble
du désir à l'orgueil, de l'orgueil qui se contemple
à l'orgueil qui se donne en spectacle, autrement
dit à la gloire. La gloire, ainsi entendue, n'est que
l'auréole du succès, l'éclaboussement qui accompagne la force, le cortège de respects que fait lever
tout triomphe. La puissance a son ivresse, dans
celui qui l'exerce et dans ceux qui la voient s'exercer ; elle éveille des joies, des terreurs, des espérances qui passent leur cause matérielle et nour-
rissent un premier sentiment, une première poésie,
toute barbare, de la grandeur. Le succès se sent,
se proclame surhumain ; il se chante et le chant
impressionne la foule autant que le succès lui-
même. L'assurance, l'affirmation de soi, le ton de
la grandeur ne sont pas de simples ornements du
pouvoir ; ce sont, aux yeux du public, les marques
d'un caractère fait pour l'exercer, et l'exercer à
bon droit. Guizot, cherchant à rendre compte de
la « vertu parleuse » des héros cornéliens, remarque qu'au temps de Corneille « la nécessité de
bien tenir son rang dans la société mettait presque le soin de se faire valoir au nombre des devoirs,
ou du moins des habitudes d'un homme de cœur ».
Voltaire ne le comprend déjà plus, quand il écrit
dans son *Commentaire sur Corneille* : « Nous y

1. *Sophonisbe*, III, 6.

avons été souvent trompés ; on a pris plus d'une fois des discours de capitan pour des discours de héros. » A pareille remarque se mesure la distance qui le sépare, qui nous sépare à plus forte raison de Corneille, du vieux Corneille. Son public en tout cas ne se sentait nullement trompé ; les frontières du héros et du capitan ne se sont déplacées qu'ensuite.

Le public qui assiste à la représentation d'une tragédie de Corneille se trouve, à vrai dire, dans une situation assez complexe. Les spectateurs de *Cinna* ou de *Nicomède* ne sont pas seulement des spectateurs de théâtre ; ils jouent en même temps leur partie comme compagnons des héros et témoins de leur gloire. Ils composent l'auditoire indispensable à ces créatures faites pour l'admiration, et dont la vie n'aurait aucun sens si elle n'affrontait victorieusement l'épreuve du jugement public. Rome, ou la Bithynie, que nos héros sont censés prendre pour juges, n'ont guère accès sur la scène ; elles sont bien plutôt dans la salle. Du moins est-ce là qu'on s'indigne et qu'on applaudit, qu'on juge enfin, sans trop les distinguer, le génie de l'auteur et la grandeur d'âme de ses personnages. Ainsi, la tragédie cornélienne est doublement un spectacle, puisque les grandeurs qu'elle représente sont déjà spectacle dans la vie, avant de le devenir au second degré sur la scène. Le public est à la fois des deux fêtes, l'une sociale, l'autre littéraire. La première, la moins apparente sans doute, n'est pas la moins importante. Elle condense, dans les échanges affectifs entre le public et les personnages

de la tragédie, tout le système de relations psycho-
logiques qui définit la société. Au théâtre comme
dans la société le grand ressort est l'admiration,
mais cette admiration n'est pas inconditionnelle.
Finalement le public, ici et là, est juge de la valeur
des héros parce qu'il est le premier intéressé à ce
que les grands soient dignes de leur rang, à ce
qu'ils sachent entraîner, protéger, éblouir. Le
théâtre héroïque, et la société dont il est l'expression, supposent une certaine royauté de l'opinion :
l'idée même de gloire en est inséparable. Les concours de valeur entre les grands devant le tribunal
du public — public de pairs, public d'inférieurs,
ou plus souvent des deux ensemble — sont l'institution morale la plus conforme à l'esprit de cette
société, et la plus utile à son fonctionnement et à
sa conservation : c'est là que chacun se forme en
vue de ce qu'il doit être, selon son rang. Ainsi ne
nous étonnons pas de la place que tiennent rivalités
et défis dans le système dramatique de Corneille.
Nous en avons vu des exemples entre des héros
masculins. De la même façon nous verrons les
princesses entrer en lice pour la possession des rois
ou des grands hommes : chez Corneille, la jalousie
féminine entretient un tournoi d'orgueil, où les
armes sont le persiflage et la bravade. Les scènes
de ce genre entre deux héroïnes abondent : il faut
croire que le public les aimait particulièrement [1].
    Corneille a bien souligné la signification sociale

----

    [1]. Qu'on lise notamment dans *Sophonisbe* les scènes de
rivalité entre Eryxe et Sophonisbe (I, 3 ; II, 3 ; III, 3 ; V, 4).

de son théâtre en mêlant sans cesse, chez ses héros,
la prétention du moi et l'orgueil de la race. Le choix
de personnages princiers ou royaux n'est pas seulement chez lui un procédé d'amplification ou une
convention théâtrale : c'est une condition du
drame, sans laquelle tout s'effondrerait, les démarches et le langage de la gloire perdant tout leur
sens chez des personnes du commun. Aussi Corneille a-t-il constamment soin de rappeler à ses
spectateurs la qualité sociale qui soutient et justifie
l'attitude morale de ses héros. Ainsi, parmi tant
d'autres, la Cléopâtre de *Pompée* :

> *J'ai de l'ambition, et soit vice ou vertu,*
> *Mon cœur sous son fardeau veut bien être abattu;*
> *J'en aime la chaleur et la nomme sans cesse*
> *La seule passion digne d'une princesse* [1].

Qu'un bourgeois comme Corneille, issu d'une
famille de petits robins et de fonctionnaires pro-
vinciaux, d'ailleurs dépourvu de brillant et d'influence dans le monde, se soit fait le poète des grandeurs et de la gloire, on ne doit pas le trouver trop
étonnant. La règle générale était que les vertus
des grands fussent célébrées, autant que par eux-
mêmes, par leurs badauds ou leurs « domestiques »,
au sens que ce mot avait alors, et que les écrivains
ne fussent qu'une catégorie supérieure parmi ces
badauds ou ces domestiques. Jules Lemaître a sans
doute touché juste quand il a dit de Corneille
que « pauvre, de vie bourgeoise et étroite, réduit

---

1. *Pompée*, II, 1.

presque à tendre la main [1], il faisait solitairement
des orgies de pouvoir, de domination et d'orgueil » [2].
Son théâtre lui donnait à lui-même, outre la gloire
du poète, l'illusoire plaisir de s'identifier aux
grands, et donnait aux grands le solide avantage
de l'admiration publique.

La religion de l'orgueil ne saurait s'en tenir à
l'exaltation du succès. Une nécessité intérieure la
pousse à se développer dans un sens idéal. Cette
nécessité dérive de l'inquiétude même du moi
devant le fait inévitable du malheur et de l'échec.
Toute religion de la grandeur humaine souffre de
l'obsession du destin, contre lequel l'orgueil de
l'homme n'a point de recours matériel. La défaite,
la privation, la mort, sont inscrits dans la nature,
et leur inéluctabilité frappe le moi d'une blessure si
sensible qu'on ne saurait, sans désespérer l'orgueil,
le faire résider uniquement dans la puissance de
vaincre. Il faut, pour se mettre d'avance, et quoi
qu'il advienne, à l'abri de l'humiliation, que l'orgueil se désolidarise de l'univers ennemi, qu'il
s'attache à des victoires idéales plus précieuses
que le succès matériel. C'est si vrai qu'on pourrait presque définir par cette démarche la nature
même de l'orgueil. La substitution, comme valeur

1. Le fait est très improbable ; il n'en reste pas moins que
Corneille était un simple bourgeois.
2. Jules Lemaître, *loc. cit.*

suprême, d'une puissance morale hors d'atteinte
à la puissance physique menacée, de l'attitude
du défi à celle du succès, sert en tout cas de point
de départ à toute la métaphysique spiritualiste de
l'orgueil. On conçoit aisément l'importance d'une
pareille substitution par une classe sociale dont
la condition tout entière est dominée par les vicissitudes des armes. Dans ce domaine, le désastre
menace toujours, et l'orgueil doit être assez sûr de
lui pour se savoir capable d'y survivre, voire de
l'affronter : la vaillance, la première des vertus,
est si immédiatement impliquée dans l'orgueil,
qu'il s'en trouve ennobli dès le principe ; aussi
l'accueille-t-on, dès qu'il apparaît, avec un préjugé enthousiaste où s'ébauche déjà le sentiment
du sublime moral. Il suffit en effet que l'orgueil
rencontre sur son chemin le danger, l'oppression,
l'infortune, pour qu'il se change, s'il persévère,
en vertu rare et héroïque. Le « non » stoïque sur
lequel repose si souvent le sublime cornélien résulte
d'une semblable métamorphose. Il faut être héros,
ou cesser d'être ; le moi, pour ne pas « se démentir »,
et avant même d'y avoir songé, touche au sublime.
La résistance à la force ou aux événements prend
ainsi la forme éminemment féodale d'un défi qui
met le vaincu, par la seule vertu, tout idéale, de
la parole et du dédain, au-dessus de ce qui l'écrase.
Camille défie Horace vainqueur, Émilie défie
Auguste tout-puissant :

> *Il peut faire trembler la terre sous ses pas,*
> *Mettre un roi hors du trône, et donner ses États,*
> *De ses proscriptions rougir la terre et l'onde,*

> *Et changer à son gré l'ordre de tout le monde ;*
> *Mais le cœur d'Émilie est hors de son pouvoir* [1].

Cette transmutation soudaine, et où toute la passion se retrouve métamorphosée, d'une victoire impossible en une gloire assurée transportait les spectateurs. C'était là tout le sublime du fameux « qu'il mourût », cent fois répété par Corneille sous diverses formes. C'était l'idée, constamment reprise, d'une mort éclatante ou d'un glorieux supplice :

> *S'il est pour me trahir des esprits assez bas,*
> *Ma vertu pour le moins ne me trahira pas ;*
> *Vous la verrez, brillante au bord des précipices,*
> *Se couronner de gloire en bravant les supplices,*
> *Rendre Auguste jaloux du sang qu'il répandra,*
> *Et le faire trembler alors qu'il me perdra* [2].

Loin de résulter de la soumission du moi à une discipline quelconque, la vertu cornélienne réside dans une nouvelle exaltation de ce moi, par laquelle il s'assure lui-même contre les injures du destin.

\*

Le sublime cornélien naît donc d'un mouvement particulier par lequel l'impulsion humaine, sans se nier ni se condamner, s'élève au-dessus de la nécessité. C'est un mouvement directement jailli de la nature, et qui pourtant la dépasse,

1. *Cinna*, III, 4.
2. *Ibid.*, I, 4.

une nature supérieure à la simple nature. Nature
par la démarche ouverte de l'ambition, que ne
tempère aucune gêne, et plus que nature, par la
puissance que le moi s'attribue d'échapper à tout
esclavage. La vertu cornélienne est au point où le
cri naturel de l'orgueil rencontre le sublime de la
liberté. La grande âme est justement celle en qui
cette rencontre s'opère.

Il est bon d'y insister : l'intelligence de la psychologie cornélienne a été souvent faussée de nos jours
par un emploi erroné des concepts de volonté et
de raison. Lanson, dans un article célèbre [1], a cru
pouvoir conclure d'un rapprochement très judi-
cieux du théâtre cornélien avec le *Traité des Passions* de Descartes, que la « générosité » se définis-
sait également ici et là par le triomphe de la volonté et de la raison sur les passions. Mais cette
conclusion n'est possible que par un malentendu
sur les notions que l'on veut emprunter à Descartes, et qui ne sauraient aider à définir la conception cornélienne du généreux qu'à condition d'être
définies elles-mêmes. Lanson, et avec lui la plupart des critiques, donnent au mot volonté le
sens qu'il a dans le langage moderne, naturellement influencé par les idées morales de la bourgeoisie conservatrice. Ils entendent par volonté
le pouvoir de se réprimer, de faire taire ses désirs.
On trouverait malaisément chez Descartes un
semblable emploi de ce mot, qui désigne chez lui,
tantôt le désir lui-même en tant qu'il porte à

1. *Revue d'histoire littéraire*, 1894.

l'action, tantôt la faculté de donner suite dans l'action à un désir plutôt qu'à un autre, la « libre disposition des volontés », le libre arbitre. Et la perfection morale paraît résider justement dans une harmonie du désir et de la liberté : cette harmonie se produit dans les âmes généreuses, du fait que le désir s'y portant toujours vers des objets dignes de lui, n'aliène pas la liberté du moi, qui n'est qu'un autre nom de sa dignité. Tout le *Traité des Passions* recherche, non pas les moyens d'écraser le désir sous l'effort volontaire, mais bien plutôt les conditions d'un accord entre l'impulsion et le bien. L'accord se fait sur le terrain de cette nature plus belle que nature qui est celle de l'homme généreux. Il ne faut pas perdre de vue que l'inspiration dominante de cette morale est de vouloir donner au moi toute sa valeur et sa souveraineté, et que cette souveraineté serait également compromise par l'explosion des désirs, et par leur étouffement. Entre les deux, donnant au désir un objet valable, et à la contrainte un mobile glorieux, chemine la vertu : elle consiste à aimer et à désirer tout ce dont le désir ou l'amour prouve et fortifie la liberté. Descartes est tout occupé du prestige des belles passions, amour de bienveillance, dévouement des gens d'honneur, amour pour les vrais biens, estime de soi fondée sur une cause juste. La lecture du *Traité des Passions*, non plus que celle du *Cid* ou de *Cinna*, ne laisse guère cette impression de contrainte tendue et rigide, dont on prétend faire un mérite commun à Corneille et à Descartes.

Quant au rôle de l'intelligence dans la conception qui leur est en effet commune, c'est de dire
si nos passions sont bien ou mal fondées, c'est-à-dire
au fond si elles nous portent ou non à aimer notre
liberté et à fuir notre servitude. Le jugement n'est
autre chose que l'auxiliaire du libre arbitre. Son
importance se mesure au fait qu'il n'est pas de
liberté sans une vue exacte des rapports qui nous
unissent au monde, sans une connaissance juste
de la nécessité dont nous prétendons annuler le
pouvoir, sans une bonne appréciation de ce qui
dépend ou ne dépend pas de nous. La raison montre son chemin à la générosité, mais, pas plus chez
Descartes que chez Corneille, elle n'est l'ennemie
du moi. Raison, ce mot qui résonne parfois aux
oreilles bourgeoises du xixe siècle et du nôtre
comme un précepte de limitation, de répression,
rendait peut-être un autre son au temps de Descartes et de Corneille : il désignait le moyen assuré,
pour l'être humain, de reconnaître et de rejeter
les liens dont la nécessité du dehors et celle des
passions aveugles, qui n'en est que le prolongement
en nous, pouvaient enchaîner sa gloire. La raison
était, non pas le principe de la contrainte, mais
l'organe de la liberté. Pour l'avoir méconnu on a
orienté à tort la morale de Corneille contre l'instinct, contre tout instinct ; on a fait une morale
purement contraignante d'une morale qui attend
tout de l'ambition victorieuse. On a cru que la
volonté et la raison cornéliennes étaient dirigées
contre le moi, alors que leur fonction est au contraire de lui assurer en toutes circonstances un

triomphe certain. Ce n'est qu'en apparence un
sacrifice, que celui par lequel un désir s'efface
devant un autre, à la fois plus puissant et plus
noble : toute la dialectique cornélienne s'emploie
à l'établir. Et tout l'humanisme aristocratique va
dans ce sens. De Corneille à Descartes, à Méré lui-
même, des limites de l'héroïsme à celles de la simple perfection mondaine, la philosophie aristocratique emploie les plus hautes facultés de l'homme
à la conquête d'une liberté dont le désir précède
et ennoblit tout. Avec ceci de particulier chez
Corneille et les tragiques de sa génération que,
peu soucieux de sérénité philosophique et moins
encore de discrétion ou de délicatesse, ils représentent cette conquête dans tout son éclat
vivant, avec tous ses élans immodestes, que la loi
du théâtre exagère encore.

*

Des métamorphoses de l'orgueil, nous n'avons
considéré jusqu'ici que la plus simple, celle qui
naît presque par réflexe de l'infortune. Le stoïcisme
est la réponse de l'orgueil à la nécessité ; mais
quand aucune nécessité contraire ne le presse,
tant qu'il conserve l'avantage ou l'espérance de
l'avantage, où apprendra-t-il le mépris de la grandeur matérielle ? Par où recevra-t-il l'idée d'un
bien autre que le succès, d'une gloire plus éclatante que la gloire de vaincre ? La question mérite
d'être posée et les exemples ne manquent pas,

dans la littérature héroïque, où l'orgueil heureux,
sourd à toute idée de magnanimité ou de justice,
dirige contre ses victimes, contre la loi morale et
contre les scrupules mêmes qu'elle lui inspire
toute sa puissance de défi.

Telle est la Cléopâtre de *Rodogune,* meurtrière
de son mari, puis de l'un de ses fils, et dont Corneille dit lui-même que « tous ses crimes sont
accompagnés d'une grandeur d'âme qui a quelque
chose de si haut qu'en même temps qu'on déteste
ses actions on admire la source dont elles partent[1] ».
Cette source n'est pas précisément la tension de
la volonté, c'est plutôt une situation naturelle
de l'âme au-dessus des puissances qui entravent
communément l'ambition : crainte, tendresse
naturelle, conscience morale. C'est par ce dédain,
plus souvent spontané que volontaire, que l'héroïne force l'admiration. Elle voit de haut tout
ce qui contrarie en elle la passion de la royauté,
la plus grande que l'âme humaine puisse concevoir.
Tout lui semble négligeable en comparaison, et
elle meurt sans se repentir de ses crimes, en se
faisant gloire au contraire de leur étendue et de
l'horreur qu'ils inspirent. L'orgueil et le défi
sont à tel point les ressorts du sublime cornélien,
ils se suffisent si bien à eux-mêmes, qu'il est
parfois malaisé de porter un jugement moral
sur leurs manifestations. Cléopâtre, dont les
deux fils aiment Rodogune, ne donnera le trône

1. *Discours de l'utilité et des parties du poème dramatique,*
1660.

qu'à celui qui assassinera cette princesse ; et
sans doute est-elle odieuse ; mais le cas de Rodogune elle-même est plus incertain, quand elle
donne à ses deux soupirants plusieurs raisons de
tuer leur mère à sa place, et promet sa main comme
récompense à l'assassin. On a souvent observé
le caractère scabreux, selon la morale habituelle,
de certaines attitudes héroïques imaginées par
Corneille. Mais on s'est trompé quand on a cru
pouvoir expliquer cette forme de sublime par la
somme d'énergie qui y accompagne une conduite
discutable. Dans le cas de Cléopâtre, il ne faut
pas dire que la force de la volonté engendre le
sublime, abstraction faite du bien et du mal moral ;
c'est plutôt le mépris du bien et du mal qui est
sublime, dès lors que l'ambition, l'orgueil, la
haine de la médiocrité et de la dépendance, en
sont le principe. A cette condition l'horreur du
spectacle se mêle d'admiration. Si l'on veut retrouver l'atmosphère vraie de *Rodogune* ou d'*Attila*,
de cet *Attila* que Saint-Évremond recommande
aux amateurs de la « scène farouche et sanglante »[1],
on ne gagnera pas grand-chose à invoquer
l'exercice abstrait de la pure volonté. Mieux
vaut se reporter par la pensée aux origines san-
guinaires du monde féodal, à l'héroïsme barbare,
à tout le côté violent et démesuré de la vie
aristocratique jusqu'au début des temps modernes.

1. Dans une de ses lettres au comte de Lionne (*Œuvres
mêlées*, t. II).

De pareils exemples demeurent pourtant assez rares dans la tragédie cornélienne. L'orgueil véritablement héroïque répugne à détruire la loi morale. Ce qu'il cherche, c'est un accord où l'orgueil lui-même autorise la loi, où les limitations que la société, si peu disciplinée qu'elle soit, rend indispensables, se confondent avec les intérêts de la gloire. Tel est bien le principe de la magnanimité cornélienne, quand elle accompagne et modère, chez celui qui l'exerce, la supériorité de la force matérielle. Il y a en effet, dans l'attachement trop étroit à la puissance, une compromission toujours dangereuse du moi, qui pourra se repentir d'avoir placé sa gloire dans un bien qu'il n'était pas assuré de pouvoir garder. L'intempérance finit trop souvent dans le désastre et dans la honte. La nature nous l'enseigne déjà ; la société, par le concours des ambitions des autres hommes avec les nôtres, nous montre, plus rapprochées encore de nous, les limites au-delà desquelles nous ne pouvons nous aventurer sans quelque folie. D'où une sagesse de l'orgueil, un certain pli de désintéressement ou d'équité, par lequel le moi s'assure à l'avance contre un humiliant démenti du destin. Ne jamais trop prétendre pour n'avoir jamais à se dédire, s'abstenir de transgresser une prescription contre laquelle il est infiniment peu probable qu'on ait le dernier mot, parce que la nature des choses l'autorise, telle est la loi de la prudence commune ; telle est aussi la loi de la prudence héroïque, à cela près que la considération de la gloire ou de la honte l'inspire, plutôt que celle du bonheur ou du malheur. C'est ainsi que Cléopâtre, folle selon le sens commun, ne l'est pas moins si on la juge selon la mesure des héros : elle a lancé au monde un défi dont elle ne peut guère se tirer à son honneur. Qui prétend agir contre l'ordre des choses ne peut vaincre que par exception ; semblable victoire, si par hasard elle se produit, ne saurait avoir une valeur d'exemple ; et ce qui n'est pas exemplaire ne vaut rien en morale.

Il faut donc que l'orgueil soit sage, à sa manière, pour ne pas se perdre. Mais la raison qui l'assagit ne le laisse pas sans aliment. Elle le flatte au contraire d'un appât nouveau, elle l'exalte et le transfigure. Elle lui fait considérer les grandeurs matérielles dans toute leur étendue, et elle lui enseigne à n'en trouver aucune, le trône y compris, qui mérite un entier hommage ; elle l'accoutume à dominer toute chose par la vertu du détachement, à trouver enfin le vrai bien, le bien suprême dans une glorieuse assurance. En se modérant, l'orgueil ne cède pas proprement à la nécessité, il s'en libère plutôt, et résout d'avance, à sa gloire, le problème de ses relations avec le monde. Ce qui manque donc à Cléopâtre, en même temps que la vraie lucidité, c'est le suprême orgueil. Le trône est son maître ; il la mesure toute, et il n'est rien en elle qui le puisse mesurer, et dépasser ; telle est sa profonde et décisive faiblesse. La leçon que Corneille a incarnée en elle, c'est que la passion de la grandeur se mue en servitude sitôt que la considération de l'*objet* convoité, si

prestigieux soit-il par lui-même, prime le *mouvement* de l'ambition, sitôt que le moi se fixe à
une proie au lieu de demeurer fidèle à lui-même,
et de chercher, dans le dépassement de toute
convoitise, le secret de la vraie grandeur.

\*

Ainsi le respect des droits d'autrui, la modération, la justice s'introduisent dans la morale
héroïque par une critique toute glorieuse de la
démesure et de l'avidité. Si l'on veut maintenant
définir, sur le plan des relations sociales concrètes,
la nature de cette justice dont la loi se confond
avec celle de la gloire, et si l'on rapproche l'une
de l'autre les deux attitudes héroïques décrites
jusqu'ici, défi à la force et modération dans l'usage
de la force, on ne pourra s'empêcher d'évoquer
l'esprit du contrat féodal, dont le souvenir diffus
a dominé pendant des siècles la notion commune
de la justice. Le pacte féodal fixe le point jusqu'où
la domination est légitime et la révolte criminelle,
et au-delà duquel la première est abusive et la
seconde héroïque. Il s'agit moins ici de l'institution politique que de la forme prise, en rapport
avec cette institution, par les relations morales
entre le plus fort et le plus faible, idéalement régies
par la loyauté chevaleresque, par ce qu'on nommait
la foi. De même que le pacte entre un seigneur
et son vassal demeure un arrangement concret
d'homme à homme, de même la foi qui le garantit

demeure au niveau des affects et des susceptibi-
lités du moi, qu'elle prolonge et moralise sans les
condamner. La fierté, la honte, les blessures
d'amour-propre resteront les ressorts naturels
par lesquels se soutiendra, bien plus que par l'idée
d'une discipline abstraite, et par lesquels agira la
foi chevaleresque. Tel se flattera de servir celui
à qui il s'est donné, parce qu'il se démentirait
s'il y manquait ; pour la même raison, s'il se voit
opprimé par lui, il le désavouera, le défiera devant
l'opinion, opposera l'orgueil à la force, cherchera
à lui faire honte. Cinna, Émilie et tous leurs pareils
ne font pas autre chose. Le défi héroïque de la
victime stimule dans un sens idéal l'orgueil
heureux du vainqueur. Châtier trop durement,
c'est se rabaisser au niveau de ceux qu'on châtie ;
du rang de vainqueur on passe à celui de rival.
Au contraire, mépriser le triomphe après avoir
brisé les obstacles, c'est ajouter au prestige
d'avoir vaincu celui d'être au-dessus de sa propre
victime. Le désintéressement magnanime du
vainqueur répond, sur un ton plus haut et plus
serein, au défi stoïque du vaincu. Le code de la
générosité, qui règle les rapports de Cinna et
d'Auguste à l'image des vieilles relations, idéalement conçues, entre vassal et suzerain, formule
en termes moraux les mécanismes naturels de
l'amour-propre. A peine a-t-on besoin de trans-
poser pour passer des mouvements spontanés
de la belle nature aux idées les plus hautes
du bien.

Nietzsche écrit, dans une page intitulée *La*

*générosité et ce qui lui ressemble* : « Il y a dans la
générosité le même degré d'égoïsme que dans la
vengeance, mais cet égoïsme est d'une autre
qualité [1]. » Corneille aurait dit plutôt : « Il y a
dans la générosité la même passion de l'emporter
que dans la vengeance, mais elle est d'une qualité
plus haute. » Il n'aurait pas dit, en tout cas, comme
on le lui a fait dire : « Il y a dans la générosité un
silence absolu des passions. » Il nous montre dès
le début dans Auguste un homme rassasié de sa
puissance, et comme dégoûté de n'avoir plus rien
à y ajouter. C'est alors qu'on lui conseille de se
montrer, en renonçant au trône, plus grand que
les grandeurs mêmes :

> *Loin de vous captiver, souffrez qu'elles vous cèdent,*
> *Et faites hautement connaître enfin à tous*
> *Que tout ce qu'elles ont est au-dessous de vous...*
> *Votre gloire redouble à mépriser l'empire [2].*

C'est ce redoublement dans le triomphe que réali-
sera, à la fin de la pièce, la fameuse scène de la
clémence : il y a bien dans cette clémence un calcul, mais de gloire, et non de politique ; encore
serait-il plus juste de dire que c'est un sursaut de
gloire, qui fait brusquement mettre bas les
armes au désir de vengeance au moment même
où il touche à son comble devant des trahisons
coup sur coup révélées. L'annonce imprévue de
l'infidélité de Maxime provoque soudain, et contre

1. F. Nietzsche, *Le Gai Savoir*, I, 49.
2. *Cinna*, II, 1.

l'attente, l'éclair de la générosité, surgi comme un
défi au destin et à la tentation de punir, et dédié
presque aussitôt aux siècles à venir, comme à un
auditoire grandiose :

> *En est-ce assez, ô ciel, et le sort, pour me nuire,*
> *A-t-il quelqu'un des miens qu'il veuille encore séduire ?*
> *Qu'il joigne à ses efforts le secours des enfers :*
> *Je suis maître de moi comme de l'univers ;*
> *Je le suis, je veux l'être. O siècles, ô mémoire,*
> *Conservez à jamais ma dernière victoire* [1] *!*

C'est à cet endroit qu'on versait des larmes
d'enthousiasme. Lanson, qui explique Corneille
par le triomphe de la volonté et de la raison, a de
la peine à expliquer ce jaillissement lyrique. C'est,
dit-il, que, parvenu au comble de sa force, la
volonté « se chante ». Mais les héros de Corneille
se chantent d'un bout à l'autre de leur rôle, car
la vertu noble ne sait se passer à aucun moment
ni d'exaltation, ni de publicité.

Elle ne sait pas davantage se passer de parte-
naire. L'assaut de générosité entre deux ou plusieurs personnes exalte le sentiment du sublime,
en ajoutant l'intérêt dramatique de la surenchère
à la simple admiration. L'émulation héroïque se
trouve partout dans Corneille, mais elle produit
ses plus grands effets dans les dénouements :
la magnanimité, appelant en retour la magnanimité, y fait comme un feu d'artifice final, par
lequel l'auteur semble vouloir épuiser les désirs

---

1. *Ibid.*, V, 3.

du spectateur. C'est un semblable duel qu'Auguste
propose à Cinna :

> *Comme à mon ennemi je t'ai donné la vie,*
> *Et malgré la fureur de ton lâche destin,*
> *Je te la donne encor comme à mon assassin.*
> *Commençons un combat qui montre par l'issue*
> *Qui l'aura mieux de nous ou donnée ou reçue.*

La parenté est visible entre la compétition de
grandeur d'âme, telle qu'elle apparaît ici, et le
tournoi chevaleresque. Le pardon d'Auguste,
comme une brillante passe d'armes, réduit à néant
la haine des conjurés : après le pardon, elle ne
serait plus qu'entêtement injuste ; aussi se change-
t-elle aussitôt, par une nouvelle passe qui répond
à la première, en un généreux dévouement, seule
réponse possible à la généreuse clémence d'Auguste. Ainsi Émilie :

> *Ma haine va mourir, que j'ai crue immortelle ;*
> *Elle est morte, et ce cœur devient sujet fidèle ;*
> *Et prenant désormais cette haine en horreur,*
> *L'ardeur de vous servir succède à sa fureur* [1].

Cinna et Maxime, rendant les armes après elle,
achèvent le tableau. Presque toutes les tragédies
de Corneille se terminent ainsi, dans une apothéose générale où chaque gloire satisfaite retrouve
sa place.

Retenons du dénouement de *Cinna* que, dans
la conception cornélienne, l'ambition du moi
n'est pas réprouvée dans son principe. Elle s'épure,

---

1. *Ibid.*, V, 3.

se détache des intérêts palpables, prend la forme d'une affirmation idéale de dignité ou de supériorité ; elle est sublimée, et non réprimée [1]. L'Église procédait, au moins en principe, à une condamnation radicale de l'orgueil, du moi, auquel elle opposait l'humilité chrétienne. Mais la morale du monde n'allait pas dans ce sens. Elle ne disait pas qu'il fût nécessaire de se renier pour se sauver. L'humilité n'était ni en fait ni en droit la vertu des grands. Aussi le héros cornélien n'est-il jamais humble. *Polyeucte* déplut à l'hôtel de Rambouillet, si l'on en croit Fontenelle, justement à cause de son christianisme [2], et Saint-Évremond va jusqu'à dire que les vertus chrétiennes des martyrs, représentées dans |*Polyeucte*, faillirent ôter à Corneille sa réputation [3]. Si l'orgueil

---

1. On emploie d'ordinaire ce mot de sublimation chaque fois qu'un désir se satisfait sous une forme déguisée et réputée moralement plus haute. Il faut ici le prendre dans un sens plus particulier ; faute d'un autre terme, il s'applique à des cas où le désir transfiguré ne se méconnaît pas lui-même, mais persiste *consciemment*, avec un surcroît de force, sous sa forme idéale. Sa transformation suffit à l'alléger de sa culpabilité, à le sublimer sans qu'il ait à se désavouer. Cette précision est capitale, s'agissant d'une morale qui se fonde ouvertement sur les élans du moi et prétend les accorder avec l'idée consciente du bien. Autrement il y aurait répression, non sublimation : tout notre débat est dans cette différence.

2. Fontenelle, *Vie de Corneille.*

3. Saint-Évremond, *De la tragédie ancienne et moderne* (*Œuvres mêlées*, tome III) : « L'esprit de notre religion est directement opposé à celui de la tragédie. L'humilité et la patience de nos saints sont trop contraires aux vertus des

est pour le christianisme la racine même du péché,
le propre de la morale noble est au contraire que
l'orgueil et le sublime y soient presque indiscer-
nables. Morale de la nature, morale de l'idéal,
elle est à la fois l'une et l'autre, parce qu'elle
postule l'existence d'êtres naturellement situés
au-dessus de la nature, hommes par l'orgueil et,
par l'orgueil, supérieurs au commun des hommes.

\*

La création des valeurs héroïques va de pair,
dans le milieu noble, avec une élaboration très
particulière de l'instinct amoureux. C'est un
penchant général de l'esprit chevaleresque que
de faire de l'amour un stimulant à la grandeur.
La conquête amoureuse reproduisait en effet
avec ses compétitions, ses difficultés et sa gloire,
la conquête militaire, et pouvait exiger les mêmes
vertus. La femme elle-même pouvait défier ses
poursuivants, et, comme la Brünhild des *Niebel-
ungen*, ne se donner qu'à celui qui saurait la
soumettre. L'amour est alors la récompense directe
de la force et de la vaillance. Mais la conquête
amoureuse préfère ordinairement emprunter

héros que demande le théâtre. Quel zèle, quelle force le Ciel
n'inspire-t-il pas à Néarque et à Polyeucte...? Néanmoins,
ce qui eût fait un beau sermon, faisait une misérable tragédie,
si les entretiens de Pauline et de Sévère, animés d'autres
sentiments et d'autres passions, n'eussent conservé à l'auteur
la réputation que les vertus chrétiennes de nos martyrs lui
eussent ôtée. »

d'autres voies ; un triomphe de pure force sur la
femme, dans la réalité de la vie, ne flatterait
guère des amateurs de prouesses rares, et choquerait l'orgueil même, qui trouve beaucoup mieux
son compte dans le consentement de la personne
aimée. D'où le remplacement du combat primitif
par une lutte symbolique dans laquelle la femme
exige, pour céder à l'homme, qu'il se couvre de
gloire au-dehors. Les exemples dans lesquels
l'homme doit rechercher les grandeurs pour
obtenir de celle qu'il aime le consentement désiré
abondent dans Corneille. Ainsi dans *Attila* la
princesse Honorie, fiancée dédaignée du roi des
Huns, refuse de se donner pour femme au roi
Valamir, qu'elle aime pourtant, parce qu'il s'est
laissé réduire par Attila à un état de sujétion
humiliant ; il faut, pour qu'elle l'agrée, qu'il brave
Attila, qu'il la tire hautement de ses mains, qu'il
refuse même, le cas échéant, de l'obtenir du consentement du tyran :

> *Pour peu que vous m'aimiez, Seigneur, vous devez croire*
> *Que rien ne m'est sensible à l'égal de ma gloire.*
> *Régnez comme Attila, je vous préfère à lui ;*
> *Mais point d'époux qui n'ose en dédaigner l'appui,*
> *Point d'époux qui m'abaisse au rang de ses sujettes.*
> *Enfin je veux un roi : regardez si vous l'êtes* [1].

Corneille, en dépit du sens historique que lui
prêtaient ses contemporains, attribue sur ce
point les mœurs de la chevalerie à toutes les
nations et à toutes les époques : si César a fait

1. *Attila*, II, 2.

et veut faire tant de conquêtes, c'est pour acquérir le droit de plaire à Cléopâtre [1] ; Séleucus et Antiochus, princes de Syrie, souhaitent tous deux le trône pour y placer Rodogune, princesse des Parthes [2] ; Héraclius, héritier légitime de l'empire d'Orient, n'aspire à ce glorieux héritage que pour en faire part à sa chère Eudoxe [3].

La femme conquiert ainsi dans le monde chevaleresque une influence qui est à l'opposé de sa condition primitive ; de simple objet de conquête qu'elle était, elle devient une « maîtresse » exigeante et dominatrice. La souveraineté sociale de l'homme persiste, mais elle se double, sentimentalement et moralement, d'une sorte de vassalité à l'égard de la femme. L'homme se dépouille devant elle de sa supériorité physique et, par un acte d'adoration volontaire, renonce à être son maître pour être son serviteur, ou, comme on disait au XVIIe siècle, son captif, chargé des chaînes ou des fers qu'elle lui impose et qu'il bénit. Le service de la dame devient le symbole même, et comme la source intérieure la plus profonde, du renoncement à la force brutale. La dame, jalouse de ses nouveaux avantages, tend à encourager chez celui qui la sert, non plus seulement l'amour des grandeurs, mais cette sublimation de l'instinct dont elle a été la première à bénéficier. Le haut prix qu'on accorde à la femme se spiritualise alors, se

1. *Pompée*, IV, 3.
2. *Rodogune*, I, 3.
3. *Héraclius*, II, 2.

confond avec l'estime qu'on accorde à la vertu
elle même :

*Qui n'adore que vous n'aime que la vertu,*

dit un des héros de Corneille à celle qu'il aime [1].
Un acte d'amour vient confirmer ainsi toute
excellente morale, et crée une communication
supplémentaire entre les mouvements du moi et
la vertu. Si l'amour idéal a pris tant de place dans
la pensée aristocratique dès le moyen âge, c'est
que le monde féodal utilise tous les chemins qui
peuvent conduire du désir au bien par voie de
simple sublimation, et sans réprimer l'élan de la
personne noble, impatiente de toute contrainte
trop dure. A côté de l'ambition ou de l'orgueil
sublimés, s'est placé l'amour sublimé, l'un engen-
drant et soutenant l'autre [2].

1. *Pertharite*, II, 5.
2. Nous ne pouvons ici qu'envisager le phénomène dans
ses grands traits, et en faisant abstraction des difficultés qui
l'accompagnent, et dont il sera parlé plus loin. L'essentiel est
de saisir le rapport de l'esprit courtois avec l'individualisme
noble. Le fait que la femme règne en littérature dès le moyen
âge, alors que sa condition réelle est si inférieure, n'a pas
laissé d'étonner et d'embarrasser. Peut-être manquons-nous
des éléments nécessaires pour bien juger des mœurs médié-
vales. Remarquons cependant que la société est le fait de
l'homme réel, et la littérature le royaume de l'homme idéal,
et que l'un ne recouvre jamais, ne peut jamais recouvrir
l'autre, au moyen âge moins encore qu'à tout autre moment.
Pourquoi ne s'étonne-t-on pas de même du peu de rapport
qui existe, en ce temps-là, entre le sentiment chrétien et la
conduite réelle ? Il est vrai qu'il faut un point d'attache entre
ce qui est rêvé et ce qui est vécu. Pourquoi ce point serait-il

Cette conception qui fait de l'amour l'aliment
du bien s'est formulée dans le monde féodal au
cours des xiie et xiiie siècles ; elle remplit les
romans de chevalerie et la poésie courtoise ; elle
traverse les siècles, toujours vivace, et, renouvelée
au xvie siècle par l'influence du platonisme et
l'essor général de la vie intellectuelle, parvient
intacte jusqu'à l'époque qui nous occupe, et où
sa force et son crédit ont été beaucoup plus grands
qu'on ne le pense généralement. Elle est surtout
apparente dans la poésie amoureuse et la littérature romanesque, ses domaines séculaires. Le
fameux roman pastoral de l'*Astrée*, paru entre
1607 et 1627, et tellement lu dans tout le xviie siècle
développe tous les aspects de la doctrine courtoise
avec une richesse et une variété d'arguments
et de situations incroyables. Les romans « pré-

plus difficile à trouver dans le cas du lyrisme courtois que
dans d'autres ? Ne pourrait-on retrouver par exemple, dans
cette adoration de la femme, la tendance profonde de
l'homme féodal à situer ce qu'il aime sur le plan du rare, du
précieux, de l'unique ? La divinisation de la femme, ses
rigueurs même, flattent une certaine ambition de l'amant :
il touche à une merveille. Le vocabulaire des troubadours,
qui fonde l'adoration sur le « prix », va dans ce sens. Bien
plus, loin de s'étonner que le moyen âge ait conçu l'amour
courtois, il faudrait s'étonner s'il avait conçu l'amour autrement et sans lui offrir l'issue d'une idéalisation flatteuse pour
l'amour-propre. On peut discuter des sources intellectuelles
dont procède l'amour courtois, des influences précises qui
l'ont fait naître ; mais, aucune n'aurait été assez forte pour
le faire triompher sans la prédisposition de l'homme noble
à concilier les mouvements du moi et l'idée du bien.

cieux » qui ont suivi expriment, à des nuances
près, les mêmes conceptions que l'*Astrée*. On
lit par exemple dans l'*Astrée* : « L'amour a cette
puissance d'ajouter de la perfection à nos âmes »[1] ;
et, dans le *Grand Cyrus*, de Madeleine de Scudéry :
« Cette belle passion est la plus noble cause de
toutes les actions héroïques [2]. » Plus proches que
l'*Astrée* de la réalité sociale par leurs personnages,
qui sont des princes et des princesses authentiques,
et non d'irréels bergers, les romans publiés dans
le cours du xviie siècle sont aussi plus proches de
Corneille par la tournure glorieuse et emphatique
qu'ils donnent à la religion de l'amour.

Il ne faudrait pas négliger, en effet, l'influence
exercée par la tradition romanesque sur l'œuvre
de Corneille. Tout d'abord, comme les parfaits
chevaliers dont ils descendant, les héros cornéliens affectent une soumission parfaite à leur dame;
ils tiennent tous pour la dernière bassesse d'obtenir
celle qu'ils aiment sans se faire auparavant agréer
d'elle. Le Cid qui, pourtant, suivant les conventions fixées par le roi, a mérité Chimène en triomphant de Don Sanche, se jette à ses genoux après
le duel et se soumet encore à sa volonté :

*Je ne viens point ici demander ma conquête :*
*Je viens tout de nouveau vous apporter ma tête,*

1. *L'Astrée*, 2e partie, livre 1er, éd. Vaganay, p. 18.
2. *Le Grand Cyrus*, 1re partie, 2e livre (éd. in-12, p. 333).
Cf. *ibid.*, p. 784, à propos de l'amour : « Que cette faiblesse
est glorieuse! et qu'il faut avoir l'âme grande pour en être
capable! »

> *Madame ; mon amour n'emploiera point pour moi*
> *Ni la loi du combat, ni le vouloir du roi* [1].

De même Sévère, pourtant le favori de l'empereur,
tremble au moment de revoir Pauline :

> *Car je voudrais mourir plutôt que d'abuser*
> *Des lettres de faveur que j'ai pour l'épouser* [2].

D'ailleurs, chez Corneille comme dans les romans,
les dames emploient ce pouvoir absolu dont elles
disposent à rendre leurs amants vertueux ; ainsi
Eurydice, voyant que son prétendant va com-
mettre un assassinat :

> *Pourrais-je après cela vous conserver ma foi,*
> *Comme si vous étiez encor digne de moi* [3] *?*

En bien des endroits, Corneille fait résulter la
vertu de ses héros de leur obéissance à leur dame
et de leur amour, acceptant en cela le point essentiel de la morale courtoise, et aussi le plus contesté
par les moralistes sévères au nombre desquels on
prétend le ranger. Le *Cid* a dû une bonne part
de son succès, nous en avons vu le témoignage
chez Corneille lui-même, à la fameuse scène iv
de l'acte III, où Rodrigue explique à Chimène
qu'il a dû venger son honneur en considération
même de son amour, et non pas aux dépens de cet

1. *Le Cid*, V, 7.
2. *Polyeucte*, II, 1.
3. *Suréna*, IV, 3.

amour. Il était tout près, dit-il, de donner la préférence à l'amour :

> *A moins que d'opposer à tes plus forts appas,*
> *Qu'un homme sans honneur ne te méritait pas ;*
> *Que malgré cette part que j'avais en ton âme,*
> *Qui m'aima généreux me haïrait infâme* [1]...

C'est pour conserver l'amour intact qu'il lui a
préféré le devoir. Si cette conception, suivant
laquelle l'amour peut présider à la vertu, même
la plus rigoureuse, avait toujours paru scabreuse
aux tenants de la stricte morale, elle avait, à n'en
pas douter, l'agrément des contemporains de Corneille, puisqu'elle s'exprime à cette époque dans
tous les genres littéraires, roman, théâtre, poésie,
et qu'on la retrouvera même dans les compositions
épiques, raillées par Boileau, oubliées aujourd'hui,
des Chapelain, des Scudéry, des Desmarets de
Saint-Sorlin. Ce dernier en donne une des formules
les plus saisissantes dans son épopée de *Clovis*
(1657), où Lisois, l'ancêtre des Montmorency,
répond à la belle Yoland dont il est amoureux
et qui veut lui faire trahir son roi, qu'il n'aura
plus pour la servir le cœur d'un véritable amant
si son honneur n'est plus intact :

> *Voulez-vous que de l'un sans l'autre je dispose,*
> *Si l'honneur et le cœur sont une même chose* [2] ?

---

1. *Le Cid*, III, 4.
2. Desmarets, *Clovis*, livre XVIII. L'auteur joue sur le
double sens du mot « cœur », qui fait penser à la fois à la
grandeur d'âme et à l'amour. Mais justement cette duplicité
de sens est significative.

Il serait facile de montrer que Corneille lui aussi confond l'honneur et le cœur plus profondément qu'il ne les oppose, et que tout le mouvement du drame va, chez lui, de la division passagère de l'âme à la conscience retrouvée de son unité. D'une unité qui n'est pas le fruit de la contrainte, mais la loi des belles âmes, et la condition même de leur bonheur [1].

C'est surtout par ce côté de son inspiration que Corneille se rattache, et de façon assez étroite, à ce qu'on a appelé la littérature précieuse. Sur la foi de ceux qui, au xviie siècle, ont méprisé et combattu le sublime aristocratique, c'est-à-dire surtout de Boileau, on oublie trop souvent que la gloire et la courtoisie ont imprégné, jusque sous Louis XIV, une part considérable des créations littéraires. On réduit la « préciosité » à un bizarre et éphémère état d'esprit, dont on déplore de retrouver quelques traces, considérées d'ailleurs comme superficielles, chez les grands écrivains du siècle. En fait, l'énorme succès des romans, goûtés non pas seulement d'une coterie, mais de toute la société cultivée qui les cite et les commente sans cesse dans ses lettres et ses conversations, établit suffisamment quels étaient, pour une grande part, l'esprit et le penchant du public. L'austère Corneille de la critique traditionnelle semble bien

---

1. Voir, par exemple, la façon dont Émilie, dans *Cinna* (I, 1) résout ses hésitations :

Amour, sers mon devoir, et ne le combats plus :
*Lui céder, c'est ta gloire, et le vaincre, ta honte.*

éloigné de la carte du Tendre et des mièvreries
romanesques par lesquelles on connaît surtout
aujourd'hui la littérature précieuse. Mais les romans précieux, malgré leurs mièvreries, sont pleins
de sentiments et d'actions héroïques ou magna-
nimes, et la grandeur d'âme la plus cornélienne
y est sans cesse liée à la tendresse, conformément
aux traditions de la littérature chevaleresque.
L'amour des romans tourne aussi souvent au
sublime, que le sublime de Corneille tourne à la
galanterie : l'un ne va guère sans l'autre.

Comment s'étonner dès lors que ceux-là mêmes
qui aiment les romans aient été aussi les admirateurs de Corneille ? M^me de Sévigné est du nombre :
elle qui proclame bien haut la supériorité de Corneille sur tous ses concurrents, elle qui écrit :
« Je suis folle de Corneille, il faut que tout cède à
son génie [1] », avoue d'autre part sa passion pour
M^lle de Scudéry et pour La Calprenède, et dit du
roman de *Cléopâtre*, œuvre de ce dernier auteur,
que les sentiments en sont « d'une perfection qui
remplit *son* idée sur les belles âmes [2] ». De même
Perrault, dans ses *Parallèles des Anciens et des
Modernes* (1688-1697), fait succéder à l'éloge de
Corneille la défense de la belle galanterie épurée et
spirituelle [3], puis l'apologie de *l'Astrée*, du *Cyrus*
et des autres romans ; le même auteur avait précé-
demment porté aux nues Corneille dans son poème

---

1. Lettre du 9 mars 1672.
2. Lettre du 15 juillet 1671.
3. Perrault, *Parallèles*, 2^e partie, p. 31 et suiv.

sur *Le siècle de Louis-le-Grand* (1687) et devait
plus tard défendre contre Boileau, dans son *Apologie
des Femmes*, le mérite de Mlle de Scudéry [1] et
l'honneur du sexe féminin. C'est enfin Pradon qui,
dans ses *Nouvelles Remarques sur les Œuvres du
sieur D.* [2], parues en 1685, plaide en même temps la
supériorité de Corneille sur Racine et l'excellence
du *Cyrus* et de la *Clélie*. Cent ans plus tard, Voltaire unira encore, mais pour les critiquer, l'œuvre
de Corneille et la littérature romanesque : on ne
peut presque lire une page de ses *Commentaires
sur Corneille* sans y voir les tragédies de cet
auteur rapprochées des « misérables romans de son
temps ». Il relève dans *Cinna* l'expression, trop
romanesque à son gré, de « véritable amant », et la
juge plus digne de *l'Astrée* que d'une tragédie [3].
Il juge sévèrement les galanteries d'un Polyeucte :
« Cette imitation des héros de la chevalerie infec-
tait déjà notre théâtre dans sa naissance [4]. »
Toutes les pièces de l'édifice courtois ont part tour
à tour à ses sarcasmes : la rigueur des dames,
le dévouement des héros, la parfaite dévotion
amoureuse des conquérants. C'est Corneille surtout qui mérite, selon lui [5], qu'on lui applique le
reproche fait par Boileau à Mlle de Scudéry, de

*Peindre Caton galant et Brutus dameret* [6].

1. Perrault, *Apologie des Femmes*, Préface.
2. C'est-à-dire du Sieur Despréaux.
3. Voltaire, *Commentaire sur Cinna.*
4. *Commentaire sur Polyeucte.*
5. *Commentaire sur Pompée.*
6. Boileau, *Art Poétique*, vers 115.

« Tous ceux qui disent, écrit-il encore, que Racine
sacrifiait tout à l'amour, et que les héros de Corneille étaient toujours supérieurs à cette passion,
n'avaient pas examiné ces deux auteurs. » D'où
cette dédaigneuse réflexion : « Il est très commun
de lire, et très rare de lire avec fruit [1]. » Lanson
était loin de la vérité quand, après avoir remarqué
que l'amour épuré concourt à la vertu chez les
personnages de Corneille, il déclarait cet amour
« bien différent du désir qui naît de l'agrément,
et qui est l'amour ordinaire des romans [2] ». Amour
idéal, tradition courtoise, esprit des romans se
confondent, et se retrouvent ensemble chez
Corneille.

\*\*\*

L'accord établi par l'esprit courtois entre le
sentiment amoureux et les vertus sociales, vaillance
honneur, grandeur d'âme, soulève de grandes
difficultés, qui méritent d'autant plus l'attention
qu'elles constituent justement le point délicat
de la morale cornélienne. Dans les relations de la

1. *Commentaire sur Rodogune.*
2. Dans l'article, déjà cité, sur Corneille et Descartes.
Pourtant Lanson écrit ailleurs : « A travers les romans chevaleresques et pastoraux, les élégies et les tragédies, la conception des troubadours s'étalera, s'épanouira jusqu'à ce qu'elle
rencontre ses formules définitives, philosophique dans Descartes et poétique dans Corneille... » (*Histoire illustrée de la
littérature française*, t. I, p. 68.)

vertu avec l'amour, toutes les conciliations courtoises effacent malaisément une contradiction profonde, qui peut aller parfois jusqu'à la menace d'une franche rupture.

Dans la société noble, comme dans toutes les sociétés connues jusqu'à ce jour, la nature des choses veut plutôt que l'on enlève à la vertu ce qu'on donne à l'amour. La société et sa morale enseignent toujours par quelque côté à regarder hors de soi, à se tendre ; l'amour ne sait que s'abandonner à lui-même. D'où sa condamnation par la société comme un principe et comme un symbole de dissolution morale. La morale noble a beau faire la part belle à l'impulsion, il est un point où l'impulsion, méprisant toute autre considération qu'elle-même, met toute morale en danger. Ce point est plus aisément atteint sans doute dans l'amour qu'ailleurs, si l'on juge par les inquiétudes particulièrement vives que cette passion inspire aux moralistes. Les partisans de la conception romanesque se proposent justement de diminuer ces inquiétudes, de faire entrer l'amour tout entier dans le jeu de la vertu. Ils introduisent, à côté de l'opinion publique et d'accord avec elle, l'opinion de la femme aimée, et prétendent ainsi faire coïncider les élans de l'amour avec les exigences de la loi sociale. Mais leur entreprise n'inspire qu'une confiance médiocre : « La chevalerie, écrit Saint-Marc Girardin dans son *Cours de Littérature dramatique*, faisait une tentative qui n'a jamais réussi, quoique souvent essayée : la tentative de se servir des passions humaines, et particulièrement

de l'amour, pour conduire l'homme à la vertu [1]. »
Il faut donc que la vertu soit ennemie de l'amour.
Ce n'est pas la flatter sans doute, ni l'encourager. La
tentative courtoise, comme toutes les tentatives du
même ordre pour accorder l'amour et le bien, est
un fait de civilisation supérieure ; bien en avance
sur l'état général des mœurs, pareille tentative
provoque naturellement la suspicion. On invoque
toujours contre elle un état ancien des habitudes
et des valeurs, où l'amour n'avait pas encore
conquis son pernicieux prestige. On oppose à la

---

1. Tome II, chap. 35. Les difficultés rencontrées par la
conception courtoise dans son effort pour concilier la morale
et l'instinct se répercutent d'ailleurs en contradictions intérieures, aisément observables jusque dans la métaphysique
amoureuse du xviie siècle. D'une part l'amour est censé
s'adresser toujours au mérite, mais d'autre part il doit être
irrésistible et instinctif. Cette contradiction existe aussi
chez Corneille : tout ce qu'on écrit à son sujet sur l'amour
d'estime n'empêche pas que l'élection amoureuse ne doive
résulter de l'instinct. Le choix ne saurait être entièrement
justifiable sans déprécier affectivement l'objet, qui se veut
au-dessus de tout jugement. Tous les romans avant et après
Corneille confirment et développent à satiété le mot de Rodogune sur « ce je ne sais quoi qu'on ne peut expliquer » (I, 5).
Il entre dans la perfection de l'amour de ne devoir de comptes,
ni à la morale, ni à la raison, ni à la justice, qui sont pourtant
les normes de toute perfection. — Autre contradiction, plus
immédiate et plus gênante : celle qui fait de la joie d'aimer
le bien suprême et répugne en même temps à l'accomplissement de l'amour. Équilibre quasi impossible où le désir
se fait souffrance pour s'excuser, où l'on se fait l'esclave et
le martyr de la femme pour se punir de s'en être fait l'adora-
teur. Le moyen âge, en créant l'amour courtois, a créé, suivant le côté par où on le considère, une source de vie et de
beauté, ou une névrose.

conception des romans une autre plus archaïque
et que les romans n'ont jamais détruite, selon
laquelle l'amour risque de déshonorer ceux qu'il
assujettit, les détourne des grandes choses, ravale
les pensées, engendre mollesse et félonie. Dans sa
pureté primitive, l'idéal du preux était assez
fortement hostile à l'amour et à la femme : le
comportement héroïque s'accompagnait d'une
religion exclusive de la virilité. Roland pense en
mourant à ses conquêtes, aux « hommes de son
lignage », à Charles son seigneur, et c'est tout.
Cette tradition hostile à l'amour est souvent
incarnée chez Corneille par les vieillards, les pères
surtout, dépositaires naturels de la saine misogynie du vieux temps : don Diègue, le vieil Horace.
Ce sont eux qui enseignent à mépriser la femme,
à rejeter l'amour au second plan, à n'estimer
vraiment que la gloire des armes et les suffrages
virils. Reste à savoir dans quelle mesure leur
prédication donne le ton à l'ensemble de l'œuvre
et si Corneille, tout en indiquant le débat que de
tels personnages ont pour fonction de soulever,
ne lui a pas donné une solution différente de la leur.

Devant la condamnation de l'amour, c'est une
tendance fréquente de la littérature courtoise que
de rompre avec la morale reçue, de mettre l'amour
au-dessus de toute règle, d'en faire la vertu et
presque la divinité suprême. Telle est même la
définition de l'esprit courtois proprement dit,
tel qu'il s'est formé dans la poésie du Midi. L'apologie de l'amour peut prendre la forme extrême d'une
révolte de l'amour contre les valeurs sociales :

devoir féodal, familial, conjugal. La morale y perd plus qu'elle n'y gagne. Sans doute n'est-ce pas toujours le cas. Il ne faut pas que les formes aiguës de la religion courtoise cachent le phénomène plus général de la valorisation de l'amour, que la société, dans l'ensemble, a assimilé en se civilisant. Il n'en reste pas moins que la littérature romanesque est pleine d'exemples peu édifiants ; non seulement l'amour courtois tend à se donner pour incompatible avec le mariage, mais il fait oublier toute dignité sociale : Aucassin ne veut pas porter les armes tant qu'on lui refuse Nicolette ; le Lancelot de Chrétien de Troyes consent, pour se rapprocher de sa dame, à se laisser transporter sur la charrette déshonorante. Amour lui commande d'y monter, cependant que Raison l'en dissuade. Mais Amour doit triompher et triomphe. Sous cette forme, la passion courtoise ne se distingue plus aux yeux de la société du dérèglement pur et simple : elle n'en diffère que par rapport à la personne aimée, par le « dévouement » idéal, par l'adoration. La religion de l'amour se développe alors comme une religion étrangère à la société et contraire à ses lois [1].

---

1. Noter que, dans la mesure où il rompt ouvertement avec la société et la raison, l'amour courtois tourne à la tragédie, et ne peut guère se concevoir comme distinct du malheur. Il s'entoure alors de circonstances telles, que la révolte et le châtiment se confondent presque (ainsi dans *Tristan et Iseut*). Au contraire quand l'équilibre de la loi sociale et de l'amour est conservé, l'amour est heureux et l'histoire finit bien, comme c'est le cas le plus fréquent chez Chrétien de Troyes, et aussi dans les romans du xviie siècle et chez Corneille.

Si le Cid eût été Lancelot, il eût sans
doute abandonné son père et sa gloire, plutôt
que de faire aucune peine à Chimène. Il faut
reconnaître que Corneille a toujours résolu les
cas semblables en sens contraire, non pas en libérant la courtoisie de toute contrainte, mais
en tendant à l'extrême ses ressorts moraux, en
couronnant tous les sacrifices que l'amour inspire
par le sacrifice de l'amour lui-même. Le parfait
amour est pour lui, non pas seulement le
plus entier, mais le plus capable, s'il le faut,
de renoncer à se satisfaire. Rodrigue se situe,
de ce point de vue, aux antipodes de Lancelot.
Dans l'explication qu'il donne lui-même de sa
conduite, quand il déclare qu'il a dû renoncer
à l'amour de Chimène pour mériter justement cet
amour auquel il tient par-dessus tout, sa dialectique apparaît à ce point tendue, qu'on peut
presque dire que le cœur a perdu ses droits devant
un devoir tyrannique. L'impression est encore
plus forte dans le cas des personnages féminins :
Pauline avoue expressément à Sévère que sa raison
tyrannise son cœur ; d'autres héroïnes procla-
ment sans cesse la dure souveraineté de leur
devoir sur leur passion. La raison semble bien ici
l'ennemie directe de l'instinct, dressée contre lui
et destinée à prévaloir sur lui. L'idée habituelle
que l'on se fait de Corneille repose surtout sur cet
aspect de son théâtre et semble confirmée par
Corneille lui-même quand il écrit : « J'ai cru
jusques ici que l'amour était une passion trop
chargée de faiblesse pour être la dominante dans

3

une pièce héroïque [1]. » On aurait tort cependant
de voir là une condamnation formelle de la morale romanesque. Il faut prendre garde que ces mots furent
écrits au temps de l'*Alexandre* de Racine, et qu'ils
sont dirigés contre la tragédie tendre qui disputait
victorieusement à Corneille, parvenu à la fin de sa
carrière, la faveur du public. Il est naturel que
Corneille, cherchant à se distinguer de ses rivaux,
tende à imaginer entre eux et lui une opposition
radicale, là où n'existe en réalité qu'une différence
de degré. Et d'ailleurs, que dit-il? Que l'amour ne
doit pas avoir la première place, et tout conduire
dans une tragédie ; il ne dit pas que cette passion
doive en être éliminée, ou n'y apparaître que pour
être brimée ; la formule qu'il emploie est très
significative : il faut « que les grandes âmes ne la
laissent agir qu'*autant qu'elle est compatible avec
de plus nobles impressions* ». Il trace une hiérarchie, mais il souhaite un accord. Il est bien évident
que l'amour n'est pas à ses yeux la première des
vertus ; l'amour n'est même pas la source exclusive
des vertus ; il ne tend à jouer ce rôle que dans les
romans, et Corneille n'est pas un auteur de romans.
Il n'en reste pas moins que l'amour, quand il
est bien entendu, peut être compatible avec ces
impressions plus nobles, que produisent les grands
intérêts d'honneur, de guerre ou d'État. Corneille
n'oppose qu'à moitié la grandeur, qui fait le fond
du théâtre tragique, à l'amour. Il a plutôt cherché,

1. Corneille, Lettre à Saint-Évremond (pour le remercier
des éloges contenus dans sa *Dissertation sur l'Alexandre*).

dans toute son œuvre, à les concilier qu'à les
mettre en conflit.

De fait, il faut bien remarquer que Corneille,
même lorsqu'il tend les liens qui unissent le devoir
à l'amour, répugne à les briser. La dialectique
romanesque ne renonce jamais chez lui à concilier
le cœur et le devoir et ne les laisse pour ainsi dire
jamais face à face comme deux ennemis. Il est
indispensable de remarquer, en tout cas, que le
prétendu discrédit de l'amour dans son théâtre ne
rejaillit absolument pas sur la femme. La suprématie féminine, l'idéalisation de la femme constituent
véritablement le fond de toute la conception
courtoise. L'amour n'est pas radicalement condamné
tant que la femme reste en honneur. Il faut qu'on
la fasse descendre de son piédestal pour que le
système s'effondre. Aussi les vrais ennemis de
l'esprit courtois, depuis le moyen âge, s'en pre-
naient-ils à la femme ; clercs intransigeants ou
bourgeois cyniques, ils dénonçaient en elle l'incarnation de la faiblesse, et dans sa déification un
crime ou une sottise. Boileau, à l'époque qui nous
intéresse, ne procédera pas autrement. Corneille,
au contraire, est si attaché à la tradition romanesque qu'il a jugé bon, alors même qu'il marquait
les faiblesses de l'amour, d'en absoudre le caractère féminin, d'incarner toujours l'exigence de la
vertu dans la femme aimée. Les protestations du
sentiment se trouvent plus volontiers dans la
bouche des héros masculins. C'est par voie d'autorité
féminine que la vertu triomphe dans son théâtre ; si
rigoureuse qu'elle soit, elle continue à se confondre

avec une image idéale de la femme. Telle était d'ailleurs, à peu de discordances près, la tendance générale de son siècle.

Le couple cornélien le plus commun est donc constitué par une héroïne d'une vertu stricte et un chevalier soupirant qui récrimine seul contre la rigueur du devoir. Ainsi Pauline et Sévère, dans *Polyeucte*. De même Othon répugne à obéir au devoir qui lui enjoint de renoncer à Pauline : c'est Pauline qui lui recommande de se soumettre et d'élever son amour « au-dessus du commerce des sens », et c'est lui qui objectera :

*Qu'un tel épurement demande un grand courage*[1]*!*

Cet arrangement était devenu, à l'époque de Corneille, comme une sorte de convention littéraire et morale presque intangible. On le trouve dans tous les romans du temps : partout des héroïnes d'une vertu sévère garantissent le respect de la stricte morale, attaquée par des héros au cœur sensible.

Une semblable combinaison sauvait l'héritage romanesque tout en accentuant à l'extrême ce qu'il contenait de sévérité : elle conciliait le prestige de l'amour et le contrôle de la société. Nous avons vu qu'à l'origine l'amour courtois se situait souvent en dehors de la règle sociale et contre elle. L'amour des chevaliers et des dames dans les romans du moyen âge est souvent en révolte contre les obligations de la naissance, l'auto-

1. *Othon*, I, 4.

rité des parents, la loi du mariage. Dans la tragédie
de Corneille comme dans toute la littérature sérieuse
de son temps, on ne trouvera au contraire, en règle
générale, ni déchéance sociale des héros et des
héroïnes, ni rébellion contre l'autorité familiale [1],
ni manquement à la foi conjugale. La société y
fait la loi à l'amour. L'idéal courtois s'est, socialement parlant, régularisé. Il sera curieux de constater, dans cette régularisation, l'influence mêlée
d'un principe de discipline sociale, qu'on peut
appeler moderne, et des traditions les plus archaïques de la féodalité.

\*
\* \*

Dans tous les domaines, l'esprit de la monarchie absolue tendait à la régularité. La brutalité
toute primitive du pouvoir familial avait coexisté
au moyen âge avec un foisonnement d'irrégularités de fait, qui avaient bien souvent pour elles la
sympathie de l'opinion et les honneurs de la littérature. La contradiction était partout, et on n'en
était pas trop frappé. Mais les discordances de
l'opinion et du droit, de la règle et des faits,
commençaient à être ressenties de façon plus
gênante dans le grand état qui s'organisait sous
la férule des rois. D'où la nécessité d'une synthèse
qui ménageât les droits des amants et l'autorité

---

1. La Camille d'*Horace* est une exception notable, la seule
d'ailleurs, si on laisse de côté les involontaires faiblesses de
Chimène, qui firent pourtant scandale, et constituèrent un
des thèmes principaux de la querelle du *Cid*.

renforcée des impératifs sociaux. C'est cette synthèse en quelque sorte officielle de la contrainte et du sentiment que l'on trouve chez Corneille.

Il n'en demeure pas moins que Corneille a toujours intéressé l'orgueil individuel, le plus avoué et le plus éclatant, aux duretés du sacrifice. Le groupe social au nom duquel s'accomplit chez lui l'acte héroïque n'est jamais plus vaste que la famille, l'État n'étant lui-même autre chose que la famille quand il s'agit d'un héros ou d'une héroïne de race royale [1]. L'entité qui commande le sacrifice est donc proche, et elle est concrète ; transcendant à peine l'individu, la famille noble ne l'oblige à se sacrifier ni par les voies de la raison ni par celles d'un devoir abstrait. Elle constitue moins une solidarité disciplinée qu'une communauté directe d'orgueil. L'honneur du groupe est à peine distinct de celui de ses membres et les grands intérêts d'État ou de famille intéressent immédiatement la gloire de l'individu [2] :

> . . . . . . *Mourir sans tirer ma raison!*
> *Rechercher un trépas si mortel à ma gloire!*

1. La cité romaine primitive, telle qu'elle apparaît dans *Horace*, représente à peine un horizon plus vaste que la famille. D'ailleurs les héros parlent du « nom romain » comme les gentilshommes spectateurs de Corneille parlaient du nom de leur race, bien plutôt que du nom français. La couleur locale romaine consistait justement dans le caractère immédiat attribué dans l'ancienne Rome à l'intérêt patriotique.

2. Quand la contradiction éclate, il peut arriver que l'individu l'emporte ; ainsi Camille dans *Horace* : c'est la religion de l'amour sans entrave, autorisée par un moi qui met en ui- même tout son orgueil.

> *Endurer que l'Espagne impute à ma mémoire*
> *D'avoir mal soutenu l'orgueil de ma maison* [1] *!*

s'écrie Rodrigue, mêlant spontanément la gloire
de sa famille et la sienne propre. De même le douloureux sacrifice des princesses mariées contre
leur cœur ne leur serait guère possible, s'il n'était
soutenu par l'orgueil de leur rang social, et par la
crainte d'être inférieures au nom qu'elles portent
en se mariant mal selon la société. Chimène,
renonçant à Rodrigue, s'écrie :

> *Il y va de ma gloire, il faut que je me venge* [2],

découvrant ainsi la source véritable de son
héroïsme. Dans la tragédie de *Don Sanche*, la reine
Isabelle, invitée à choisir un mari selon son cœur,
répond :

> *Madame, je suis reine, et dois régner sur moi.*
> *Le rang que nous tenons, jaloux de notre gloire,*
> *Souvent dans un tel choix nous défend de nous croire,*
> *Jette sur nos désirs un joug impérieux,*
> *Et dédaigne l'avis et du cœur et des yeux* [3].

La Cléopâtre de *Pompée* va plus loin encore :

> *Les princes ont cela de leur haute naissance :*
> *Leur âme dans leur sang prend des impressions*
> *Qui dessous leur vertu rangent leurs passions* [4].

Ainsi un sentiment orgueilleux de supériorité est

1. *Le Cid*, I, 6.
2. *Ibid.*, III, 3.
3. *Don Sanche*, I, 2.
4. *Pompée*, II, 1.

dans Corneille l'auxiliaire indispensable de la
rigueur morale. La contrainte la plus sévère, dans
cette morale qui n'a d'autre appui que les personnes et d'autres ressorts profonds que ceux du moi,
ne peut se passer de faire appel à un intérêt de
gloire.

*

La diversité des éléments qui composent l'inspiration de Corneille donne en bien des cas un air
d'incohérence ou d'illogisme à ses personnages,
composés moins pour la vraisemblance que pour
l'éclat, et qui peuvent emprunter tour à tour cet
éclat à l'excès de leur arrogance ou à la délicatesse de leur vertu. Voltaire blâmant dans *Rodogune* « le mélange de tendresse naïve et d'atrocités
affreuses » [1], atteint, derrière le disparate de l'œuvre de Corneille, celui d'une philosophie morale
et d'une société où la barbarie et la vertu s'engendrent réciproquement et s'entremêlent sans cesse.
Ce serait le rôle de la raison de nous mieux accorder à nous-mêmes. Mais la raison, entendue comme
modératrice et conciliatrice des diverses puissances de l'être humain, vient malaisément à bout
des problèmes que posent les personnages de Corneille. L'accord intérieur n'est pas naturel dans
les grandes âmes, toujours en difficulté avec elles-
mêmes parce qu'elles sont en difficulté avec le
monde. Quand le moi n'aspire qu'à se conformer

1. Voltaire, *Commentaire sur Rodogune*.

tout entier à la loi des choses, quand il s'emploie à dissoudre toute relation dramatique entre lui et le monde, la raison qui conduit ses démarches est l'image même de cet accord, tout uni, tout aisé, qu'il recherche. Mais le moi cornélien a une autre ambition. Il vise à s'affirmer supérieur au destin, à conquérir la liberté de haute lutte. S'il a besoin de connaître les limites du possible, c'est pour que son élan ne soit pas aveugle, mais il veut que cet élan le conduise au plus haut. Le sublime cornélien se nourrit de prouesses, il côtoie volontiers le rare et l'inédit. Il jaillit dans des situations inusitées, comme la solution brillante de problèmes insurmontables aux âmes communes. La raison qui l'éclaire porte la marque de la rareté, de la difficulté, du paradoxe. Les conflits et les problèmes intérieurs de la grandeur d'âme poussent dans la même direction la raison cornélienne. La morale noble, si souvent harmonieuse dans sa synthèse du désir et du bien, révèle parfois les tares et les difficultés inhérentes à tout idéalisme. Elle a peine à établir des rapports satisfaisants entre les deux entités, malgré tout contraires, auxquelles elle livre l'homme. Comme elle s'affaire à concilier des extrêmes, son vice particulier sera celui de tous les conciliateurs aux prises avec une tâche malaisée : l'ingéniosité subtile, les synthèses forcées ou irréelles, le bel esprit.

Ce bel esprit ne condamne pas les extrêmes. Il peut aller de pair avec les sentiments les plus violents et les actions les plus atroces, et leur communiquer quelque rareté ou quelque prix. C'est Antio-

chus proposant à Rodogune, lorsqu'elle lui deman de
ainsi qu'à son frère de tuer Cléopâtre, leur mère,
pour mériter sa main, cette solution inattendue :

> *De deux princes unis à soupirer pour vous,*
> *Prenez l'un pour victime et l'autre pour époux*[1].

Dans *Pertharite*, Rodelinde, captive comme l'Andromaque de Racine du vainqueur de son mari,
et mère d'un autre Astyanax, refuse de se donner
à son vainqueur ; mais comme il lui donne à choisir pour son fils entre la mort, si elle s'obstine, et
la royauté, si elle cède, elle lui répond soudain,
tournant en défi la menace, qu'elle ne lui cédera
que s'il a le courage de tuer d'abord son enfant :

> *Qui tranche du tyran doit se résoudre à l'être.*
> *Pour remplir ce grand nom as-tu besoin d'un maître,*
> *Et faut-il qu'une mère, aux dépens de son sang,*
> *T'apprenne à mériter cet effroyable rang ?*
> *N'en souffre pas la honte, et prends toute la gloire,*
> *Que cet illustre effort attache à ta mémoire...*
> *A ce prix je me donne, à ce prix je me rends*[2]...

Cet exemple de bel esprit barbare a ceci d'intéressant qu'il est suivi, dans la même scène, d'un
essai de justification plus raisonnable : Rodelinde
sait que son persécuteur tuera son fils, même si
elle cède ; dans ces conditions, pense-t-elle,

> *Puisqu'il faut qu'il périsse, il vaut mieux tôt que tard.*

D'ailleurs, une fois l'enfant assassiné, elle aurait
bien épousé le meurtrier, mais pour le tuer à son

1. *Rodogune*, IV, 1.
2. *Pertharite*, III, 3.

tour! Cette réhabilitation rationnelle (si l'on peut dire) de sa conduite n'est guère qu'une trouvaille de plus, venant s'ajouter à l'effet de surprise de son défi de tout à l'heure.

Le suicide d'honneur, direct ou par personne interposée, cette obsession de tant de héros cornéliens [1], est un des thèmes les plus fréquents de cette subtilité sanguinaire. Rodrigue vient demander à Chimène de le transpercer de sa propre épée :

> *Au nom d'un père mort, ou de notre amitié,*
> *Punis-moi par vengeance, ou du moins par pitié* [2].

Sabine, femme d'Horace et sœur de Curiace, demande aux deux héros de la tuer pour rompre la cruelle alliance des deux familles :

> *Que l'un de vous me tue et que l'autre me venge :*
> *Alors votre combat n'aura plus rien d'étrange ;*
> *Et du moins l'un des deux sera juste agresseur,*
> *Ou pour venger sa femme, ou pour venger sa sœur* [3].

Horace, après avoir tué Camille, veut se tuer pour éviter le déshonneur du châtiment ; mais alors un débat s'engage en lui entre ce réflexe d'orgueil et la pensée que son sang appartient à son père et non à lui :

> *Mais sans votre congé mon sang n'ose sortir :*
> *Comme il vous appartient, votre aveu doit se prendre ;*
> *C'est vous le dérober qu'autrement le répandre* [4].

1. Il demeure d'ailleurs à l'état d'obsession ; on ne pourrait citer un seul cas où il se réalise.
2. *Le Cid*, III, 4.
3. *Horace*, II, 6.
4. *Ibid.*, V, 2.

Les exemples de ce genre méritent au moins la même attention que ceux où l'intelligence s'exerce sur les mouvements délicats de la générosité ou de la tendresse. Les uns et les autres démontrent que la raison cornélienne est loin de coïncider avec la sagesse ordinaire.

*

Le bel esprit, l'intelligence subtile à la recherche du beau et du grand, était, depuis des siècles, l'effort le plus admiré de toute vie intellectuelle. On aimait à le voir accompagner toutes les passions, se raffiner et se sublimer avec elles, briller dans leurs joutes et se surpasser dans leurs prouesses. Depuis le moyen âge, la recherche du beau et du bien était mise en forme de tournoi, pour un public de connaisseurs, curieux de surprises et d'inventions rares. La haute poésie et la haute morale demeurent fidèles chez Corneille à cette tradition : dans les pensées qui accompagnent chez lui la conduite héroïque et qui la justifient, le bel esprit reste la forme la plus fréquente de l'intelligence. Non seulement la théorie de la vertu, mais l'explication même de chaque acte ont toujours quelque chose de rare et de surprenant. La gloire commande, l'intelligence invente pour elle et justifie après elle [1].

---

1. Les écrivains naturalistes de la seconde moitié du siècle diront que ce bel esprit sublime est un fabricant de sophismes au service de la vanité. Mais pour ses partisans, il est aussi admirable que la gloire qu'il sert, et qui est humai-

Quand le mouvement de la gloire est suffisamment spontané, suffisamment humain, le secours de l'intelligence l'orne et le soutient. Le jugement est alors comme le suivant et le valet d'armes de la gloire, qui souffrirait de l'avoir pour ennemi, et qui veut que toutes les puissances les plus hautes de la nature humaine portent son chiffre et ses écussons. Mais il arrive très souvent que la gloire en quête de prouesses et à court d'inspiration oblige à toute force son serviteur à lui inventer quelque sortie digne d'elle. Il se démène alors bizarrement pour la satisfaire, essaye de la tirer de son mauvais pas, et n'aboutit généralement qu'à une échappatoire entortillée et froide où sa maîtresse et lui se ridiculisent. Cet inconvénient se produit surtout quand l'impulsion glorieuse prétend atteindre à un degré particulièrement délicat ou irréel de sublimation, comme dans la tendresse platonique des romans, ou quand au contraire le bel esprit travaille sur une matière trop brute et trop barbare qui souffre mal ses finesses, comme c'est souvent le cas dans les horreurs de la tragédie. Le rôle du bel esprit étant d'accompagner l'instinct de sa forme la plus brutale jusqu'à sa forme la plus spirituelle, dès qu'il ne peut plus faire convenablement la

nement la vérité suprême ; et on ne peut le condamner sans la condamner elle-même, ce dont les adversaires ne se font pas faute d'ailleurs. Ils insisteront aussi le plus qu'ils pourront sur ce qui sépare de la saine raison son sosie alambiqué. C'est bien souvent en détruisant un système qu'on en découvre le mieux tous les rouages.

liaison, dès que la voie est coupée derrière ou
devant lui, il s'embarrasse et chancelle.

Or, l'écart était presque toujours grand à com-
bler entre la barbarie des mœurs réelles et la délicatesse de la vertu. Entre les réflexes violents de
l'orgueil noble et cette quintessence de magnanimité idéale que constitue la vertu chevaleresque,
le chemin est long et cent fois coupé d'ornières et
de traverses ; de l'une à l'autre de ses extrémités,
l'intelligence s'épuise à courir sans cesse, et s'arrête
plus d'une fois en route. Le défaut fondamental
de toute la littérature aristocratique, c'est l'artifice parfois pénible de ce bel esprit qui n'arrive
pas toujours à joindre le corps réel de la vie à
l'idée de la vertu.

\*

Nous avons essayé de distinguer dans la morale
cornélienne des composantes diverses issues
d'époques ou de tendances différentes de la vie
noble. Nous avons tenté de refaire, sur la trame
première de l'orgueil, le tissu surchargé d'ornements
de la générosité, de l'amour et du devoir cornélien. Dans cette forêt que constitue l'œuvre de
Corneille, où les végétations issues de jets différents s'entremêlent sans fin, où sous des floraisons
fragiles on découvre des souches centenaires,
nous avons essayé d'introduire un ordre forcément
imparfait, et qui ne doit pas faire oublier la vie
solidaire de l'ensemble. Gloire, orgueil, chevalerie,
amour, stoïcisme, bel esprit, magnanimité, sacri-

fice rigoureux, tout s'enchevêtre et se soutient mutuellement, dans une connexion constante et intime des formes les plus rudes et les plus archaïques avec les plus délicates.

Quant au problème moral que l'ensemble de l'œuvre invite à poser, c'est celui de la concordance possible ou non entre l'exaltation du moi et la vertu. Le mouvement essentiel du sublime cornélien consiste à donner à cette question une réponse favorable, naturellement formulée en termes de philosophie idéaliste : le moi s'affirme, et s'épure en même temps, dans le sens du bien. C'est là une conception dont l'influence dépasse de beaucoup les limites du théâtre cornélien, et que nous verrons mettre en cause, sous sa forme la plus générale, dans les discussions morales de l'époque. Nous ne nous étonnerons pas d'apercevoir, chez les ennemis du moi, de la gloire et de la grandeur d'âme, autant que chez Corneille, la signification sociale qui s'attachait alors à de telles notions.

# LE DRAME POLITIQUE
## DANS CORNEILLE

L'œuvre de Corneille n'est pas seulement influencée d'une façon générale par l'esprit aristocratique. Contemporaine d'une crise assez grave dans les relations de l'aristocratie et du pouvoir, elle laisse apercevoir en elle les traces des événements et des débats qui l'ont vue naître. Quoique à ce moment la noblesse eût perdu, depuis longtemps déjà, l'essentiel du pouvoir politique, elle résistait et s'agitait encore confusément, violemment parfois. Les événements contemporains des tragédies de Corneille, c'est-à-dire les diverses péripéties des ministères de Richelieu et de Mazarin, constituent un épisode aigu, quoique tardif, de la vieille lutte qui mettait aux prises la royauté et les grands : ce sont successivement, du côté aristocratique, les multiples complots, rébellions et entreprises militaires organisés contre le pouvoir et même la vie de Richelieu et de son successeur, ministres détestés de l'absolutisme ; c'est ensuite le long et violent sursaut de la Fronde ; du côté royal, c'est le renforcement administratif et politique de la monarchie absolue, la dure

répression exercée par Richelieu ; enfin la victoire
qui acheva la Fronde et devait consacrer pour de
longues années le triomphe de la royauté. Pendant
toute cette époque, la rébellion politique fut avant
tout le fait de la haute noblesse [1]. C'est aussi vrai
dans la littérature que dans la réalité ; ici comme
là, ce sont les grands qui ont maille à partir avec
les rois, et qui contestent les maximes de l'absolutisme. On connaît la littérature politique de
l'opposition nobiliaire aux xviie et xviiie siècles [2],
mais on s'est moins souvent préoccupé de rechercher dans les créations purement littéraires de
ce temps-là, tragédies, poèmes, romans, l'em-

1. La bourgeoisie ne prit qu'une part timide à l'agitation
contre la royauté ; dans la Fronde parisienne, elle ne se
souleva un instant contre la cour que pour regretter bien
vite son insubordination et manifester à nouveau un loyalisme actif. A peine faut-il mettre à part les hauts magistrats,
membres des Parlements et cours souveraines, et d'une
façon générale les « officiers » ou fonctionnaires royaux,
propriétaires de leurs charges depuis Henri IV ; de position
plus importante et plus assise que les simples bourgeois,
les robins s'agitent déjà ; mais, distincts encore de l'aristocratie et timorés à proportion de leur roture, ils ne savent
s'ils doivent imiter les grands ou les condamner, se révolter
ou se soumettre. Le petit peuple n'a pas lui non plus d'action
autonome bien marquée : ignorant et versatile, quand il
n'obéit plus au roi il suit les grands, et son agitation, sauf
exception, ne survit guère à la leur. D'ailleurs le conflit
des grands et du roi était le seul qui parût digne des honneurs
du roman ou du théâtre.
2. Joly, Retz et leurs semblables du temps de la Fronde
ont eu une longue postérité. Une abondante littérature
politique a accompagné jusqu'au bout l'opposition nobiliaire (Fénelon, Boulainvilliers, Montesquieu, pour ne citer
que les auteurs principaux).

preinte des remuements aristocratiques. Il serait
bien étonnant pourtant que la résistance et la
révolte des aristocrates n'aient eu aucun reten-
tissement dans la façon d'envisager la vie ou de
concevoir le bien, et que la littérature n'en ait
recueilli aucun écho. Cela serait étrange surtout
dans une époque comme celle de Corneille et de
la Fronde, où la lutte politique s'accompagne
d'un long frémissement, le dernier sans doute,
de la sensibilité féodale.

*

On aperçoit aisément qu'une morale comme la
morale cornélienne, fondée sur l'orgueil et la grandeur glorieuse, ne pouvait qu'appuyer la protestation de l'aristocratie contre l'assujettissement
où les rois prétendaient la réduire. L'horreur
profonde de toute humiliation infligée au moi est
bien la source de toute la vertu cornélienne :
or, c'était depuis des siècles le sort des grands
d'être ou de se prétendre humiliés par la royauté.
Affirmer leur orgueil en dépit du mauvais destin,
c'était pour eux affirmer leur insoumission. Cent
ans presque après Corneille, Montesquieu, autre
interprète des traditions aristocratiques [1], analy-

1. C'est ce qui ressort de toute son œuvre, on pourrait
presque dire de chaque ligne de son œuvre. Il faut dire qu'au
moment où Montesquieu écrivait, l'alliance de la robe, à
laquelle il appartenait et dont il exprimait plus spécialement
l'état d'esprit. avec la vieille aristocratie était pratiquement
consommée.

sant le sentiment de l'honneur en France, écrit :
« La gloire n'est jamais compagne de la servitude [1]. »
L'aboutissement politique de l'orgueil noble au
temps de l'absolutisme est la rébellion. L'insolent
Don Gormas, souffletant celui que le choix du
roi vient de distinguer, incarne cet orgueil rebelle.
Pressé au nom du roi de faire des excuses à sa
victime, il refuse en ces termes :

> *Monsieur, pour conserver tout ce que j'ai d'estime,*
> *Désobéir un peu n'est pas un si grand crime [2].*

Toujours l'estime, l'approbation publique, la
gloire : la voilà en contradiction ouverte avec
l'obéissance. On cite quatre vers, plus audacieux
encore, que Corneille supprima par prudence
et qui furent rétablis pour la première fois
au xviiie siècle, après cent ans de tradition
orale :

> *Ces satisfactions [3] n'apaisent point une âme :*
> *Qui les reçoit n'a rien, qui les fait se diffame.*
> *Et de pareils accords l'effet le plus commun*
> *Est de perdre d'honneur deux hommes au lieu d'un.*

Ces vers relatifs au duel conduisent à poser un
problème plus précis que celui de l'inspiration
générale de Corneille : le problème tant de fois
débattu de l'animosité de Richelieu à l'égard du

1. Montesquieu, *Lettres Persanes*, lettre 39.
2. *Le Cid*, II, 1.
3. Il s'agit d'un accommodement sous l'autorité du roi.

*Cid.* Elle ne semble pas niable, quoi qu'on en ait dit[1]. Les causes de cette animosité sont plus obscures. Celle qu'on donne pour la plus vraisemblable réside dans la politique littéraire de Richelieu, qui aurait cherché à encourager la littérature régulière et à fortifier son Académie par la censure des ouvrages conçus en dehors des règles strictes du théâtre, comme le *Cid.* Peut-être n'y eut-il pas d'autre motif en effet : les vers subversifs du Cid ont pu ne pas attirer l'attention d'un pouvoir faiblement susceptible quand les institutions n'étaient pas attaquées de front, et quand les personnes gouvernantes n'étaient pas prises à partie. Il ne faut pas oublier ce côté personnel de la politique, alors capital : on était avant tout parmi les fidèles ou les ennemis de quelqu'un, et il est bien évident que Corneille n'était pas au nombre des ennemis déclarés du cardinal. Cela n'empêche pas que nous ayons le droit de retrouver dans le *Cid* la trace d'un état d'esprit fort peu favorable aux procédés politiques du ministre.

Le fait est que la pièce est remplie d'aphorismes qui, en dépit de leur allure toute générale, peuvent passer pour la condamnation de la politique de Richelieu, telle que les contemporains la voyaient. Que Corneille l'ait voulu consciemment, ce n'est pas probable. Il traduisait des sentiments répandus autour de lui, une opinion

1. Le livre de M. Batiffol sur *Richelieu et Corneille* n'est nullement convaincant. Voir G. Collas, éd. des *Sentiments de l'Académie sur le Cid*, 1911, et un article du même auteur dans la *Revue d'Histoire littéraire*, 1936.

publique qui était spontanément contraire au
despotisme même quand elle ne pensait pas à le
combattre. Le *Cid*, avec ses formules intransi-
geantes sur les duels, l'honneur et la réparation
par les armes, avec ses deux combats singuliers,
aussi glorieux l'un que l'autre pour le héros, avec
son atmosphère de fierté et d'indiscipline, n'avait
rien en tout cas qui pût servir dans le public les
vues de Richelieu. Dans la voix de Don Gormas,
et même dans celle de Rodrigue et de Don Diègue,
le public pouvait reconnaître, comme dit Sainte-
Beuve, « l'écho de cette altière et féodale arrogance que Richelieu achevait à peine d'abattre
et de niveler [1] ». L'interdiction du duel, dans la
lutte de la monarchie contre les grands, était
quelque chose d'aussi important, en fait, qu'une
grande réforme administrative. C'était un critère
d'autorité : il s'agissait d'ôter aux seigneurs, avec
le duel, le dernier symbole de cette autonomie
dont ils avaient jadis possédé la réalité ; il s'agissait de leur apprendre que désormais le bras du
roi était seul armé, et pouvait seul trancher leurs
querelles. Il faut se replacer dans cette atmosphère, imaginer aussi à quel brouhaha de protestations les vers de Corneille faisaient écho, avant
d'affirmer absolument que Richelieu ait été insen-
sible à ce qu'il pouvait y avoir dans la pièce de
mauvais esprit latent.

Ainsi, quand Chimène, après la mort de son

---

1. Sainte-Beuve, *Nouveaux lundis*, t. VII, articles déjà
cités.

père, vient se plaindre au roi, implorant en lui,
selon une doctrine chère à la monarchie, l'universel justicier, quand elle déclare :

*Au sang de ses sujets un roi doit la justice,*

Don Diègue répond à la face même du roi :

*Pour la juste vengeance il n'est point de supplice* [1].

La loi de l'honneur féodal est ici placée au-dessus
de l'autorité royale, d'ailleurs fort mal défendue
par le roi lui-même, souverain débonnaire et
toujours conciliant. Corneille en tout cela savait
un peu ce qu'il faisait, et n'ignorait pas qu'il
reproduisait un état de choses archaïque : « Je me
suis cru bien fondé, écrit-il, à propos de ce même
Don Fernand, premier roi de Castille, dans son
*Examen du Cid*, à le faire agir plus mollement
qu'on ne ferait en ce temps-ci, où l'autorité royale
est plus absolue. » D'ailleurs toute l'atmosphère
de la pièce donne à penser qu'une nostalgie confuse
du passé a guidé ici le souci de l'historien. Quinze
ans presque après le *Cid*, dans *Don Sanche d'Ara-
gon*, une reine de Castille, imaginaire celle-là,
et par conséquent d'une époque indécise, voulant,
elle aussi, empêcher un duel, se laissait encore
dire par sa dame d'honneur :

. . . . . . . . *C'est un pénible ouvrage*
*D'arrêter un combat qu'autorise l'usage...*

1. *Le Cid*, II, 8.

*On ne s'en dédit point sans quelque ignominie*
*Et l'honneur aux grands cœurs est plus cher que la vie.*

Devant cet argument, la reine ne trouve rien
d'autre à faire qu'à s'incliner :

*Je sais ce que tu dis et n'irai pas de front*
*Faire un commandement qu'ils prendraient pour affront.*
*Lorsque le déshonneur souille l'obéissance,*
*Les rois peuvent douter de leur toute-puissance* [1].

La Castille n'a pas changé depuis son premier
roi, ni Corneille depuis le *Cid*.

\*

C'est par la générosité, nous l'avons vu, que
devaient s'équilibrer les relations entre vassal et
suzerain, entre gentilhomme et roi. Une sorte de
pacte s'établit entre le supérieur et l'inférieur,
autour duquel gravitent les vertus et les vices,
les unes pour en assurer le respect, les autres pour
le détruire. Les vertus qui constituent la générosité varient suivant les situations et les cas :
d'une part, loyauté dans l'obéissance, dépouillement
de l'envie, mais aussi, chez le plus fort, dépouillement de la tyrannie et sincérité dans la protection ;
d'autre part, assurance et autorité dans le commandement, mais aussi, chez le plus faible, refus
de se plier au commandement injuste. Corneille
a une prédilection, dans cette double série de
vertus, pour les deux termes les plus favorables

1. *Don Sanche*, II, 1.

au vassal ; il a choisi, comme par hasard, entre
toutes les attitudes généreuses, celle de la résistance héroïque à l'oppression, et de la résistance,
non moins héroïque, à la tentation d'opprimer.
Stoïque ou clèment, tel est surtout, nous l'avons
vu, le héros cornélien. Stoïque comme Cinna,
comme Nicomède, comme Suréna, comme tant
d'autres ; clément comme Auguste, comme César,
comme Agésilas, comme Nicomède lui-même après
sa victoire. Du champ varié de la grandeur d'âme,
Corneille a retenu surtout ce qui pouvait condamner l'abus du pouvoir. Ainsi on cherchera en vain
dans son théâtre le type du chevalier félon ;
c'était bien là une situation édifiante, si l'on prend
le système par le côté du plus fort : mais dans le
moment précis où Corneille écrivait, l'aristocratie
avait plus de penchant à rappeler les devoirs du
souverain que ses droits. Le crime dont elle était
occupée, c'était celui des rois absolus faisant bon
marché de ses prérogatives ; le crime d'insoumission, où elle ne voulait voir que le désaveu légitime d'une souveraineté injuste, se colorait volontiers de gloire à ses yeux. L'honneur, dont Montesquieu fera le principe de tout état monarchique
non corrompu par le despotisme, est fait à la fois,
dans chaque sujet, de fidélité et de dignité, et
ne consent à accorder la première qne quand la
seconde est sauve. Faute de satisfaire à cette
exigence fondamentale, on légitime la rébellion.

Il serait faux pourtant de croire que la cause du
vassal soit partout présentée à cette époque de
façon aussi avantageuse que dans le théâtre de

Corneille. Les exemples contraires ne manquent pas, qui font mieux ressortir, par opposition, le sens de la magnanimité cornélienne.

En 1640, parut une tragédie de Desmarets de Saint-Sorlin, *Roxane*, où est représentée l'histoire d'Alexandre le Grand et d'un satrape ingrat, Phradate, qu'il a comblé de bienfaits, et qui entre en rébellion contre lui ; tous deux sont amoureux de Roxane, mais tous les droits sont attribués au roi, bien qu'il soit arrivé le second, et l'auteur s'arrange aussi pour qu'il soit le plus sympathique. Il y parvient en imaginant, de façon fort invraisemblable, que le satrape est jaloux préventivement d'Alexandre, avant même que celui-ci ait rencontré Roxane. Cette défiance injustifiée, qui s'accompagne de haine, le rend coupable ; il mérite dès lors de perdre Roxane et d'être châtié, ce qui arrive en effet. Il meurt enfin en voulant assassiner Alexandre. Celui-ci tue de sa main un autre conjuré, un Grec de sa suite, qui lui a jadis sauvé la vie, et s'écrie en portant le coup :

> *Il a sauvé son prince ; est-ce un si grand bienfait ?*
> *Il a fait son devoir ; qui des miens ne l'eût fait ?*
> *Fallait-il concevoir cette rage perfide ?*
> *Qui s'attaque à son roi commet un parricide.*

Comme Alexandre a pourtant un tardif remords, Roxane, désormais conquise, accourt à la rescousse de la doctrine absolutiste :

> *...Quand on sait régner, jamais on ne balance*
> *Des services rendus contre une grande offense.*

La pièce est parsemée de maximes de ce genre,
que Corneille eût réservées à ses traîtres. Desmarets était un des fidèles du cardinal, un des auteurs
qui travaillèrent, dit-on, sur son ordre ou d'après
ses plans. Faut-il attribuer à l'influence de Richelieu le dessein et l'esprit général de la tragédie de
*Roxane* ? On serait bien embarrassé de le dire d'une
façon précise, car on ne dispose, ici comme dans
la plupart des cas de ce genre, que d'anecdotes et
de traditions incertaines [1]. Notons pourtant ce
son de cloche absolutiste, si opposé à celui qu'on
entend dans Corneille, chez un écrivain incontestablement très attaché et très dévoué celui-là
au cardinal.

D'une façon générale, il n'est pas absurde d'imaginer Richelieu préoccupé de l'état d'esprit, des
lectures et des sentiments du public. Gouvernant
à l'encontre du mouvement spontané de l'opinion,
il était naturel qu'il fût soucieux de ce qui se
pensait, et qu'il cherchât à le modifier ou à le
contrôler. Il ne faut pas oublier que l'opinion,
c'est-à-dire l'opinion des gens cultivés, se formait
alors dans l'entourage des grands. Le rôle des
salons aristocratiques n'était peut-être pas aussi
considérable que Saint-Simon, presque un siècle
plus tard, veut bien l'écrire, quand il affirme,
sur la foi d'une tradition sans doute embellie :
« L'Hôtel de Rambouillet était dans Paris... un
tribunal avec qui il fallait compter et dont la

---

1. Ce serait pour avoir critiqué *Roxane* que l'abbé d'Aubi-
gnac ne put entrer à l'Académie.

décision avait un grand poids dans le monde, sur la conduite et sur la réputation des personnes de la Cour, autant pour le moins que sur les ouvrages qui s'y portaient à l'examen [1]. » Richelieu pouvait malgré tout s'en préoccuper. Si l'on en croit Segrais, il dépêcha son agent Boisrobert à la marquise de Rambouillet pour la disposer à informer le cardinal de ce qui se dirait chez elle. Une tentative analogue nous est racontée par Tallemant des Réaux, autre contemporain, qui conclut qu'elle fut vaine. Le désir de contrôler l'opinion et la production littéraire apparaît de même dans la fondation de l'Académie, s'il est vrai que le caractère officiel fut imposé par voie d'autorité aux réunions privées des premiers académiciens. Pellisson, dans son *Histoire de l'Académie*, décrit ingénument la réaction du public à l'initiative de Richelieu ; les gens « appréhendaient que cet établissement ne fût un nouvel appui de sa domination, et que ce ne fussent des gens à ses gages, payés pour soutenir tout ce qu'il ferait, et pour observer les actions et les sentiments des autres ». Si Pellisson, dont le témoignage est tardif, dit vrai, le public grossissait démesurément les intentions de Richelieu, mais enfin l'Académie devait servir les vues du gouvernement et celles du ministre : elle était à peine créée qu'elle en fit l'expérience dans l'affaire du *Cid*. Quels qu'aient été les motifs exacts de l'animosité de Richelieu

1. Saint-Simon, note sur le Journal de Dangeau, du 10 mai 1690.

à l'égard de cette tragédie, le succès du *Cid* dans
le public et sa censure par le ministre apparaissent
en fin de compte comme un épisode particulier
d'un conflit plus vaste et plus latent entre l'opinion
et celui qui incarnait, face à elle, l'autorité
absolue.

\*

L'œuvre de Corneille ne touche pas seulement
à la politique par le caractère des valeurs morales
qu'elle met en jeu ; elle s'organise tout entière
comme un vaste drame politique, où se réflé-
chissent, avec toute l'intensité symbolique du
drame, les oppositions de forces, les heurts de
pensée et d'arguments qui agitent la vie des
États à cette époque. C'est à tort que le style
sentencieux et l'éloquence parfois conventionnelle
qui enveloppent cet aspect de l'œuvre ont fait
dire que la politique cornélienne « n'est et ne pouvait être que de la rhétorique [1] ». Sans doute
Corneille n'est pas Retz. Il n'a pas pratiqué ce
qu'il représente. Il ne connaît des affaires que ce
que le public aime à s'en imaginer : de grands
intérêts, de grandes actions et de grandes maximes.
Mais la façon dont le public voit la politique est
elle-même une importante partie de la politique ;
c'est précisément parce qu'il a un rôle privilégié
dans ce domaine de l'opinion que l'écrivain,

---

1. Brunetière, *Études critiques, loc. cit.*

même éloigné de l'action, y participe : la « rhétorique » de Corneille n'est pas séparable de l'opinion vivante de son temps ; elle interprète, suivant les goûts et les pensées du public, des situations dont la vie a fourni le modèle.

Il ne faudrait pas, sans doute, se représenter
Corneille comme un partisan, ni voir en lui le
défenseur conscient de la cause des grands. D'abord
une pareille netteté de position ne se concevait
pas à son époque. On n'était pas d'un parti ;
plus exactement, ce qu'on appelait un parti
n'était pas comme aujourd'hui un groupement
aux frontières marquées, avec ses conceptions
et ses hommes. Il y avait des intrigues de personnes et des clientèles privées, variables comme le
jeu politique lui-même. Si les grands eux-mêmes
vont et viennent de la cour à la rébellion, et, dans
la rébellion, d'un clan à l'autre, poussés plus souvent par l'intérêt du moment que par des vues
politiques suivies, comment imaginer que Corneille,
homme sans importance et éloigné des affaires,
puisse être plus conséquent ? Il acceptera volontiers, lors de la captivité du duc de Longueville,
un des chefs de la Fronde, de prendre possession
en Normandie d'une charge qu'on venait d'enlever à un fidèle du duc. Il saisit cette occasion
comme les plus illustres des princes et des ducs
rebelles en saisirent de plus grandes. Par définition tout tournait, dans la politique et les mœurs
aristocratiques, autour des intérêts particuliers.
La versatilité est parmi les caractères les plus
généraux de l'époque. Les poètes y participaient

dans leur domaine, mettant leur gloire à briller
de toutes les façons, disant tout ce qu'on voulait
leur entendre dire, sans qu'on les tînt pour vraiment responsables de ce qu'ils disaient. C'est
miracle déjà que l'œuvre de Corneille soit aussi
constamment hostile à l'esprit du despotisme ;
cette unité de sentiment était rare, et elle repose
sans doute sur un penchant profond de son caractère, que nous savons avoir été glorieux et susceptible. Cependant la versatilité générale n'empêchait
pas une certaine tendance de sentiment et de pensée de dominer dans l'ensemble du public, surtout
chez les grands et leurs admirateurs. C'est cette
tendance générale que l'œuvre de Corneille exprime en même temps que l'inclination particulière
de son auteur.

D'ailleurs l'esprit d'intrigue, le jeu intéressé
des ambitions ont leur place, qui est loin d'être
négligeable, dans le théâtre de Corneille. « Ce sont
des intrigues de cabinet qui se détruisent les unes
les autres », dit Corneille lui-même de sa tragédie
d'*Othon* [1], sans mettre dans ce propos aucune
intention péjorative. Si l'on veut savoir à quel
point le public admirait les machinations savantes,
qu'on lise Retz ; son cynisme ne s'expliquerait
pas si les lecteurs n'y avaient vu la forme naturelle de l'esprit politique. L'aristocratie éprouvait
depuis toujours un certain penchant à chercher
la grandeur dans le mépris des scrupules, dans
l'exercice incontrôlé du « droit de la guerre »,

---

1. *Othon*, Au lecteur.

qui justifie aussi bien, si l'on y songe, l'usurpation
que la conquête, et la ruse que la force. La Fronde
a connu cette race de gentilshommes cyniques,
qui plaçaient la politique comme ils se plaçaient
eux-mêmes, au-dessus de toute règle, libertins
au sens du temps, et aussi dédaigneux de la vertu
que de la canaille : Retz n'est pas trop loin de ce
type.

Ajoutons que, par tout ce qu'il contient précisément d'amoral, l'esprit noble contient en germe
et justifie l'absolutisme : que le bras du roi soit
au-dessus des lois, comment les seigneurs en se-
raient-ils choqués, puisqu'ils réclament pour chacun d'entre eux le même privilège ? L'idée d'une
volonté suprême, s'exerçant librement et gratui-
tement, d'une majesté que rien ne limite, hante
les esprits nobles : leur propre rêve de puissance
et de gloire se réalise de tout temps dans la royauté,
où ils ont toujours aimé voir quelque chose d'irréductible. L'établissement de l'absolutisme fut
grandement facilité par cet état d'esprit ; au fond,
le caractère sacré de la personne royale n'avait
jamais cessé d'être admis. Aussi ne doit-on pas
s'étonner d'en rencontrer si souvent l'affirmation
dans Corneille, qui pense même, avec la Camille
d'*Horace*, qu'il faut chercher l'inspiration directe
des Dieux chez les rois,

> *De qui l'indépendante et sainte autorité*
> *Est un rayon secret de leur divinité* [1].

1. *Horace*, III, 3.

Mais le penchant de l'aristocratie au machia-
vélisme ou à la divinisation de l'autorité est
balancé, au temps de Corneille, par un penchant
contraire. Victimes de la puissance des rois, les
grands cherchaient, dans la tradition même, un
contrepoids à des maximes politiques qui jouaient
contre eux. Et de fait, le droit du plus fort ou du
plus rusé, compris abusivement, allait à l'encontre
de leurs propres intérêts. Aussi la critique des
maximes d'État et du despotisme au nom d'une
morale généreuse tient-elle la première place dans
l'époque qui nous occupe ; l'image du mauvais
roi, qui mésuse et abuse de son pouvoir, du tyran
comme on disait déjà, est présente, d'un bout à
l'autre du théâtre de Corneille, dans *Cinna*, *Pompée*, *Héraclius*, *Nicomède*, *Attila*, *Suréna*.

Ainsi l'aristocratie admiratrice et victime à la
fois du pouvoir absolu, se trouvait dans une position indécise en face de la royauté. Elle eût désiré,
en même temps, que le pouvoir des rois fût sacré
et qu'il fût limité. Ne sachant trop comment
résoudre la contradiction, on a recours à un strata-
gème qui concilie le conformisme et la révolte ;
on s'en prend à un bouc émissaire, qu'on imagine
responsable de tous les péchés d'une royauté
par elle-même innocente : c'est le mauvais conseiller du roi, le scélérat qui a surpris l'esprit du
monarque ou flatté ses mauvais penchants. Les
abus de pouvoir du monarque sont la conséquence
de ses pernicieux conseils. On prétend défendre
contre lui l'indépendance et la souveraineté
sacrée de la personne royale. Voulant dire au roi :

« Régnez moins fort », on feint de lui dire : « Régnez
tout à fait, débarrassez-vous de votre mauvais
démon [1]. » D'ailleurs l'introduction de cette tierce
personne n'était pas seulement commode pour
les besoins de la polémique ; elle correspondait à
une réalité : les rois de France s'étaient de tout
temps entourés de conseillers privés, auxiliaires
dévoués de leurs visées absolutistes. Ceux-ci
avaient toujours encouru la haine de l'aristocratie,
qui, détestant en eux l'organe de son abaissement,
feignait de les rendre seuls responsables des crimes
dont elle n'osait charger le roi.

Un théoricien anti-absolutiste de la Fronde,
Claude Joly, tout en affichant un respect religieux
des rois, s'en prenait à « la malice de leurs favoris
et ministres [2] ». « L'autorité royale, disait-il, a
été usurpée par ces ministres qui n'ont laissé à
leurs maîtres que le seul nom de Roi [3]. » On saisit
l'importance des « scélérats » cornéliens : ces
suppôts cyniques du despotisme ne sont pas chez
Corneille des créations conventionnelles ; leur
rôle est capital dans le drame, comme dans la
réalité qu'il représente.

---

1. Cf. le sonnet, attribué à Corneille, sur la mort de
Louis XIII (survenue quelques mois après celle de Richelieu) :
    Après trente-trois ans sur le trône perdus,
    Commençant à régner il a cessé de vivre.
2. Cl. Joly, *Recueil de Maximes véritables et importantes
pour l'institution du Roi contre la fausse et pernicieuse politique du cardinal Mazarin*, 1652. *Avertissement au lecteur*.
3. *Ibid.*, chap. VI.

\*

Le monarque pusillanime, les ministres qui le
conseillent mal, la cour enfin, sont dans la tragédie
de Corneille le milieu où se trament les fourberies
et les trahisons. La morale la moins généreuse y
règne sans partage, formant comme l'antithèse
ténébreuse des vertus qui brillent partout ailleurs.
C'est l'envers de la magnanimité cornélienne :
au lieu du courage, la lâcheté ; au lieu de la générosité, la cruauté, car

*... Tel est d'un tyran le naturel infâme...*
*S'il ne craint, il opprime ; et s'il n'opprime, il craint* [1].

Une reine criminelle invoque comme la déesse
tutélaire de son trône la « haine dissimulée »,

*Digne vertu des rois, noble secret de cour* [2].

Une autre reine scélérate craint, alors qu'elle
intrigue pour son fils, que celui-ci

*... ne conçoive mal qu'il n'est fourbe ni crime*
*Qu'un trône acquis par là ne rende légitime* [3].

Et quand elle voit sa crainte fondée, elle prédit
à ce même fils :

*Le temps vous apprendra par de nouveaux emplois*
*Quelles vertus il faut à la suite des rois* [4].

1. *Héraclius*, V, 5.
2. *Rodogune*, II, 1.
3. *Nicomède*, I, 5.
4. *Ibid.*, III 6.

Il est sans exemple dans Corneille que l'esprit
de cour soit dépeint sous des couleurs flatteuses.
Le Félix de *Polyeucte*, vieux courtisan aveuglé
par sa propre bassesse, prend pour un piège destiné
à éprouver sa fidélité à l'Empereur la prière généreuse que lui fait Sévère d'épargner Polyeucte :

> *Je sais des gens de cour quelle est la politique ;*
> *J'en connais mieux que lui la plus fine pratique* [1].

Parcourant en sens inverse le chemin de la magnanimité, l'esprit de cour va au solide aux dépens
du glorieux ; il tient la foi pour un fantôme chimérique :

> *Seigneur, quand par le fer les choses sont vidées,*
> *La justice et le droit sont de vaines idées,*
> *Et qui veut être juste en de telles saisons,*
> *Balance le pouvoir, et non pas les raisons...*
> *La justice n'est pas une vertu d'État...*
> *Quand on veut être juste on a toujours à craindre ;*
> *Et qui veut tout pouvoir doit oser tout enfreindre* [2].

L'hostilité à la cour et aux ministres atteignit son
comble, ou plutôt apparut dans sa plus grande
liberté après la mort de Richelieu. La noblesse,
qui s'était crue délivrée par cette mort, avait
beaucoup espéré de la régence d'Anne d'Autriche,
alliée constante, du vivant de Richelieu, des

1. *Polyeucte*, V, 1.
2. *Pompée*, I, 1 : c'est le conseiller du roi d'Égypte qui
parle à son maître ; ce sont là les « maximes d'État » introduites par l'absolutisme et que les traîtres de Corneille
développent d'ordinaire, cependant que ses héros les flétris-
sent : voir aussi *Nicomède*, vers 850 et *passim*.

conspirateurs aristocratiques. La conversion
d'Anne d'Autriche à la politique absolutiste,
l'élévation de Mazarin l'avaient vivement déçue
sans l'intimider assez. Mazarin n'avait ni la naissance, ni le prestige de Richelieu. L'image abhorrée
du mauvais conseiller de la royauté se colorait
en lui d'une teinte de bassesse et de roture dont
son prédécesseur avait été exempt. Les scélérats de
l'entourage royal, tels que les imaginait la noblesse,
étaient de préférence des roturiers, des parvenus.
Mazarin vint à point pour donner corps à cette
idée traditionnelle. En novembre 1643, Balzac,
dans son *Discours à la Reine Régente* [1], demande à
Anne d'Autriche d'établir dans le royaume une
paix véritable, qui « n'élèvera point de domestiques, qui chassent les enfants de la maison ».
Ce discours paraissait au moment où Mazarin
venait de faire emprisonner le duc de Beaufort,
petit-fils d'Henri IV, et tête principale du complot
des « Importants ». L'année d'après, Corneille,
faisant imprimer sa tragédie de *Pompée*, éprouvait
le besoin de la dédier à Mazarin, qu'une pièce de
vers publiée en outre en tête de l'ouvrage remer-
ciait sur un ton dithyrambique de quelque bien-
fait. Or il y a dans *Pompée*, écrit et représenté avant
l'accès au pouvoir de Mazarin, des vers qui n'étaient
guère faits pour plaire au ministre. Cléopâtre,

---

1. On y trouve toutes les revendications de l'aristocratie :
cessation de la guerre avec l'Espagne, adoucissement de
l'absolutisme, rétablissement des droits du Parlement et
des princes, etc.

par exemple, y reproche à son frère, le roi d'Égypte,

> *... D'écouter ces lâches politiques*
> *Qui n'inspirent aux rois que des mœurs tyranniques :*
> *Ainsi que la naissance ils ont les esprits bas.*
> *En vain on les élève à régir des États :*
> *Un cœur né pour servir sait mal comme on commande.*

Elle le supplie de chasser ses mauvais conseillers :

> *Affranchissez-vous d'eux et de leur tyrannie.*
> *Rappelez la vertu par leurs conseils bannie,*
> *Cette haute vertu dont le ciel et le sang*
> *Enflent toujours les cœurs de ceux de notre sang* [1].

Des vers semblables pouvaient éveiller de fâcheuses
résonances : c'est exactement le langage que
commençaient à employer les aristocrates ennemis
de Mazarin ; d'où, selon toute vraisemblance,
la précaution de la dédicace. Ces vers traduisaient
en tout cas le sentiment profond de Corneille,
puisqu'il en reprend l'idée vingt ans après, dans
son *Othon*, où il nous montre une noble Romaine
accablant de son mépris un affranchi, conseiller
tout-puissant de l'empereur Galba, et qui ose se
croire digne de devenir son époux :

> *On m'avait dit pourtant que souvent la nature*
> *Gardait en vos pareils sa première teinture,*
> *Que ceux de nos Césars qui les ont écoutés*
> *Ont tous souillé leurs noms par quelques lâchetés* [2].

Les rois de France eux aussi avaient prétendu
changer la teinture naturelle des hommes. Ils

1. *Pompée*, IV, 2.
2. *Othon*, II, 2.

avaient élevé jusqu'aux plus hautes charges de
l'État de simples roturiers. Ils en avaient fait
leurs hommes de confiance, ministres, secrétaires
d'État, commissaires, auxquels ils avaient donné
la puissance réelle, ne laissant aux grands seigneurs
que l'apparence honorifique du pouvoir. Corneille,
en flétrissant la basse naissance des suppôts du
despotisme, reproduisait, en même temps qu'un
lieu commun, accrédité dans l'opinion moyenne,
une vieille récrimination aristocratique, la même
que l'historien Mézeray, qui écrivait lui aussi
sous la Fronde, exprime rétrospectivement quand
il reproche à Louis XI « l'abaissement des grands
et l'élévation des gens de néant [1] ».

* * *

La situation ainsi créée par l'absolutisme est,
chez Corneille, le point de départ du drame politique. Dans ce drame la noblesse va s'attribuer,
face à la tyrannie, le beau rôle d'une révolte légitime et salvatrice. Ce qui disculpe la noblesse de
sa rébellion, ce sont les injustes traitements dont
elle est l'objet [2] : les grands, à les en croire, servi-

1. Mézeray, *Abrégé chronologique de l'Histoire de France*,
t. II, p. 155.
2. Ainsi Claude Joly blâme la révolte des grands, mais
estime que « les ministres sont cause que ces personnes
illustres... se portent à ces extrémités fâcheuses, leur faisant
quelquefois des querelles à plaisir, et les persécutant si fort
qu'ils sont contraints de se jeter eux-mêmes dans le préci-
pice, » *Recueil de maximes*, Chap. VII.

raient avec fidélité si on savait reconnaître et
récompenser leur dévouement. Mais le défaut des
rois est justement d'ignorer la reconnaissance,
de se défier même de quiconque acquiert trop
d'éclat à leur service. Un serviteur trop glorieux
ne leur paraît pas assez dépendant. Prusias se
méfie de son fils Nicomède, qui remporte pour
lui victoire sur victoire. Et Araspe son conseiller
s'emploie à le confirmer dans cette crainte et à
discréditer les « grands cœurs » à ses yeux :

> *C'est d'ordinaire ainsi que ses pareils agissent :*
> *A suivre leur devoir leurs hauts faits se ternissent ;*
> *Et ces grands cœurs, enflés du bruit de leurs combats,*
> *Souverains dans l'armée et parmi leurs soldats,*
> *Font du commandement une douce habitude*
> *Pour qui l'obéissance est un métier bien rude* [1].

Le spectacle de Nicomède injustement persécuté
fut donné pour la première fois en 1651, peut-être
au début de l'année, alors que « les princes »,
c'est-à-dire Condé, son frère Conti et son beau-
frère le duc de Longueville, étaient encore en
prison par ordre de Mazarin. La captivité des
princes, de Condé surtout, à qui la royauté devait,
comme Prusias à Nicomède, tant de victoires, ne
s'acheva qu'en février 1651. On imagine quelle
pouvait être la résonance de la pièce dans le
public. Les arguments par lesquels la cour justifiait l'arrestation des princes, à savoir leur indiscipline, leurs prétentions, leur arrogance, Corneille
les reproduisait, nous venons de le voir, changés

1. *Nicomède,* II, 1.

en sophismes flagorneurs, dans la bouche d'une
« peste de cour ». Nicomède d'ailleurs représentait
bien le genre de héros qu'on glorifiait ordinairement dans Condé : on l'appelle au cours de la
pièce « conquérant », « preneur de villes », et ce
sont là les titres dont les contemporains gratifiaient
Condé : ainsi, en tête du *Grand Cyrus*, la dédicace
de Scudéry à M^{me} de Longueville fait allusion à
son frère, « le preneur de villes et le gagneur de
batailles ». Cette dédicace est de 1649. Les Scudéry,
dans les premiers tomes de leur roman devaient,
traiter longuement le thème du grand capitaine
persécuté par un roi soupçonneux qui oublie qu'il
lui doit son trône. Artamène, comme Nicomède
et comme Condé, que d'ailleurs les « clefs » du
temps reconnaissent en lui, est injustement empri-
sonné par son roi. Rappelons cependant que les
premiers livres du *Cyrus*, où se trouve l'histoire
de la prison d'Artamène, parurent avant 1650,
c'est-à-dire avant la prison des princes. Il est
bon de s'en souvenir pour comprendre qu'en tout
ceci, l'actualité n'agit pas sur les œuvres littéraires
par le détail précis des événements, mais par les
conditions générales et par l'atmosphère. Les
Scudéry ont raconté à l'avance les malheurs
futurs de Condé, parce que l'idée de malheurs
semblables hantait la noblesse. D'ailleurs, sur ce
chapitre de l'ingratitude des rois, comme sur
tant d'autres, l'esprit de la rébellion aristocratique
se survécut en Corneille et survécut aux circonstances. Dans sa dernière tragédie, *Suréna*, représentée trente ans presque après la Fronde, Cor-

neille fait dire encore à son héros, persécuté par
la famille royale, ces mots où reparaît toute la
vieille amertume des grands :

> *Plus je les servirai, plus je serai coupable*
> *Et s'ils veulent ma mort elle est inévitable...* [1]

La réaction des grands devant tant d'injustice
peut aller du complot caractérisé à une sorte d'insoumission sourde et hautaine, mêlée de protestations d'extrême dévouement. Artamène se
défend devant son roi, qui le soupçonne de trahison, en ces termes orgueilleux : « Il n'est pas
aisé d'imaginer qui pourrait corrompre à son gré
la fidélité de celui qui dispose à son gré des cou-
ronnes » [2]. Cette allusion à ses services et à son
pouvoir est, il est vrai, la seule marque d'irrespect
qu'il se permette ; ce ne sont par ailleurs que déclarations d'aveugle obéissance. N'empêche qu'il
résiste aux volontés du roi, et qu'une révolte des
grands, présentée comme sympathique, éclate
en sa faveur. Suréna lui aussi sait rappeler tout
ce qu'on lui doit :

> *J'ai vécu pour ma gloire autant qu'il fallait vivre ;*
> *Je laisse un grand exemple à qui pourra me suivre ;*
> *Mais si vous me livrez à vos chagrins jaloux*
> *Je n'aurai pas peut-être assez vécu pour vous* [3].

C'est toujours le même ton ; on a beau se dire
dévoué, il y a un point à partir duquel on cesse

1. *Suréna*, V, 3.
2. *Le Grand Cyrus*, 1e partie, livre 1er, p. 141.
3. *Suréna*, IV, 4.

au fond de se croire tenu à l'entière soumission :

> *Bien que nous devions tout aux puissances suprêmes*
> *Madame, nous devons quelque chose à nous-mêmes* [1].

L'absolutisme heurté et les grands dressés contre la puissance royale, comment va se dérouler le drame ?

\*

Le but vers lequel tend Corneille, c'est de concilier finalement la royauté et les « gens de cœur ». Mais, en attendant, les épisodes violents ne manquent pas : les gens de cœur peuvent prendre eux-mêmes les armes ; il peut arriver également que le peuple les prenne pour eux, et défende leur bon droit contre la tyrannie. Et en effet, dans ce temps de complots et d'émeutes, les grands se trouvèrent souvent alliés au bas peuple, ou plus exactement se servirent souvent de lui. Condé soutenait ainsi, avec tout le dédain qu'on imagine, les extrémistes de l'Ormée bordelaise. A Paris même, le peuple eut son rôle dans les calculs et les manœuvres des grands. Ce n'était évidemment pas de gaieté de cœur que les grands employaient cet instrument dangereux. Comme les princes révoltés du *Cyrus*, ils étaient au désespoir d'être contraints de se servir d'un remède si plein de périls, « n'y ayant rien au monde de plus à éviter

1. *Othon.* III, 1.

que la rébellion des peuples [1] ». Le théâtre de
Corneille est plein de soulèvements populaires :
le peuple s'émeut pour Polyeucte, pour Héraclius,
pour Nicomède, mais évidemment il n'a pas sur
la scène de représentants ; il joue tout entier un
rôle de lointain comparse. A peine ceux dont il
sert la cause parlent-ils de lui, et c'est pour le
mépriser. Laodice, qui a soulevé le peuple contre
la reine Arsinoé, vient déclarer à cette même
reine :

*Votre peuple est coupable, et dans tous vos sujets*
*Ces cris séditieux sont autants de forfaits ;*
*Mais pour moi qui suis reine, et qui, dans nos querelles,*
*Pour triompher de vous, vous ai fait ces rebelles,*
*Par le droit de la guerre, il fut toujours permis*
*D'allumer la révolte entre ses ennemis* [2].

C'était ainsi que les grands du temps de la Fronde
utilisaient le peuple pour se faire redouter de la
cour. Le peuple n'avait plus qu'à disparaître,
dès qu'ils recevaient satisfaction. Les émeutes
dont ils rêvaient ne devaient pas les brouiller avec
la royauté, mais les faire valoir auprès d'elle,
corriger sa dureté. Dans ces Frondes de roman que
leur imagination achevait mieux que la Fronde
réelle, les grands finissaient en sauveurs de la
royauté repentie et reconnaissante. Ils venaient
offrir généreusement au roi désemparé la paix et
la tranquillité générale. Nicomède et Laodice

1. *Le Grand Cyrus*, IIIᵉ partie, livre 1ᵉʳ, p. 32.
2. *Nicomède*, V, 6.

protègent, contre la foule qu'ils ont eux-mêmes
déchaînée, le couple royal ; Nicomède vient dire
au roi :

> *Tout est calme, Seigneur : un moment de ma vue*
> *A soudain apaisé la populace émue* [1].

L'émeute du *Cyrus* ne finit pas autrement :
Artamène se jette aux pieds du roi au moment où
le roi est à la merci des conjurés vainqueurs. Là
aussi le monarque reçoit une leçon de clémence
de sa victime délivrée. Là aussi la tyrannie confondue ouvre la voie à la bonne royauté.

*Nicomède* trace donc le tableau d'une Fronde
imaginaire, d'une Fronde qui se serait terminée
par la victoire et par l'élévation des princes [2] :
la Fronde réelle avait comporté à un certain moment de telles espérances. Mais en général il
fallait être plus modeste : la clémence volontaire
des rois était encore, parmi les dénouements
heureux, le plus vraisemblable. C'est le dénouement de *Cinna*. S'il est une tragédie parmi celles
de Corneille qu'il soit difficile d'abstraire du temps
où elle a été écrite, c'est bien celle-là. Sans prétendre y retrouver l'écho d'un événement précis,
révolte de Normandie ou conspiration des Dames,
il suffira de rappeler que sous Richelieu une dizaine

---

1. *Ibid.*, V, 9.
2. Le fait que Nicomède , prince rebelle, est en même
temps l'héritier du trône, ne change rien à l'affaire ; au
contraire, la confusion dans le même personnage, du prince
révolté et du futur bon roi est très significative.

de complots aristocratiques se succédèrent, que la haute société y était fortement intéressée, et qu'elle ne pouvait pas ne pas voir dans les intrigues politiques des tragédies de Corneille la reproduction des événements qui l'entouraient, présentés sous le jour qui lui convenait. « Les premiers spectateurs, dit Voltaire dans son *Commentaire sur Cinna*, furent ceux qui combattirent à la Marfée [1] et qui firent la guerre de la Fronde. » Inutile d'en dire beaucoup plus, pourvu qu'on étende la remarque à d'autres pièces qu'à *Cinna*.

La force pathétique du dénouement est peut-être plus grande encore dans *Cinna* que dans *Nicomède* : dans *Cinna*, c'était le crime consommé, la révolte ouverte ; puis l'échec brusque, la foudre suspendue, déjà l'atmosphère du martyre, quand, brusquement, la réconciliation survenait d'en haut, le crime était absous, et l'oppression changée en suzeraineté magnanime. Ce même Condé dont on peut retrouver les traits dans le personnage de *Nicomède*, assistant à vingt ans à la première représentation de *Cinna*, versa des larmes, dit-on, au moment du pardon d'Auguste. Dix ans après, il devait jouer lui-même un nouveau *Cinna*, réel celui-là, où il rencontrerait, avant d'être pardonné, la prison, la défaite, l'exil ; *Cinna* réalisé explique après coup les larmes versées, si elles le furent, devant le *Cinna* fictif.

1. Bataille livrée contre les armées royales par le comte de Soissons, qui y trouva la mort (1641).

\*

Peu importe qui, du roi ou des grands, a le rôle le plus glorieux dans la réconciliation finale. La réconciliation se fait, et elle se fait moyennant le dépouillement de la tyrannie, pour la plus grande gloire de la vraie et bonne royauté. Une question subsiste : où finit la royauté, et où commence la tyrannie ? Corneille n'avait évidemment pas à résoudre ce problème théorique. Il se bornait à mettre en scène les situations, les types, les attitudes nées du conflit des grands et de l'absolutisme. Il cherchait, non pas à préciser les termes du débat, mais à en tirer l'effet dramatique le plus intense. D'autres que lui, et à son époque même, ont traité théoriquement la même question qu'il posait et résolvait dramatiquement. Tous les écrivains politiques de l'aristocratie, jusqu'à la révolution de 1789, se sont efforcés d'établir les critères qui devaient permettre de distinguer la royauté de la tyrannie, — la monarchie du despotisme ; toute l'œuvre de Montesquieu s'édifie autour de cette distinction. Le critère auquel ils s'arrêtent finalement est l'existence d'un contrat qui doit régler les relations d'un vrai monarque avec ses sujets, d'une sorte de loi constitutionnelle, forme modernisée du vieux pacte féodal. Ce serait une erreur de croire que les doctrines constitutionnelles, en France du moins, soient nées dans les milieux bourgeois ; elles marquent d'une empreinte beaucoup plus pro-

fonde la pensée aristocratique, qui confond l'espérance d'une constitution avec le souvenir des
« anciennes lois » ou de l'« ancien gouvernement »,
c'est-à-dire des institutions féodales. En fait,
le gouvernement féodal n'avait jamais connu de
lois au sens propre du mot ; ce qui bornait l'autorité, ce n'était jamais une disposition légale,
c'était l'état des choses et l'impuissance matérielle où se trouvait tout pouvoir, quel qu'il fût,
à passer certaines limites. Mais les écrivains
féodalistes représentaient volontiers comme une
harmonie de droit ce qui n'avait été qu'une anar-
chie de fait, régularisée par l'usage. Pour le présent, ils dressaient l'idée de la loi et du contrat
contre l'absolutisme. Ainsi Claude Joly, dont la
tendance féodaliste n'est pas contestable, et qui
maudit les « opinions nouvelles » introduites en
France par les ministres des derniers temps, donne
de la Loi cette idéale définition : « Un contrat
synallagmatique, lequel se forme de deux pièces
également essentielles, savoir est, de la proposition qui en est faite de la part du Roi ou du peuple
d'une part, et de l'acceptation libre de l'autre [1]. »
Pour Retz également, « les monarchies les plus
établies et les monarques les plus autorisés ne se
soutiennent que par l'assemblage des armes et
des lois ». Il s'agit évidemment de lois qui puissent
s'imposer au pouvoir royal lui-même ; pour en
avoir détruit les derniers restes, Richelieu, selon
lui, « forma dans la plus légitime des monarchies

1. Cf. Joly, *Recueil de maximes*, chap. V

la plus scandaleuse et la plus dangereuse tyrannie
qui ait peut-être asservi un État [1]». Il fallait,
pour réconcilier le roi et les grands, refaire en
arrière le chemin parcouru par Richelieu. Mais
alors on bornera, expressément, le pouvoir des
rois? Les monarques du vieux temps étaient faibles par la force des choses, les monarques modernes devront-ils l'être par la force des lois et des
hommes? Parfois, bien rarement d'ailleurs,
surtout au xviiᵉ siècle, les théoriciens osaient
le demander clairement; mais en général, le public,
moins audacieux, et qui ne trouvait nulle part
dans la tradition une restriction proprement
légale du pouvoir royal, ne formulait guère
semblable exigence. Il rêvait d'une sorte de consentement généreux par lequel la royauté, sans abdiquer ses prérogatives, leur eût volontairement
imposé certaines bornes. La littérature romanesque du xviiᵉ siècle se plaît à retracer souvent
l'image paternelle d'une royauté qui met sa gloire
à se limiter elle-même. Dans l'*Astrée*, le roi Méro-
vée, faisant la leçon à son fils Childéric, qui manifeste un penchant au dérèglement et au despotisme, s'exprime en ces termes : « Tout prince qui
veut commander un peuple se doit rendre plus
sage, et plus vertueux, que ceux desquels il veut
être obéi, autrement il n'y parviendra jamais
qu'avec la tyrannie, qui ne peut être assurée ni
agréable à celui même qui l'exerce [2]. » Dans le

1. Retz, *Mémoires*, éd. des Grands Écrivains, t. I, pp.
275, 278-279.
2. *L'Astrée*, IIIᵉ partie, livre 12ᵉ, p. 679.

*Cyrus*, le roi Cambyse « se laisse gouverner par les lois, et ne gouverne que par elles, de sorte qu'il semble par toutes ses façons d'agir avec ses sujets, qu'il est moins leur roi que leur Père [1] ». Corneille ne conçoit pas autrement la royauté idéale :

> *Je n'abuserai point du pouvoir absolu* [2],

dit la reine Isabelle dans *Don Sanche*. Et dans *Pertharite*, un roi répond au conseiller qui l'invite à violenter sa captive :

> *Porte, porte aux tyrans tes damnables maximes :*
> *Je hais l'art de régner qui se permet des crimes.*
> *De quel front donnerais-je un exemple aujourd'hui*
> *Que mes lois dès demain puniraient en autrui* [3] *?*

Corneille n'est pas théoricien. Mais ses personnages argumentent souvent, intercalent dans le drame l'écho des discussions politiques de son temps. Les ennemis de l'absolutisme commençaient déjà, à l'époque de Corneille, à prendre l'habitude qu'ils garderont longtemps, de comparer subtilement les divers régimes politiques. Ce que fera Montesquieu, insistant sur la diversité des constitutions des peuples, et analysant les ressorts de chacune d'elles pour en dégager l'idée de ce milieu parfait que constitue entre l'État populaire et l'État despotique la monarchie tempérée à l'ancienne mode, Corneille le fait à bâtons rompus

---

1. *Le Grand Cyrus*, 1er partie, livre 2e, p. 228.
2. *Don Sanche*, II, 2.
3. *Pertharite*, II, 3.

dans ses tragédies. Ainsi dans *Cinna*, Maxime
conseillant à Auguste d'abandonner le pouvoir :

> *J'ose dire, Seigneur, que par tous les climats*
> *Ne sont pas bien reçus toutes sortes d'États ;*
> *Chaque peuple a le sien conforme à sa nature,*
> *Qu'on ne saurait changer sans lui faire une injure.·*
> *Telle est la loi du ciel, dont la sage équité*
> *Sème dans l'univers cette diversité.*
> *Les Macédoniens aiment le monarchique,*
> *Et le reste des Grecs la liberté publique ;*
> *Les Parthes, les Persans veulent des souverains,*
> *Et le seul consulat est bon pour les Romains.*

Cinna, qui, dans la même scène, feint de défendre
le régime absolutiste, oppose à cette diversité
selon l'espace, l'inéluctable variation des temps.
C'étaient là deux arguments courants dans la
controverse politique ; on invoquait le tempérament de la nation française pour justifier le main-
tien des vieilles institutions ; on invoquait la
marche des choses pour justifier les progrès de
l'absolutisme :

> *Il est vrai que du ciel la prudence infinie*
> *Départ à chaque peuple un différent génie ;*
> *Mais il n'est pas moins vrai que cet ordre des cieux*
> *Change selon les temps comme selon les lieux* [1].

Jadis la liberté, aujourd'hui le despotisme. Dans
les discussions des personnages de Corneille
comme chez Montesquieu la théorie des climats
est faite justement pour résister à l'histoire e͡s

---

1. *Cinna*, II.ˑ·

esquiver l'absolutisme. Voici maintenant, dans
*Agésilas*, le panégyrique du gouvernement tempéré, opposé à l'épouvantail du despotisme asia-
tique, dont Montesquieu lui aussi fera un abondant
usage dans son *Esprit des Lois*. Il s'agit justement
ici des Perses de l'antiquité, que Corneille voit
plus semblables aux Persans de Montesquieu
qu'aux compagnons du grand Cyrus selon M^lle de
Scudéry :

> En Perse il n'est point de sujets ;
> Ce ne sont qu'esclaves abjets,
> Qu'écrasent d'un coup d'œil les têtes souveraines :
> Le monarque, ou plutôt le tyran général,
> N'y suit pour loi que son caprice,
> N'y veut point d'autre règle et point d'autre justice,
> Et souvent même impute à crime capital
> Le plus rare mérite et le plus grand service ;
> Il abat à ses pieds les plus hautes vertus,
> S'immole insolemment les plus illustres vies [1],
> Et ne laisse aujourd'hui que les cœurs abattus
> A couvert de ses tyrannies...
> La Grèce a de plus saintes lois,
> Elle a des peuples et des rois
> Qui gouvernent avec justice :
> La raison y préside, et la sage équité ;
> Le pouvoir souverain par elles limité
> N'y laisse aucun droit de caprice [2].

Ces vers écrits en 1666 n'empêchaient pas Corneille
de flatter, presque dans le même temps, l'omni-

---

1. Il s'agit bien, on le voit, du despotisme ennemi des
grands.
2. *Agésilas*, II, 1.

potence de Louis XIV [1] ; Corneille, flatteur par
entraînement et par métier, se retrouve toujours
auprès de Corneille ennemi de la tyrannie par
penchant et par éloquence : toute sa génération
avait été ainsi.

Autre écho des discussions politiques de son
siècle, que le siècle suivant reproduira lui aussi
amplifié : l'idée de la stabilité plus grande du
gouvernement tempéré, qui règne par l'adhésion
et non par la contrainte. Nous avons vu le rôle
que joue dans Corneille l'émulation de générosité ;
c'est sur un mécanisme semblable, jouant entre
le gouvernement et les gouvernés, que les théoriciens du gouvernement aristocratique font reposer
le bon gouvernement. Les mouvements généreux
du dénouement de *Cinna* présentent en raccourci
le fonctionnement d'une monarchie parfaite :
jamais Auguste n'a été plus assuré de l'obéissance
de ses sujets qu'après son pardon. La tyrannie,
selon Joly, « n'étant reconnue que par force, ne
peut produire que guerres, troubles et divisions,
qui ruinent la véritable autorité [2] ». Ainsi le Childéric de l'*Astrée*, pour n'avoir pas écouté les
conseils de justice de son père, est renversé par
une émeute et met toute son espérance de restau-
ration dans les manœuvres d'un de ses amis, qui
encourageant exprès le nouveau roi dans la voie
de la tyrannie, doit le conduire, lui aussi, à sa perte [3]

---

1. Voir *Attila*, vers 221 et suiv.
2. Cl. Joly, *Recueil des Maximes*, chap. VII.
3. *L'Astrée*, Vᵉ partie, livre 3ᵉ, p. 148.

La même situation, qui est en même temps
une argumentation, se retrouve dans Corneille,
lorsque le conseiller d'un roi, secrètement
désireux de le supplanter, adopte à cette fin
le plan suivant :

> *L'ériger en tyran par mes propres conseils,*
> *De sa perte par lui dresser les appareils* [1]...

La tyrannie est la ruine de la monarchie : elle
ouvre la porte à la subversion totale. Cet argument
sera repris par tous les théoriciens du gouvernement aristocratique : de Fénelon à Montesquieu,
ils prétendront montrer aux rois leur perte là où
ils croient voir leur grandeur. Ce sera aussi, et
jusqu'à nos jours, sur un plan fort différent,
l'argument du libéralisme contre l'aventure dicta-
toriale, préface de la violence et du désordre.
Filiation curieuse, mais qu'on observe en bien des
points, entre les thèmes politiques de la noblesse
mal soumise et ceux des partis libéraux du siècle
dernier et du nôtre, dont la base sociale est pourtant tout autre. De là l'imprudence avec laquelle
on a fait de Montesquieu le premier des libéraux
au sens moderne du mot. De fait, toute cette
littérature antidespotique, issue des embarras
d'une noblesse en mauvaise posture, devait finir
par se retrouver contre elle. Le public s'enflamma
pour la liberté et pour les lois, mais en mettant
derrière ces mots autre chose que la nostalgie du
régime seigneurial. Ce malentendu, qui ne devait

1. *Pertharite*, II, 2.

cesser qu'en 1789, alla en s'accentuant jusque-là, et en beaucoup plus visible au xviiie siècle qu'au xviie. Mais il apparaît déjà à l'époque de Corneille, et particulièrement dans cette vogue paradoxale du civisme romain, à laquelle se laissent entraîner le public aristocratique et ses auteurs favoris [1]. Quoi de plus différent pourtant du prince de Condé ou du duc de Beaufort, que les citoyens de la république romaine ? Et en quoi Cinna et Sertorius pouvaient-ils intéresser Louis XIII et Louis XIV ? C'est que la haute noblesse assimilait d'instinct sa destinée à celle de cette aristocratie de Rome, de ce Sénat que le despotisme finit par avilir en même temps qu'il détruisait la vieille liberté. Qu'on se rappelle Cinna, tel un gentilhomme ligueur ou frondeur, parlant aux conjurés de leurs « illustres aïeux ». La connaissance de l'histoire et des institutions romaines n'a pas seulement servi aux théoriciens français de l'absolutisme et de la raison d'État, qui allaient y chercher surtout l'idée de la majesté impériale, de la toute-puissance du prince et de l'État. Vue sous un autre aspect, l'histoire romaine est apparue comme la représentation saisissante de la décadence attachée aux progrès du despotisme [2]. En ce sens, le débat qui s'institue dans *Cinna* entre Auguste

1. Voir notamment les discours de Balzac à Mme de Rambouillet sur *Le Romain*, sur *La Conversation des Romains*, sur *Mécénas*.
2. La polémique aristocratique sentait à tel point le profit qu'elle pouvait tirer de l'histoire romaine que Montesquieu — on en revient toujours à lui comme au représentant

et ses conseillers sur la liberté politique et le gouvernement absolu, au moment où Rome vient de passer de l'une à l'autre, n'était pas, pour les contemporains de Corneille, un pur exercice de rhétorique.

La discordance est pourtant grande entre les deux mondes. Corneille a beau les mêler, les fondre presque, faire Cinna chevalier servant, attribuer à ses Romains la gloriole et la courtoisie des héros de son siècle, ce caractère républicain, qui dédaigne la grandeur royale, cette ardeur civique et patriotique sont pour ses spectateurs nobles des sujets d'exaltation mal accordés à leurs mœurs réelles. Guizot, dans le cinquième de ses *Essais sur l'Histoire de France*, établit une distinction des plus profondes entre le régime féodal et le gouvernement aristocratique de forme patricienne, exercé par un corps ou un sénat, et dont la république romaine est l'exemple le plus célèbre. Dans le premier, la souveraineté est tout individuelle, personnelle ; c'est une « collection d'absolutismes », et les assemblées n'y sont qu'une collection passagère de personnes. Le second admet des lois supérieures aux individus, expression d'une souveraineté collective. D'où toute une série de différences. Dans l'ordre moral, celle qui nous apparaît surtout est celle qui s'établit entre la morale du moi, la seule vraiment féodale, avec sa tendance

achevé de cette école — crut bon d'y consacrer un ouvrage spécial. Les *Considérations* ne sont autre chose que l'histoire de Rome interprétée selon l'esprit du libéralisme aristocratique.

vivace à la mégalomanie, à l'illimitation, et la
morale romaine de la loi et de la chose publique.
La noblesse française, en dépit de son verbiage,
fut toujours incapable de passer d'une formule
à l'autre. Aussi y a-t-il pas mal d'imprudence
dans les déclamations romaines des aristocrates :
tout ce civisme légaliste va condamner un jour le
genre de prérogatives qu'on prétend défendre.
La Révolution, à son début, n'a pas été autre
chose que la lumière soudain faite sur ce malentendu. Cependant cette lointaine répercussion,
si pleine d'enseignements qu'elle soit pour l'historien des idées, n'altère pas le sens des maximes
politiques de l'aristocratie. Telles qu'elles apparaissent dans le théâtre cornélien, elles sont inspirées tout entières par les traditions et les problèmes politiques de l'ancienne France.

# LA MÉTAPHYSIQUE
## DU JANSÉNISME

Il n'est pas facile au premier abord d'attribuer
une signification précise au courant de pensée
qu'on nomme au xviie siècle jansénisme, et qui,
de l'aveu général, marque si profondément l'esprit
de cette époque. Les notions fondamentales du
jansénisme et les faits les plus importants de son
histoire sont pourtant assez connus pour qu'il
suffise de les rappeler brièvement.

L'origine du mouvement réside dans les échanges d'idées et de projets qui eurent lieu, de 1617
environ à 1635, entre Du Vergier de Hauranne,
abbé de Saint-Cyran, et son ami Jansen (ou
Jansénius), évêque d'Ypres. Ils projetaient en
secret une réforme, d'ailleurs mal définie, de
l'Église catholique ; de leurs projets ne subsista,
dans la génération suivante, qu'un livre latin de
Jansénius, l'*Augustinus*, sorte de compilation de
saint Augustin, et l'empreinte laissée par Saint-
Cyran sur le couvent de femmes de Port-Royal.
Richelieu emprisonna Saint-Cyran en 1638 et la
papauté condamna de façon non équivoque, dès
1653, le livre de Jansénius, paru après sa mort ;

en 1656, la Sorbonne prononça l'exclusion d'Arnauld, continuateur de Saint-Cyran et défenseur de Jansénius. Le jansénisme se perpétua pourtant, appuyé d'une part sur le monastère de Port-Royal, dont les religieuses refusèrent de souscrire à la condamnation de Jansénius en signant le formulaire imposé à cet effet au clergé de France en 1656, — et d'autre part sur les docteurs et « solitaires » de Port-Royal, notamment le grand Arnauld et Nicole, sur les amis du couvent, dont le plus illustre est Pascal, et sur leurs écrits. Les jansénistes pensaient que le salut de l'homme depuis le péché d'Adam et la chute ne peut résulter que d'une faveur gratuite de Dieu, et non de l'effort humain, aussi incapable d'obtenir par lui-même la grâce que d'y résister ; penser autrement c'était mettre l'homme au niveau de Dieu et rendre inutile la venue et les souffrances du Christ, en attribuant à la créature le pouvoir de se sauver seule. En morale, les jansénistes étaient partisans de la thèse la plus rigoureuse ; qu'il s'agît de la vie individuelle ou de l'organisation de l'Église, ils s'en prenaient au relâchement des mœurs et à la corruption des principes du christianisme. Ils se heurtaient, dans ce double domaine de la théologie et de la morale, à la société de Jésus, promotrice d'une religion et d'une morale plus accommodantes, inspirées des vues du théologien jésuite Molina et des casuistes. La royauté et le haut clergé dans son ensemble persécutèrent presque sans arrêt le jansénisme et Louis XIV finit par faire raser le couvent de Port-Royal en 1710. Cette longue crise, qui devait se continuer au cours du xviii$^e$ siècle avec des répercussions politiques diverses, laissa en tout cas une trace profonde dans les idées et dans la littérature du siècle de Louis XIV. Non seulement les écrits de Pascal, mais ceux de La Rochefoucauld, de Racine, de Boileau se ressentent de l'influence janséniste.

Tel est, vu de l'extérieur et dans ses grands traits, l'ensemble d'événements et d'idées qui se présente à nous. Mais, si nous nous demandons quel en est le sens, quelle en est la place exacte dans l'histoire de la société française, les difficultés nous arrêtent aussitôt. Nous n'avons plus affaire ici aux formules si nettement frappées, aux personnages si riches de relief de la littérature héroïque. Là s'affirmait avec éclat une certaine conception de l'homme et de la vie. Ici tout est complexe, tout se perd en controverses, en restrictions et en subtilités. Là triomphaient visiblement les habitudes vitales d'une classe, les caractères d'un milieu. Ici s'opposent des notions théologiques d'application obscure et lointaine. Aussi envisage-t-on d'ordinaire le jansénisme comme un pur phénomène de pensée, sans autre détermination que celle de sa logique propre, dont on s'efforce seulement d'éclairer les démarches. On accorde que l'activité extérieure du jansénisme, son histoire en tant que parti, ait été soumise aux influences du dehors, mais on juge cette histoire très négligeable ; on l'estime étrangère en tout cas à ce qui fait la grandeur du jansénisme ; on détache des péripéties du Port-Royal réel une sorte de Port-Royal éternel, qui ne doit presque plus rien à l'histoire, une pure réponse de l'esprit aux problèmes de la Liberté et du Bien.

Une semblable attitude, si commode qu'elle soit pour l'intelligence, gagne pourtant à n'être pas prise avec trop de hâte. On y est conduit surtout quand on s'enferme au centre de la doctrine fondamentale du jansénisme, selon laquelle le mérite humain n'a pas de rôle déterminant dans le salut, et qu'on refuse de la penser autrement que du dedans. Il est bien évident que cent ans de méditations ne lui découvriront pas alors d'autre sens que celui qu'elle a théologiquement. Mais on peut estimer au contraire que la vraie signification d'une pensée réside dans l'intention humaine qui l'inspire, dans la conduite à laquelle elle aboutit, dans la nature des valeurs qu'elle préconise ou qu'elle condamne, bien plus que dans son énoncé spéculatif. Il n'y a guère d'idée sans cet accompagnement moral, cette suite active dont l'étude éclaire mieux une doctrine que la pure méditation de ses formules. Jansénius estime, après saint Augustin, que le péché originel ayant radicalement corrompu la nature de l'homme, il n'a plus en lui-même, dans ses seules forces, le moyen d'avancer si peu que ce soit vers son salut. Il faut donc que la grâce soit absolument indépendante de nos mérites ou démérites naturels, qu'elle soit absolument gratuite, et irrésistible. D'une affirmation semblable, on imagine sans

peine quels débats peuvent naître : à quoi sert
le libre arbitre de l'homme si tout dépend du
choix de Dieu ? que devient la justice de Dieu
s'il ne choisit pas suivant les mérites ? Questions
auxquelles on peut en opposer d'autres, que
soulèverait la doctrine contraire : où est la souveraineté de Dieu si, notre choix étant libre, le
sien cesse de l'être ? où est notre corruption si le
salut est de plain-pied avec les mérites de notre
nature ? Et ainsi de suite, une position moyenne
étant impossible, car le moindre commencement
d'initiative laissé à l'homme emporte tout le
débat. Mais ces dilemmes, évidemment insolubles
sur le plan de la pure raison (Bossuet lui-même
le proclame et conclut au mystère), recouvrent
le heurt de deux attitudes vitales ; les arguments
théologiques puisent leur force obsédante à une
source humaine plus vive que la pure exigence
logique. Ce qui s'affronte dans la discussion, ce
sont avant tout deux façons de juger l'homme
et de poser les valeurs. Réduire la discussion à
ses termes théoriques, c'est souligner, qu'on le
veuille ou non, la démesure et la vanité de certaine prétention métaphysique de l'esprit. Ce
qu'il faut chercher, pour donner un sens au débat,
et quelque capacité humaine aux pensées qui s'y
sont heurtées, c'est l'intérêt profond, la *passion*
qui l'a réellement dominé.

\*

La doctrine de la grâce efficace repose sur une
représentation particulièrement sombre du péché

originel et de la chute qui l'a suivi. Mais une idée
aussi entière de la chute n'est, en fait, que la mise
en œuvre théologique d'un parti pris de défiance
et de sévérité envers l'homme tel qu'il est sous nos
yeux, envers sa nature et ses impulsions. La doctrine de la grâce efficace est liée à une certaine attitude accusatrice à l'égard de l'humanité, et elle en
est l'achèvement spéculatif et métaphysique plutôt que la source.

On a souvent voulu voir dans le jansénisme,
comme d'ailleurs dans la Réforme, un sursaut
violent du christianisme contre les premiers germes, déposés par la Renaissance, de cette réhabilitation de la nature qui devait ébranler tout l'édifice chrétien. Port-Royal s'opposerait surtout aux
« libertins » du XVIIᵉ siècle, et serait comme une
condamnation anticipée de l'immense mouvement de pensée et de morale naturaliste du siècle
suivant. On peut, si l'on veut, envisager le jansénisme sous cet angle ; mais alors il se fond dans
l'ensemble du courant chrétien, et ses écrivains
se mêlent à tous ceux qui, dans l'Église, depuis le
début des temps modernes et même avant, ont
combattu les « nouveautés » et l'impiété du siècle.
De ce fait, ses traits distinctifs au sein même du
parti religieux demeurent inexpliqués. Or c'est
surtout dans l'Église que Port-Royal a lutté ;
c'est à ce titre qu'il tranche historiquement. Le
jansénisme se définit beaucoup plus par rapport à
une certaine forme de religion qu'il condamne,
que par rapport à l'impiété. Son mouvement propre, comme celui de toutes les doctrines intransi-

geantes, est de s'attaquer à ses voisins les plus
immédiats, ceux à qui ne manque justement que
la suprême rigueur, marque nécessaire de la
vérité. Ce mouvement est assez visible dans
les *Pensées* de Pascal, qui, écrites pour servir à
une apologie de la religion chrétienne contre les
libertins, frappent surtout par ce qui les oppose à
la religion commune et tirent aujourd'hui encore
leur originalité de cette opposition [1]. La théologie
janséniste est destinée à écraser, non pas le maté-
rialisme, mais plutôt toute forme de spiritualisme,
même chrétien, qui ne s'accompagne pas d'une
négation absolue des valeurs humaines, toute
forme de vertu ou de grandeur suspecte de pacti-
ser avec la nature et avec l'instinct. Le xviie siècle
a connu un idéalisme optimiste, confiant jusqu'à
un certain point dans les mouvements naturels de
l'homme. C'est là le véritable adversaire du jansénisme, qu'il faut reconnaître et situer lui-même si
l'on veut s'expliquer Port-Royal. Nous avons vu

1. Nous admettons comme un fait évident, au cours des
pages qui suivent, l'étroite union de Pascal avec Port-Royal
et le jansénisme. Cette union est pourtant contestée aujour-
d'hui à divers degrés par plusieurs écrivains catholiques
également soucieux d'exclure Port-Royal et de conserver
Pascal. Ce n'est pas ici le lieu d'une discussion détaillée
sur ce sujet ; on sait que le débat a été compliqué par de
prétendues découvertes sur l'hostilité de Pascal au jansénisme dans les derniers temps de sa vie et sa soi-disant
rétractation finale. Toute l'érudition qu'on a dépensée dans
ce sens et de façon si peu convaincante est d'un bien faible
poids devant le texte des *Pensées*. Pascal continue d'appartenir à Port-Royal et il ne semble pas qu'il soit au pouvoir
de personne de le lui enlever.

s'exprimer tout au long de l'œuvre de Corneille
une conception semblable, antinaturelle sans
doute dans la mesure où elle oppose sans cesse la
sublimité à la bassesse, mais fort opposée à l'exigence jalouse du jansénisme, puisque le sublime
lui-même y procède d'une impulsion glorieuse,
jaillie de la nature et suffisante à l'ennoblir. C'est
cette confiance dans l'homme que le jansénisme
dénonce comme une illusion criminelle. Mais l'optimisme moral se ressent encore au xviiᵉ siècle de
ses origines aristocratiques ; c'était avant tout
une habitude de l'homme noble que cette projection du moi humain dans le grand. Chimère de la
créature déchue, que l'orgueil même qui l'a perdue
aveugle encore, dira Port-Royal ; et cette condamnation, si générale et métaphysique qu'elle soit,
atteindra au vif l'individu noble. Le rappel du
mythe chrétien de la chute n'était pas seulement
à Port-Royal un parti pris théologique ; il tendait
à la condamnation de toute une morale, de tout
un ensemble d'idées sur l'homme, et, au-delà de
ces idées, de tout un système de relations sociales.
Port-Royal a contribué à désagréger les idéaux
hérités du moyen âge, en mettant en conflit de
façon ouverte l'idéalisme aristocratique et la religion. Le jansénisme, sous l'aspect d'un christianisme renforcé, a fait à sa façon œuvre moderne.

Sans doute le conflit était-il chronique entre la
loi chrétienne et les valeurs issues spontanément

de l'individualisme noble. Le christianisme portait en lui un principe d'universalité et de contrainte, une loi d'en haut opposable à l'orgueil des grands, et qui pouvait permettre à l'Église de jouer le rôle de régulateur universel. En fait, dominée par la force des choses et le souci de ses intérêts, l'Église avait toujours exercé très prudemment cette fonction. Son histoire avait en partie épousé celle du monde laïque, dont elle avait reproduit les institutions et les mœurs. Dans le domaine des idées et de la morale, la distinction du sacré et du profane n'avait pas empêché leur interpénétration, leur accommodation réciproque. Tout l'idéalisme chevaleresque est bâti sur ce compromis, et l'on peut dire qu'il est à la fois une conquête du christianisme sur la société laïque et un recul du christianisme devant les valeurs issues spontanément des conditions de la vie noble. Dans la chevalerie, la gloire humaine et la charité chrétienne s'accordent jusqu'à un certain point, cessent au moins de se combattre de front pour se hiérarchiser. Ce sont deux points d'une chaîne continue. Sans doute cette tradition de compromis n'était pas tout le christianisme ; l'Église demeurait autre chose et gardait toujours de quoi censurer et fulminer ; mais la tendance à la synthèse et à la conciliation des valeurs était si ancienne et si forte que l'exigence contraire, celle qui ne veut considérer que l'opposition des deux termes, nature et grâce, gloire terrestre et mérite chrétien, apparaît davantage au cours des siècles comme une nouveauté subversive pour la société

et pour l'Église, que comme un retour à une pureté
doctrinale originelle, qu'il serait difficile de situer
dans le temps. En fait, tous les soi-disant restau-
rateurs des principes stricts du christianisme — et
les jansénistes, après les réformés, sont du nombre
— eurent maille à partir avec l'Église réelle.

Le compromis séculaire de la religion et du
monde, de la grâce et de la nature se retrouva
intact après l'échec de la Réforme : une certaine
valorisation de l'homme naturel et de ses ambitions continua d'avoir place au sein du catholicisme, dans la mesure où le permettaient les affirmations essentielles du dogme. Henri Bremond a
décrit sous le nom d'*humanisme dévot* [1] les conceptions de cette école, aussi favorable à la nature
humaine, à ses dons, à ses facultés spontanées, à
sa prééminence au sein de l'univers, que le jansénisme devait leur être impitoyable. Ici les vertus
et les talents naturels forment autant de ponts
qui conduisent de l'excellence purement humaine
à l'excellence selon Dieu. On est aux antipodes de
la phrase de Pascal : « De tous les corps et esprits,
on n'en saurait tirer un mouvement de vraie charité ; cela est impossible, et d'un autre ordre, et
surnaturel [2]. » Au lieu de cette infranchissable
séparation, l'humanisme dévot établit entre la
nature et la charité des échelons successivement
accessibles de perfection ; sans prétendre évidem-

1. Bremond, *Histoire littéraire du sentiment religieux en
France*, vol. I.
2. Pascal, *Pensées*, édition Brunschvicg, 793.

ment qu'il soit absolument au pouvoir de l'homme de franchir toutes les étapes, et surtout la dernière, et sans nier la nécessité de la grâce, il répugne à condamner tout ce qui a déjà pu se faire sans elle, tout ce qui la préfigure et qu'elle ne peut guère ne pas récompenser. Cette doctrine essentiellement optimiste conduit à créer toute une région inter- médiaire entre la concupiscence et la sainteté, région fertile en productions morales délicates et spirituelles, et où la nature humaine, dégagée de sa propre bassesse et se ressentant à peine de la souillure originelle, accède presque à Dieu sans être sortie tout à fait d'elle-même. C'est comme une nature idéale au-dessus de la nature vulgaire ; l'homme se dédouble et en se dédoublant il gagne d'échapper pour moitié à sa déchéance, tenue désormais pour partielle, non pour radicale ; il reste en lui quelque chose de l'Eden [1].

Sans doute ce courant de réhabilitation de l'ex- cellence humaine dans les limites du christianisme, tel qu'il apparaît au XVIIe siècle, a-t-il beaucoup emprunté à l'humanisme de la Renaissance. Mais l'influence de la pensée antique ressuscitée n'a fait qu'affecter dans ses modalités une tradition déjà existante de conciliation entre l'homme naturel et la loi chrétienne. Cette région sublime qui n'est plus celle de la nature brutale et qui n'est pas tout

---

1. Tous les écrivains de cette école insistent sur cette dualité de l'homme, résultat d'une imparfaite déchéance, et notamment François de Sales, qui domine tout ce courant d'idées. Le jansénisme rejette à la fois cette conception de l'homme et cette théologie.

à fait encore celle de la grâce, ce pays de merveilles
humaines et spirituelles qui est l'antichambre de la
grandeur céleste et que décrivent sans cesse les disciples de François de Sales au xvii<sup>e</sup> siècle qu'est-ce
d'autre que le champ glorieux où la tradition
aristocratique place la source idéale de toute vertu ? Il y avait longtemps que le christianisme prenait appui dans cette région, parce qu'il y avait
longtemps qu'il se trouvait noué à la morale noble ;
et défendre l'excellence de l'homme au sein de la
doctrine chrétienne, c'était, au xvii<sup>e</sup> siècle encore,
plaider pour l'accord de la charité avec la gloire,
le parfait amour et le bel esprit.

Ainsi a fait parmi beaucoup d'autres un des
ennemis les plus connus du jansénisme, esprit
curieux et remarquable malgré la médiocrité de
son talent, et que l'on retrouve dans toutes les
polémiques du grand siècle, Desmarets de Saint-
Sorlin. Dans son ouvrage aujourd'hui bien ignoré
des *Délices de l'Esprit*, qui fut publié en 1658, il
décrivait tous les degrés intermédiaires qui conduisent l'homme des plaisirs charnels à l'union
avec Dieu. Il s'agit d'un mécréant qu'un chrétien
convertit en lui faisant apprécier successivement
les plaisirs de plus en plus délicats que l'esprit
humain peut goûter lorsque, sans être encore uni
à Dieu, il a déjà dépassé, par son mouvement
naturel, les satisfactions de la concupiscence gros-
sière. Tout se retrouve dans cet ouvrage : glorification des puissances nobles de l'homme, optimisme moral et théologique, enfin nature aristocratique profonde de ces « délices », sur lesquelles

Desmarets fonde son optimisme, et dont il place
les temples dans les faubourgs de la ville divine de
la Vraie Volupté. Ce sont d'abord les délices des
Arts : l'auteur les conçoit suivant les vues du bel
esprit traditionnel, élargi et dignifié par les théoriciens de la Renaissance, et si puissant encore,
sous cette forme, au xviie siècle ; les délices des
Arts sont pour lui le bruit d'un raffinement constant du goût « qui s'aiguise par la connaissance [1] »,
et auquel la gloire joint d'ailleurs ses charmes, car
si l'on aime les ouvrages d'art, c'est que « l'homme,
par l'amour-propre qui le porte à aimer la gloire
de son espèce, aime l'Imitation bien plus que la
Nature même [2] ». Viennent ensuite les délices des
Sciences, plus spirituelles encore que les Arts, et
dont l'auteur, en dépit d'une défiance toute mystique à l'égard de la recherche trop purement
intellectuelle, fait à plusieurs reprises l'éloge dans
un style qui fait penser aux *Femmes savantes*. Puis
ce sont les délices de la Réputation, que Desmarets acclimate sans trop de difficulté dans les faubourgs de la cité de Dieu : en effet, l'amour de la
gloire provient de ce que « l'âme qui est immortelle
désire qu'une belle action ou une belle œuvre soit
immortelle aussi bien qu'elle [3] ». « Ainsi l'honneur
ou la renommée fait une harmonie avec Dieu et
avec l'âme, comme la quinte en musique fait une

1. Desmarets de Saint-Sorlin, *Délices de l'Esprit*, IVe
journée.
2. *Ibid.*, IVe journée.
3. *Ibid.*, VIe journée.

harmonie avec les deux octaves [1]. » Ce sont ensuite
les délices de la Fortune, c'est-à-dire de la puissance ou de la grandeur, délices d'autant plus
fortes qu'elles s'attachent davantage à la pensée
du pouvoir, et moins à sa réalité, qu'elles sont
davantage spiritualisées ; les délices de la générosité ou de la clémence en sont le couronnement,
car un des plaisirs les plus grands et les plus nobles,
« c'est de pouvoir se venger et de ne se venger pas.
Car vous triomphez d'autrui en puissance, ce qui
vaut mieux que de triompher en effet ; vous triomphez de vous-même ; et toutes les bouches publient
à l'envi cette grande victoire [2]. » Enfin viennent
les délices de la Vertu, les dernières avant celles
de l'union mystique : « L'amant de la vertu goûte
la gloire de son propre triomphe, et goûte en
même temps, et goûte encore bien plus délicieuse-
ment, la gloire de la vertu qu'il aime quand elle
triomphe en lui [3]. » C'est par l'attrait irrésistible
qui émane de toute cette région intermédiaire
entre la nature et Dieu, que l'homme est attiré
vers le chemin du salut ; la doctrine chrétienne
épouse les procédés flatteurs de l'idéalisme noble :
sublimation des appétits ou gloire, raffinement
de la raison ou bel esprit ; dans ce vestibule aris-

1. *Ibid.*, IVe journée.
2. Cette belle description de la magnanimité selon la
philosophie noble pourrait être une excellente définition
de l'Auguste de *Cinna*, faite par un homme qui sentait
certainement mieux le sublime cornélien que bien des critiques modernes. (*Ibid.*, VIIe journée.)
3. *Ibid.*, VIIIe journée.

tocratique de la foi, ou, si l'on préfère, dans ce prolongement chrétien de la gloire, les mouvements du moi sont utilisés, et non réprimés [1].

\*

Le lien du christianisme conciliant avec l'idéalisme aristocratique est partout visible dans la littérature du xviie siècle. Ainsi Balzac, dans son discours sur la *Gloire*, désapprouvant ceux qui prétendent opposer de façon irréductible la gloire du monde à celle du ciel, écrit : « La belle passion dont il s'agit s'accorde avec la plus haute sainteté, avec celle qui est la plus proche de la divine. » Et tout son discours n'est qu'un long panégyrique du vieux sentiment de l'honneur. Rien de plus faux que le rapprochement que l'on fait quelquefois entre Corneille et Port-Royal : ils sont aux antipodes l'un de l'autre. Comment la gloire cornélienne trouverait-elle grâce devant la doctrine janséniste ? Sainte-Beuve lui-même, qui prétend unir Corneille à Port-Royal par *Polyeucte* [2], ne peut se dispenser de rappeler que les écrivains de Port-Royal furent toujours sévères pour cette tragédie. Les conversions subites, les coups sou-

1. Desmarets n'est pas le seul chez qui l'inspiration aristocratique soit sensible ; voir notamment chez Bremond, *Humanisme dévot*, dans l'ouvrage déjà cité, le chapitre relatif à Yves de Paris : capucin d'origine noble, il plaide pour le sentiment de l'honneur et pour son utilité morale, il défend les beautés de l'amour épuré et spirituel, même s'adressant aux créatures terrestres, etc.
2. Sainte-Beuve, *Port-Royal*, livre I, ch. VI et VII.

dains de la grâce qu'elle contient n'ont rien de proprement janséniste, mais appartiennent à la tradition chrétienne la plus commune. Par contre, les réflexions qui s'y trouvent sur Dieu et la grâce sont bien conformes aux idées des Jésuites :

> *Il est toujours tout juste et tout bon, mais sa grâce*
> *Ne descend pas toujours avec même efficace* [1] *;*
> *Après certains moments que perdent nos longueurs* [2]*,*
> *Elle quitte ces traits qui pénètrent les cœurs.*
> *Le nôtre s'endurcit, la repousse, l'égare :*
> *Le bras qui la versait en devient plus avare ;*
> *Et cette sainte ardeur qui doit porter au bien*
> *Tombe plus rarement* [3]*, ou n'opère plus rien* [4]*.*

Une opposition foncière sépare Corneille, dont toute l'œuvre glorifie les « beaux mouvements » de l'homme, et les pensées qui les accompagnent,

1. Les jansénistes appellent eux-mêmes leur doctrine doctrine de la grâce efficace, c'est-à-dire toujours irrésistible quand elle se manifeste, — et ils pensent qu'elle se manifeste rarement. C'est tout le contraire dans ce passage, où elle est donnée pour présente à tout instant, mais d'efficacité variable selon le mérite du sujet.
2. C'est bien l'homme qui démérite, qui décourage la faveur divine.
3. Il en reste toujours un peu de temps en temps ; nul n'en est complètement privé.
4. Elle devient complètement *inefficace*, et par la faute de l'homme, qui a pu lui résister. La tragédie d'Œdipe (III,5) contient un long plaidoyer, de signification aveuglante celui-là, en faveur du libre arbitre : Sainte-Beuve le donne et en marque bien le sens antijanséniste, mais dans une note (liv. I, ch. VIII, *in fine*) ; le Corneille janséniste était un ornement dont il avait besoin pour la beauté de la journée du Guichet, mais il ne pouvait y croire qu'à demi.

de ceux qui déniaient à l'homme déchu toute
grandeur et à ses jugements toute lucidité[1]. Et
qu'on n'aille pas s'imaginer que l'élévation stoïque
des personnages cornéliens ait eu de quoi plaire
aux jansénistes. Jansénisme et stoïcisme étaient
à couteaux tirés. Jansénius est très violent contre
les Stoïciens, et cela se conçoit. Le stoïcisme, qui
eut tant de vogue en France dans la société cultivée de l'époque classique, apparaissait, malgré
toute sa dureté, comme une glorification de la
liberté humaine, comme une apothéose philoso-
sophique de l'orgueil. L'acceptation stoïque du
malheur, la constance, comme on l'appelait, avait
encore trop de faste et de brillant au gré du jansénisme. Port-Royal demandait un dépouillement
plus sévère. Ce n'est pas par hasard que Pascal
s'emploie à réfuter Épictète, auquel d'ailleurs il
pense sans cesse. Le stoïcisme, par le caractère
sublime dont il revêtait l'humanité, par sa vogue
auprès des « grandes âmes » de l'aristocratie, dont
il encourageait le penchant naturel, se situait, de
toute évidence, dans le camp opposé à Port-Royal.

\*

Entre toutes les manifestations de l'esprit
aristocratique, celles qui touchent à la conception

1. M. F. Strowski marque bien cette opposition, quand
retraçant la polémique de Pascal-Arnauld contre le théologien de Sorbonne Lemoine sur le mérite et la lucidité de
l'homme, il écrit : « Un Auguste, un Rodrigue, sont selon
M. Lemoine » (*Pascal et son temps*, t. III, p. 83).

de l'amour sont mêlées le plus fréquemment peut-
être au christianisme optimiste. François de Sales
fréquenta en Savoie Honoré d'Urfé, auteur de
l'*Astrée* et théoricien de l'amour romanesque.
Un de ses amis et voisins, évêque comme lui,
Camus, écrivait des romans où l'esprit et le style
habituel du genre recouvraient des récits édifiants et étaient employés à glorifier l'amour divin.
La suavité de l'inspiration et du langage, l'usage
des métaphores fleuries, la nuance même du sentiment rapprochent curieusement l'*Astrée* et l'*Introduction à la vie dévote*. Le christianisme optimiste
joue sur la conception courtoise de l'amour, voit
dans l'amour terrestre épuré une ébauche imparfaite, mais précieuse, de l'amour de Dieu et des
choses célestes. Depuis les troubadours, on avait
coutume de faire voisiner, avec plus ou moins
d'orthodoxie, l'amour profane purifié et une
dévotion de caractère adoratif qui s'adressait
volontiers aux créatures intermédiaires entre
l'homme et Dieu : aux saints et aux saintes, à la
Vierge, aux anges. Cette adoration, doublant
l'adoration courtoise profane, la couronnait, en
élevait l'élan jusqu'au ciel, et se fondait comme
elle sur l'idée de l'excellence possible de l'affectivité
humaine, une fois déliée de ses attaches grossières.

Ce christianisme, qu'on pourrait appeler christianisme de sublimation, parce qu'il transfigure
et élève le cœur humain jusqu'au divin, culmine
dans l'oraison mystique. Aussi n'est-il pas étonnant
que les états d'oraison, en dépit de toutes les
précautions dont la discipline religieuse les entoure,

soient l'objet de la suspicion janséniste. Port-Royal, dès qu'il précisait sa doctrine, ne pouvait être que très hostile au mysticisme, qui croit possible à la créature, dès ce monde même, de goûter Dieu [1]. Un Pascal distingue toujours la *grâce*, qui touche l'élu sur la terre, de la *gloire* qu'il ne goûte qu'au ciel. Au contraire, le converti de Desmarets n'est pas plutôt touché de la grâce qu'il se déclare en possession d'une « gloire incomparable [2] » : en échange des sacrifices qu'il a consentis l'instinct humain reçoit ici un avant-goût du bien suprême ; dans la morale noble, toute vertu a des appâts de ce genre : la charité suit la règle.

Le débat sur le mysticisme dissimulait au fond un problème très concret que la simple morale posait déjà : est-il possible que l'instinct de l'homme s'épure réellement, qu'il attache sa satisfaction à un objet idéal, qu'il mette sa chaleur naturelle au service du bien? La vertu aristocratique ne peut guère se passer de ce concours ; la morale janséniste, au contraire, justifie par l'idée de la corruption radicale de l'homme sa défiance à l'égard des sublimations de l'instinct. Les discussions rela-

1. Sans doute, l'antimysticisme n'a-t-il atteint toute sa netteté que dans la génération louisquatorzienne de Port-Royal ; mais aussi le jansénisme doctrinal n'a guère existé avant.

2. *Délices de l'Esprit*, XIIe journée. Desmarets n'est pas un grand mystique, ni une autorité très sérieuse, mais il donne bien la monnaie courante du genre, et il la donne naïvement. C'est ce qui nous intéresse avant tout ici. Ce qu'on appelle côté faible ou petit côté des choses en est souvent le fond.

tives aux états d'oraison évoquent tout le problème
des impulsions dites idéales, de leur valeur et de
leur existence. Or ce problème, les temps modernes
à leur début l'ont sans cesse posé au moyen âge
finissant, et ils l'ont bien souvent résolu, comme
Port-Royal, dans le sens le plus réaliste.

Rien n'est plus significatif sous ce rapport que
le débat qui opposa vers 1665 Nicole et Desmarets.
Desmarets accusait les jansénistes de vouloir sup-
primer complètement l'oraison, de n'avoir « jamais
éprouvé les divins attraits, ni les goûts spirituels [1] »,
bref de ne rien entendre à la « spiritualité intérieure ». Nicole lui répond dans ses *Visionnaires*
par une critique psychologique des états d'oraison
qui met en cause l'existence même d'une sensibilité idéale dans l'homme. Il est bien difficile,
dit-il en substance, de distinguer l'oraison naturelle, dans laquelle les mouvements de l'âme vers
Dieu sont de pures impulsions humaines, inspirées
de nos intérêts, où la grâce n'a aucune part et
qui, par suite, n'ont aucune valeur, de l'oraison
surnaturelle, dont les mouvements sont inspirés
par Dieu lui-même. En effet, nous n'avons pas le
moyen de discerner en nous de façon nette ces
deux sortes d'oraisons, ni le droit d'attribuer tel
mouvement intérieur à la grâce, parce que nous
le ressentons comme venant d'elle ; intéressés dans
le débat et sans autre lumière pour l'éclairer qu'un
sentiment intérieur très sujet à caution, nous pou-

---

1. Desmarets, *Réponse à l'insolente apologie des Religieuses de Port-Royal*, 2ᵉ partie, chap. XVI.

vons constamment prendre les effets déguisés de
la concupiscence pour des élans de piété véritable.
Le danger est d'autant plus grand qu'il existe des
puissances trompeuses qui s'emploient activement
à nous donner le change : notre « amour-propre »,
qui colore toutes choses en nous, et le démon, qui
le met en œuvre.

De là toute une psychologie pessimiste, inséparable de la théologie janséniste. Le raffinement de
la spiritualité mystique, que l'on prend pour un
effet de la grâce, n'est qu'un « raffinement d'orgueil » : on se flatte de goûter Dieu, et on ne
goûte en réalité que le plaisir d'un rare privilège
dont on se croit favorisé ; dans la ferveur et les
élans de la dévotion, Nicole pense retrouver les
agitations mauvaises du cœur humain, spiritualisées par un faux langage mystique ; le ravisse-
ment parfait que l'on éprouve dans l'oraison n'est
que « le règne tranquille de l'amour-propre [1] » :
si l'âme qui se croit unie à Dieu dans ses extases
se sent rassurée, c'est que « le démon lui procure
cette paix qu'il donne à ceux qu'il possède [2] ».

Toutes ces critiques reviennent finalement à
jeter le doute sur la valeur du sentiment que chacun peut avoir, même sincèrement, de ses propres
états. Doute facilement généralisable et qui peut
atteindre finalement toute connaissance introspective de l'homme, en la déclarant sujette aux
puissances trompeuses de l'amour-propre. Il en

1. Nicole, *Visionnaires*, 7.
2. *Ibid.*, 3.

résulte que l'homme devient un être obscur à lui-
même, qui ignore ses vrais mobiles et se conduit
sans se connaître. La connaissance que nous avons
de nous n'atteint que l'extérieur de notre être ;
ou plutôt, elle façonne elle-même cet extérieur,
elle conçoit de belles pensées qu'elle prend pour
des penchants profonds, en vertu d' « une inclination naturelle de l'amour-propre qui nous porte
à prendre nos pensées pour des vertus, et à croire
que nous avons dans le cœur tout ce qui nage sur
la surface de notre esprit [1] ».

Une semblable distinction établie dans l'homme
entre la surface et les profondeurs conduit à dénier
toute validité aux données de la conscience : « On
peut désirer par amour-propre d'être délivré de
l'amour-propre ; on peut désirer l'humilité par
orgueil. Il se fait un cercle infini et imperceptible
de retours sur retours, de réflexions sur réflexions
dans ces actions de l'âme, et *il y a toujours en nous
un certain fond, et une certaine racine qui nous
demeure inconnue et impénétrable toute notre vie* [2]. »
Cette résolution de chercher la vérité sur l'homme
ailleurs que dans le sentiment intérieur, ailleurs
que dans la conscience, est commune à tous ceux
qui, dans le xviie siècle, entreprennent de ruiner

1. *Ibid.*, 7.
2. *Ibid.*, 7. Saint-Cyran parlait de même des « fosses
profondes » de l'âme et du « monde invisible » de la concupiscence, plus difficile à ruiner que le monde visible. Il
s'agit là, d'ailleurs, d'une notion commune à tout le christianisme, mais qui prend dans le jansénisme une importance
de premier plan.

le sublime aristocratique. Le recours à l'inconscient
est, nous le verrons, leur arme suprême, quand ils
veulent révoquer en doute les affirmations de
l'idéalisme. Le jansénisme a su utiliser dans ce
sens la vieille obsession chrétienne du démon et,
confondant les pièges du Malin avec ceux de l'instinct, faire concourir au même dessein le mythe
démoniaque et l'examen lucide de la nature
humaine.

*

On voit à quel point tout est solidaire dans le
jansénisme et comment la théologie, la religion,
la psychologie de Port-Royal sont animées d'un
mouvement fondamental, qui consiste à nier tout
prolongement héroïque ou divin de notre nature.
Cette négation s'étend à tous les degrés de l'ambition humaine, de la simple vertu jusqu'aux sommets de l'oraison mystique, et se manifeste aussi
bien dans l'analyse du cœur humain que dans les
débats sur la grâce. Évidemment c'est aux échelons les plus proches de la vie, dans la discussion
sur la morale et sur l'homme, que s'accomplit
l'œuvre de subversion la plus efficace. Mais le reste
ne doit pas moins nous intéresser, si nous voulons
montrer comment l'impulsion première du jansénisme s'agence en une philosophie spéculative,
comment un besoin crée et développe une doctrine.

Que n'a-t-on dit de la vertigineuse métaphysique
de Pascal, de ces oppositions soudaines de pensée,
de ces surprises constantes par lesquelles il passe

d'un ordre de choses à l'ordre contraire, faisant
jaillir de l'exercice de la raison une source de doute,
de la contradiction une source de certitude, de
l'abêtissement une source de lumière ? Mais cette
métaphysique des sauts brusques, des retourne-
ments, des liaisons inopinément surgies était la
seule ressource possible à qui voulait comme lui,
et comme le jansénisme tout entier, couper les
ponts de l'homme à Dieu sans renoncer à les faire
exister l'un pour l'autre. Le christianisme optimiste, au contraire, liait l'ordre naturel à l'ordre
divin par une gamme ascendante et continue de
perfections. Sans doute le dogme imposait-il des
plans distincts : celui de la grâce, celui de la nature
excellente, vertu et connaissance, celui de la nature
brute ; autrement dit : Dieu, l'Éden, l'homme
déchu. Deux fossés devaient se creuser, l'un entre
la concupiscence et le bien, l'autre entre le bien
et la charité. Mais la question ne se posait pas si
simplement : sur le terme moyen, sur l'héritage de
l'Éden, il y avait discussion. Si l'on admettait,
comme faisait le christianisme optimiste, qu'il
restât quelque chose encore dans l'homme du para-
dis perdu, quelque chose de réel et d'agissant,
grandeur, instinct du bien, intellect souverain,
du même coup la séparation des ordres s'estom-
pait ; le fossé vers la grâce était à moitié comblé ;
celui qui séparait la grandeur de l'homme de sa
bassesse était franchi dès l'abord par certaines
natures en qui l'impulsion prenait spontanément
sa forme la plus sublime. La réhabilitation de
l'homme se traduisait donc sur le plan philoso-

phique par une tendance à effacer, à adoucir
l'hétérogénéité des ordres. Pascal, au contraire,
partant lui aussi de la distinction des trois ordres,
les envisage essentiellement sous l'angle de l'hété-
rogène, du discontinu : « La grandeur de la sagesse,
qui est nulle sinon de Dieu, est invisible aux charnels et aux gens d'esprit. Ce sont trois ordres
différant de genre... Tous les corps ne valent pas
le moindre des esprits... Tous les corps ensemble
et tous les esprits ensemble, et toutes leurs productions, ne valent pas le moindre mouvement
de charité [1]. » Mais cette hétérogénéité absolue
n'est possible que par une conception particulière
du terme moyen : la séparation des ordres est liée
à la ruine de l'ordre intermédiaire, de celui que
Pascal appelle l'ordre des esprits ou de la grandeur
de l'homme. Ce n'est plus là un échelon de passage,
aussi réel que ceux de la concupiscence et de la
grâce et conduisant de l'un à l'autre : la grandeur
humaine, anéantie effectivement de façon radicale
depuis le péché originel, n'existe plus qu'à l'état
de trace, ou plutôt de manque douloureux ; l'excellence de l'homme, viciée jusque dans son principe,
ne se manifeste que dans le sentiment qu'il a de sa
déchéance : « La grandeur de l'homme est grande
en ce qu'il se connaît misérable [2]. » Ainsi la seule
grandeur de l'homme est qu'il ressent sa misère ;
sa nature n'est haute que parce qu'elle ne peut
être basse avec tranquillité, et quand Pascal plaide

1. Pascal, *Pensées*, éd. Brunschvicg, 793.
2. Br., 397.

la grandeur de l'homme, c'est toujours pour
conclure à l'inquiétude et à l'angoisse. Seul subsiste le contraste des deux termes extrêmes, et ce
qui a pu rester dans l'entre-deux de l'état premier
de l'homme, loin d'adoucir ce contraste, ne sert,
dans son état actuel, qu'à l'accuser davantage.
Pascal fait mieux que de nier la grandeur humaine,
il la force à se nier elle-même, à creuser son propre
gouffre.

Par exemple, c'était un lieu commun de la philosophie idéaliste depuis l'antiquité que de faire
dériver le désir de gloire d'un sentiment confus du
destin immortel de l'âme humaine. Pascal reprendra
dra bien la même idée, sous le titre de *Grandeur
de l'homme* : « Nous avons une si grande idée de
l'âme de l'homme que nous ne pouvons souffrir
d'en être méprisés [1]. » Un autre conclurait par une
réhabilitation idéale de la gloire ; mais le dessein
de Pascal est tout autre. Ne nous y trompons pas ;
il s'agit de faire ressortir, au regard d'une aspiration idéale, le caractère intolérable de notre condition réelle : « S'il se vante, je l'abaisse ; s'il s'abaisse,
je le vante, et je le contredis toujours, jusqu'à ce
qu'il comprenne qu'il est un monstre incompréhensible [2]. » La grandeur se tirant de la misère et
la misère de la grandeur, l'élévation de l'homme
n'est qu'un élément, ou un moment, d'une dialectique qui vise à détruire, avec la quiétude, l'idée
d'une valeur solide résidant dans l'espèce humaine,

1. Br., 400.
2. Br., 420.

et qui ne laisse finalement d'espérance que dans le saut suprême de la grâce.

Ce que Pascal pense de la gloire peut se trans-poser dans le domaine intellectuel, la connaissance étant, elle aussi, un des fondements de la prééminence de l'homme. La dignité humaine trouverait son compte dans une connaissance rationnelle, uniquement faite de définitions claires et de preuves incontestables ; seule une connaissance de cette sorte répondrait vraiment à la prétention de la pensée. Ainsi le sentent les hommes, qui voient une abdication de leur dignité dans toute diminution de la clarté rationnelle ; ainsi en juge Pascal lui-même qui attribue « la plus haute excellence [1] » à cette impossible perfection. Impossible, car il est évident qu'on ne peut tout définir et tout prouver : la raison même oblige à admettre, à la limite, des notions non définies et des axiomes non prouvés. Toute certitude va reposer par conséquent, en dernier ressort, sur une évidence fondamentale qui ne doit rien à la raison, mais prend sa source dans un domaine tout différent : cœur, instinct [2], lumière naturelle [3], tels sont les noms que Pascal donne à cette faculté intuitive, seule capable, selon lui, d'affirmer, de poser quelque chose, la raison se bornant à travailler sur ses

1. *De l'esprit géométrique*, petite édition Brunschvicg, p. 165.
2. « C'est sur ces connaissances du cœur et de l'instinct qu'il faut que la raison s'appuie, et qu'elle y fonde tout son discours », Br., 282.
3., *De l'esprit géométrique*, p. 168.

données. Mais Pascal ne voit généralement dans
cette évidence intuitive qu'un pis-aller au regard
de la connaissance idéalement démonstrative qui
nous est refusée. Ainsi la seule forme de certitude
dont nous disposons, s'imposant à nous hors de
la raison, n'est d'aucun profit pour notre gloire,
car comment serions-nous fiers de savoir ce que
nous n'avons pas démontré ? Cette certitude que
nous donne le cœur ne suppose aucune activité de
notre part, et n'émane nullement d'une excellence
de notre être, mais de la nature qui nous oblige à
croire sans nous demander notre avis. Quand la
raison, poussée par son ambitieux désir de preuves,
aboutit, de doute en doute, au vide complet, c'est
bien la nature qui la soutient et « l'empêche
d'extravaguer [1] ». Notre certitude dépend de
l'ordre des choses, non de la raison. Mais une semblable certitude, comme elle s'élabore, rationnel-
lement parlant, dans l'arbitraire, nous y maintient
sans cesse [2]. S'il est vrai que Pascal semble soustraire à cet arbitraire les évidences géométriques,
sans d'ailleurs s'expliquer clairement sur ce privilège, si privilège il y a, il n'anéantit pas moins tout
fondement théorique des certitudes intuitives
quand il écrit : « Tout notre raisonnement se réduit

1. Br., 434.
2. L'ordre du cœur et de l'instinct est inférieur en dignité
et en clarté à celui de la raison. Il est vrai que la pensée de
Pascal semble parfois indécise sur ce point. Ainsi, dans son
*Esprit géométrique*, après avoir déclaré l'ordre fondé sur
l'intuition « inférieur en ce qu'il est moins convaincant,
mais non pas en ce qu'il est moins certain » (p. 168), il écrit

à céder au sentiment, de sorte qu'on ne peut distinguer entre ces contraires. L'un dit que mon
sentiment est fantaisie, l'autre que sa fantaisie est
sentiment [1]. Il faudrait avoir une règle. La raison
s'offre, mais elle est ployable à tout sens ; et ainsi
il n'y en a point [2]. » Ainsi l'homme a bien gardé
l'idée et le désir d'une connaissance parfaite, mais
ce désir, comme l'ambition rationnelle qui en est
l'expression, s'exerce à vide ; et le peu de connaissance effective qui reste à l'homme est attaché
à la partie de son être la moins responsable, la
moins susceptible de justification. Pascal ne veut
nier ni la dignité de la pensée, ni la certitude de
la connaissance, mais il les sépare irrémédiablement ; il établit un vide entre les conditions d'une
pensée idéale et celles de la certitude réelle, entre
la raison et l'évidence.

que « le manque de preuve n'est pas un défaut, mais plutôt
une perfection » et que la « clarté naturelle... convainc la
raison plus puissamment que le discours » (p. 175). La contradiction tombe si l'on se souvient que Pascal, conformément
à sa dialectique habituelle, veut rabaisser l'une par l'autre
les deux sources de la croyance. En dernière analyse, il
estimerait la méthode purement rationnelle plus satisfaisante pour notre intelligence et pour la dignité de l'esprit
humain, mais inapplicable, et les intuitions du cœur plus
substantielles, mais moins éclairantes. Toute l'originalité
de Pascal consiste justement à n'anéantir ni la raison, ni
l'instinct, à se servir de l'un contre l'autre sans bâtir ni
sur l'un ni sur l'autre, et finalement à tout remettre, faute de
mieux, à l'instinct, en attendant la grâce qui peut le toucher.

1. *Fantaisie* signifie évidence illusoire ; *sentiment*, évidence vraie.

2. Br., 274.

Il résulte de cette séparation que la raison,
recherchant la certitude et se découvrant incapable d'y atteindre, est conduite, dans l'état
actuel des choses, à abdiquer en vertu de ses
propres lois, à remettre aux mains d'une puissance
étrangère des fonctions qu'elle-même ne peut
remplir. Toutes ses démarches témoignent ainsi
d'une lacune dans les facultés humaines. Non que
Pascal l'anéantisse, car il faut qu'elle subsiste pour
que ses démarches mêmes conduisent jusqu'au
vide qui se creuse sous elle et donnent la mesure
de ce vide, dont nous n'aurions pas conscience
sans elle. « La raison est l'aspiration à la grandeur,
a dit un commentateur de Pascal, mais elle est
la conscience de la misère [1] » ; elle est toujours
active et toujours grande, à condition d'aboutir
à sa propre disqualification. Ainsi entre la raison
et le cœur s'institue le même combat qu'entre la
grandeur et la misère, l'un détruisant l'autre et le
renforçant tour à tour et chacun des deux se nui-
sant à lui-même autant qu'à l'autre. Combat dont
le dernier mot pourtant, à la limite, appartient au
cœur, comme il appartenait tout à l'heure à la
misère. Certes, ce que le sentiment naturel croit
percevoir légitimement comme vrai peut être une
illusion de notre faiblesse, qu'à chaque instant la
raison pourra corriger. Le « sentiment naturel »

1. Brunschvicg, Introduction à l'édition des *Pensées*
(coll. des Grands Écrivains). Voir également pour tout ce
qui concerne la théorie de la connaissance chez Pascal,
les autres ouvrages du même auteur, notamment *Spinoza et
ses contemporains*, chap. X.

que Méré invoque contre la divisibilité infinie de
l'espace ne résiste pas à un examen qui fait vite
apparaître l'absurdité de la proposition contraire ;
mais pareille évidence n'en met pas moins la raison
à la gêne : car la raison voudrait comprendre ce
qui est ; elle voudrait, comme dit Pascal, posséder
la vérité directement, et c'est justement ce qui ne
lui est pas donné [1]. Le grand enseignement des
mathématiques, pour Pascal, réside dans la défaite
finale de la raison devant l'évidence : « Tout ce
qui est incompréhensible ne laisse pas d'être [2]. »
Dans l'ordre de la connaissance morale, même
combat sans fin, même impuissance de la raison,
bannie hors de la vérité [3]. Sans doute c'est elle qui
dissipera les fausses évidences dont les « puissances trompeuses », coutume, imagination, maladie, emplissent une sensibilité corrompue ; c'est
elle qui forcera l'homme à regarder les vérités que
le « divertissement » dérobe exprès à sa vue. Mais
outre que les influences corruptrices peuvent
s'étendre jusqu'à son propre fonctionnement, la
raison ne peut s'attaquer à une évidence que pour
recourir à une autre évidence, également indépendante d'elle. Ainsi, après nous avoir fait sentir
combien tout est imparfait sans elle, il faudra
qu'elle s'avoue imparfaite elle-même. Car « la dernière démarche de la raison est de reconnaître
qu'il y a une infinité de choses qui la surpassent ;

1. *De l'esprit géométrique*, p. 175 et suiv.
2. Br., 430.
3. Voir notamment les fragments Br., 381, 382, 383.

elle n'est que faible, si ne elle va jusqu'à connaître cela [1] ». Son rôle n'est pas de couronner nos facultés sensibles pour nous rapprocher de la connaissance de Dieu, mais de creuser davantage le gouffre qui sépare l'homme déchu de la vérité : elle ne laisse entre la connaissance humaine et un objet qui la dépasse d'autre liaison qu'un passage brusque, que la grâce seule peut opérer, et qui va conduire du règne de l'évidence naturelle à celui de l'évidence surnaturelle, de l'instinct au sens de Dieu.

C'est bien à ce saut final que tout conduit dans Pascal. L'ordre intermédiaire aboli, et tout ce qui reste de l'état premier d'Adam étant réduit à faire mieux éclater la bassesse de son état présent, le passage ne peut se faire vers Dieu que par un brusque changement d'ordre qui ne dépend que de lui. L'apologétique de Pascal tend seulement à préparer le terrain pour cette opération en faisant ressentir la misère comme telle, avec tout le dégoût que cette conscience comporte, à faire parier pour Dieu et agir extérieurement de façon chrétienne en attendant la grâce. Pascal fait un vide, propose un simulacre et attend que tout sorte soudain du néant par un acte gratuit auquel l'homme n'a point de part. Toute la concupiscence se tourne alors miraculeusement en charité et toute obscurité de la connaissance se change en preuve du « Dieu caché ».

Telle est la dialectique de Pascal, ce « renversement continuel du pour au contre [2] » qui se com-

1. Br., 430.
2. Br., 328.

munique à tous les domaines, même les plus
accessoires, de sa pensée, et qui anime chaque page
des fragments de son Apologie. On voit que cette
dialectique est tout entière issue de la substitution à l'ordre ascendant des perfections, d'un ordre
irrégulier et dramatique, dont l'acte initial est la
négation d'un terme moyen, persistant comme tel,
entre la nature et Dieu, le refus d'admettre l'existence, à quelque degré que ce soit, d'une valeur
purement humaine. C'est si vrai que dans l'état
de grâce même, Port-Royal ne retrouve pas cette
valeur. Le cœur humain, en aimant Dieu, n'a pas
changé de nature. Sa délectation a changé d'objet
par la grâce de Dieu, mais elle demeure délectation brute, et reste comparable, dans l'ordre psychologique s'entend, à la délectation naturelle.
Aussi les ennemis des jansénistes au sein de
l'Église leur reprochent-ils de concevoir grossière-
ment l'oraison, et de la décrire en termes d'affectivité brutale [1]. Mais justement le jansénisme ne
serait plus lui-même, — et nous touchons de nouveau à l'aspect humain du débat, qui commande

---

1. Ainsi de nos jours, Bremond, *op. cit.*, volume relatif
à Port-Royal, chapitres sur Pascal et sur Nicole. Il serait
oiseux d'entrer dans le détail de cette polémique, mais on
aperçoit assez la différence du « Dieu sensible au cœur » de
Pascal, au Dieu non moins sensible au cœur des chrétiens
optimistes et des mystiques. Le cœur est chez Pascal une
puissance brutale, mais la seule qui nous définisse vraiment,
et Dieu se signifie à elle par la joie ou la crainte, l'angoisse
ou la certitude. Le cœur chez les mystiques est le lieu inef-
fable de nos expériences spirituelles, le chemin de notre
bassesse à l'union divine.

tout — s'il croyait à des formes sublimées, éclairées, de l'instinct, et s'il ne superposait sans transi-
tion la grâce aux appétits naturels qu'elle oriente
différemment, mais sans les transfigurer dans leur
essence.

Toute la dialectique de Pascal, loin d'accorder
le réel et l'idéal comme le faisait ingénieusement
l'idéalisme aristocratique, loin de se dépenser dans
la conciliation brillante ou la hiérarchisation
harmonieuse des entités en présence, s'emploie à
en approfondir l'opposition. Elle isole finalement
les appétits naturels et les exclut irrémédiablement de toute élaboration idéale. Le sursaut dernier de la grâce n'empêche pas qu'une image basse
et commune de l'homme ait été tracée, qui demeure
sans adoucissement. C'est à cette image qu'il faut
en venir maintenant, comme au nœud réel du débat.

# LA DÉMOLITION DU HÉROS

Le héros, tel que Corneille l'avait conçu, cette
nature plus grande que nature, ce type d'homme
plus qu'homme, qui fut le modèle idéal de l'aristocratie tant qu'elle demeura fidèle à sa tradition,
n'a pas de pire ennemi que le pessimisme moral
qui va de pair avec la doctrine de la grâce efficace.
Ce pessimisme agressif, plus ou moins explicitement fondé sur la théologie janséniste, est fort
répandu au XVIIe siècle. Un vaste courant de
pensée morale accompagne et porte le jansénisme proprement dit, se renforçant, dans la
seconde moitié du siècle, au moment même où
s'accuse, avec le triomphe de l'absolutisme louis-
quatorzien, la désuétude du vieil idéal héroïque de
l'aristocratie. A ce courant peuvent se rapporter,
avec celles des *Pensées* de Pascal qui concernent
le caractère humain, les *Maximes* de La Rochefoucauld et les ouvrages contemporains du même
genre. Il semble même que le genre des pensées
séparées se soit constitué en grande partie autour
du problème de la valeur humaine, et plus volontiers pour la nier que pour l'admettre. Le salon

de M^me de Sablé, mi-précieux, mi-janséniste,
semble avoir été un des foyers principaux de la
discussion. La Rochefoucauld le fréquentait ; le
traité de la *Fausseté des Vertus humaines*, de l'abbé
Esprit, fut publié après la mort de l'auteur par
les soins de M^me de Sablé et de M^me de Longueville, en 1678 ; la même année, qui est celle de la
mort de M^me de Sablé, parurent, avec des *Maximes*
de sa composition, les *Pensées diverses* de l'abbé
d'Ailly ; vers la même époque paraissaient les
*Essais de Morale* de Nicole. Mais qu'il s'agisse de
pesants traités ou de réflexions brèves, d'ouvrages
doctrinaux ou d'écrits mondains, la littérature
morale du siècle de Louis XIV semble concentrée
tout entière autour du problème de la grandeur
de l'homme ou de sa bassesse, de l'élévation de
ses instincts ou de leur brutalité. Dans cette polémique, où l'on employait toutes les ressources de
finesse et de pénétration psychologique de cette
époque, et qui constitue un des débats les plus
profonds qui se soient jamais engagés sur l'homme,
c'est la condamnation d'une époque révolue qui
s'accomplit. Si la note pessimiste domine, c'est
que, sous le règne de Louis XIV, le surhomme
aristocratique était bien mal en point.

Jacques Esprit, dès la préface de son livre, se
vante de dissuader les hommes « de se croire des
héros et des demi-dieux ». Et de fait, tout va être
mis en œuvre pour montrer dans l'homme l'être
le plus éloigné de cette invincibilité, de cette fidélité consciente à soi, qui sont la marque des héros
et des demi-dieux tels que l'aristocratie les ima-

ginait et tels qu'ils apparaissent chez un Corneille.
Vu avec des yeux nouveaux, l'homme devient la
plus faible, la plus inconstante, la plus infidèle des
créatures. Il était un *moi* au-dessus des choses, et
il devient comme une *chose* parmi les autres ; une
nature brute, et non plus une volonté ou une raison.
Volonté et raison le faisaient maître de lui, dépositaire d'un pouvoir unique au sein de l'univers, le
soustrayaient au torrent des choses : le voilà tout
entier le jouet de puissances naturelles qui
prennent sur lui, le traversent, lui ôtent l'être. Ce
sont d'abord les forces extérieures écrasantes qui
font de lui, physiquement, le roseau le plus faible
de la nature. C'est le jeu fortuit des circonstances,
le hasard, qui le conduit plus qu'il ne se conduit
lui-même : « Il faudrait pouvoir répondre de sa
fortune pour pouvoir répondre de ce que l'on fera »,
écrit La Rochefoucauld [1]. Pascal dit la même
chose : « La chose la plus importante de toute la
vie est le choix du métier : le hasard en dispose [2]. »
Ainsi l'homme croit à tort trouver dans son moi
l'explication de son destin. Si elle est en lui, c'est
plutôt dans la partie de son être qui lui est imposée
et sur laquelle il ne peut agir.

On sait la place que donne Pascal à la coutume,
dont il juge la puissance assez grande pour que la
figure même de l'homme en soit devenue insaisis-
sable : « J'ai grand peur que cette nature ne soit

1. La Rochefoucauld, maxime 574. Nous suivrons le
numérotage de l'édition des Grands Écrivains.
2. Br., 97.

elle-même qu'une première coutume, comme la coutume est une seconde nature [1]. » La coutume empiète jusque sur l'esprit : « La coutume... incline l'automate, qui incline l'esprit sans qu'il y pense [2]. » Dans cette entreprise de dissolution de l'autonomie humaine, on en arrive tout naturellement à invoquer l'influence de l'organisme sur la vie morale. L'automate ne peut incliner l'esprit que parce qu'il y a communication constante entre la « machine » corporelle et la pensée. Les affirmations d'allure matérialiste relatives à l'homme abondent dans Pascal comme dans La Rochefoucauld : « La force et la faiblesse de l'esprit, dit ce dernier, sont mal nommées ; elles ne sont, en effet, que la bonne ou la mauvaise disposition des organes du corps [3]. » Et Pascal : « (Les maladies) nous gâtent le jugement et les sens ; et si les grandes l'altèrent sensiblement, je ne doute point que les petites n'y fassent impression à leur proportion [4]. »

De la même source procèdent la théorie du « tempérament [5] », et aussi celle des « humeurs » par laquelle La Rochefoucauld explique si souvent les actions des hommes. L'organisme n'agit pas

1. Br., 93. Pascal donne ailleurs l'explication théologique de cet état de choses : « *La vraie nature étant perdue*, tout devient sa nature », Br., 426.
2. Br., 252.
3. Maxime 44.
4. Br., 82.
5. Voir notamment les maximes concernant les jeunes gens, les femmes, les vieillards, et les pensées admirables sur la paresse : surtout maxime 630.

seulement sur l'âme en tant qu'automate, en lui transmettant les dispositions durables qu'il a lui-même acquises ; il est parcouru sans cesse par une foule d'influences changeantes, qui se communiquent elles aussi invinciblement à l'esprit : « J'ai mes brouillards, dit Pascal, et mon beau temps au dedans de moi ; le bien et le mal de mes affaires mêmes y fait peu [1]. » « Le caprice de notre humeur, écrit La Rochefoucauld, est encore plus bizarre que celui de la fortune [2]. » Tous deux reviennent sans cesse sur la versatilité de l'homme, sur ce que Pascal appelle son « inconstance », sa « bizarrerie », ses « contrariétés ». Comme l'imagination l'attache à une chimère, de même elle l'en dégoûte, sans que le jugement prenne part à aucun de ses caprices : « On croit toucher des orgues ordinaires, en touchant l'homme. Ce sont des orgues à la vérité, mais bizarres, changeantes, variables... Ceux qui ne savent toucher que les ordinaires ne feraient pas d'accords sur celles-là [3]. » La Rochefoucauld dit pareillement : « L'imagination ne saurait inventer tant de diverses contrariétés qu'il y en a naturellement dans le cœur de chaque personne [4]. »

Ces contradictions sont le dernier mot de la nature humaine, sa définition la plus profonde ; ce qu'on trouve finalement dans l'homme, c'est une sorte d'affectivité indifférenciée, qui peut s'extérioriser en conduites contraires : « L'homme

1. Br., 107.
2. Max. 45.
3. Br., 111.
4. Max. 478 ; « contrariétés » signifie ici « contradictions ».

est naturellement crédule, incrédule, timide, téméraire », dit Pascal [1] ; La Rochefoucauld va plus loin encore : « L'avarice produit quelquefois la prodigalité et la prodigalité l'avarice ; on est souvent ferme par faiblesse, et audacieux par timidité [2]. » En dernière analyse, l'être de l'homme réside dans un flux affectif, dont les manifestations capricieuses sont toutes d'égale valeur, dans une « génération perpétuelle de passions » — l'expression est de La Rochefoucauld — dont le cours ne donne aucune prise réelle à la pensée raisonnable ou à la volonté libre. L'exclusion constante de ces deux facultés s'explique surtout par le fait qu'elles fondent l'autonomie de l'homme dans le monde, que par elles il croit manifester, avec chacun de ses actes, un pouvoir irréductible : avec leur aide, l'impulsion humaine se ressent comme autre chose et plus que le donné ; elle se confère une vertu indépendante ; par elles, l'individu héroïque se glorifiait de dépasser l'ordre des faits bruts. Le moi « haïssable », de Pascal, il y insiste bien, est justement celui qui ne se situe pas comme un fait ou un effet parmi la nature, mais s'y attribue une place unique, à part : « Je le hais parce qu'il est injuste, qu'il se fait le centre de tout [3]. » Pascal s'acharne à dissiper cette prétention, et finalement, ayant décomposé l'individu en qualités variables, étrangères à sa volonté et à son juge-

1. Br., 125.
2. Max. 11.
3. Br., 455.

ment, demande pathétiquement : « Où donc est
ce moi [1] ? » En réduisant l'homme à une sensibilité aveugle et dépendante, absolument inconci-
liable avec l'idée que nous avons de la liberté et
de la raison, en le faisant rentrer tout entier dans
la nature brute, dont sa vie, ses désirs et ses actes
ne sont plus qu'un fragment lié à tous les autres,
les moralistes jansénistes ou jansénisants aboutissent à une véritable dissolution de ce moi sur
lequel on prétendait tout fonder et qui s'est dis-
persé lui-même au sein des choses.

*

Cependant toute la gloire du moi, ainsi démentie
par la faiblesse de l'homme au sein de l'univers,
pourrait trouver refuge dans le désir même que la
gloire inspire, s'il était prouvé que ce désir fût
noble. C'est à quoi s'emploie la morale aristocratique quand elle représente l'amour de la gloire
comme un mouvement vers un bien immatériel,
par lequel l'âme échappe à l'injurieuse dépendance
des choses, comme une démarche spontanément
idéale de la nature humaine. Et comme le désir
de gloire peut accompagner et ennoblir tous les
mouvements de notre être, c'est notre être tout
entier qui rejette le poids de la matière, qui se
revêt de sens et de valeur. Au contraire, les écrivains qui prétendent rabaisser l'homme présentent
toujours le désir sous son aspect le plus esclave, le

1. Br., 323.

moins délié, le plus intéressé. L'instinct est avant
tout pour eux instinct d'appropriation, d'absorp-
tion jalouse ; au mouvement du dedans au dehors,
au don généreux, ils substituent, pour définir la
nature humaine, un mouvement en sens inverse,
une tendance à l'accaparement et à la possession.
A l'instinct humain ainsi conçu et dépouillé de
tout prestige, ils vont rattacher le désir de gloire
lui-même, qui est le centre du débat. « Si on avait
ôté à ce qu'on appelle force [1] le désir de conserver
et la crainte de perdre, il ne lui resterait pas grand-
chose », lit-on dans certains textes des *Maximes* [2].
Pour la pensée noble, la qualité morale attribuée
au désir de gloire était l'objet d'un véritable postulat. Le christianisme, si on le prend dans sa
forme stricte, contenait le postulat contraire :
tout appétit est bas, l'impulsion et le bien sont par
définition deux termes antithétiques ; le désir de
gloire n'est qu'une forme de l'intérêt, une nuance
de la *libido dominandi* ; l'affirmation glorieuse de
soi ne vaut pas mieux que la cupidité. Entre ces
deux attitudes, il ne saurait y avoir de discussion
véritable ; on choisit l'une ou l'autre. A un personnage cornélien qui, lorsqu'il prononce les mots de
gloire et d'orgueil, croit nommer les valeurs les
plus hautes, quelle réfutation opposer? Comment
le convaincre que son ambition est basse ? Or c'est

1. C'est-à-dire force d'âme.
2. Cette pensée se trouve dans les quatre copies manus-
crites de 1663 et dans l'édition hollandaise de 1664. Voir
l'appendice au tome I de l'édition des Grands Écrivains,
p. 51.

justement ce que disent Pascal, La Rochefoucauld,
Esprit. Ils débaptisent la gloire et l'appellent du
nom même de l'égoïsme, « amour-propre [1] »,
amour de soi. Ils anéantissent les prétentions
idéales de l'orgueil, dissipent la vaine auréole dont
s'entoure l'appétit de domination. « Il n'y a que la
maîtrise et l'empire qui fasse la gloire et que la
servitude qui fasse la honte [2] », écrit Pascal. Les
apologistes de la gloire ne le nieraient pas ; ils
demanderaient seulement si l'horreur de la servitude n'est pas, dans une grande âme, la source
de toute vertu et ne pourraient comprendre que
ce débat de l'âme entre la maîtrise et la dépendance soit tenu pour misérable. On lit de même
dans Pascal : « Curiosité n'est que vanité. Le plus
souvent on ne veut savoir que pour en parler [3]. »
Voilà anéantie, sans discussion, la gloire de connaître, d'inventer et de briller, le prestige des
Muses. Ou encore : « Nous sommes si présomp-
tueux que nous voudrions être connus de toute la
terre, et même des gens qui viendront quand nous
ne serons plus [4] » : un tour de phrase a suffi à présenter comme un appétit ridicule et démesuré le
souci de l'immortalité, tant de fois célébré comme
une source de vertu. La Rochefoucauld est presque
ambigu quand il écrit : « Le désir de mériter les

---

1. Par un destin bizarre, cette expression n'a subsisté
qu'avec un sens idéal et « glorieux » ; l'amour-propre est
aujourd'hui quelque chose comme la dignité.
2. Br., 160.
3. Br., 152.
4. Br., 148.

louanges qu'on nous donne fortifie notre vertu [1] »,
et, si l'on ignorait le reste de son œuvre, on pourrait se demander s'il a voulu, en alliant la gloire
à la vertu, plaider pour la première ou confondre
la seconde. C'est que la louange ou la gloire, la
grandeur, l'ambition, l'orgueil, s'entendent dans
un sens idéal chez les uns, intéressé chez les autres.
L'éternelle discussion sur La Rochefoucauld et
son système moral porte trop souvent à faux, du
fait que la dualité de sens de certains mots premiers demeure inaperçue. « La modération des
hommes dans leur plus haute élévation, lit-on dans
les *Maximes* (il s'agit de la fameuse vertu de clémence ou magnanimité) est un désir de paraître
plus grands que leur fortune [2]. » Et l'on se demande
aussitôt si la magnanimité se réduit vraiment à
ce désir, alors qu'il faudrait se demander tout simplement si un tel désir, pris en lui-même, mérite
ou non la réprobation. Ce n'est pas seulement sur
des faits, c'est sur des valeurs que roule le vrai
débat. Pour l'Auguste de Corneille comme pour
l'abbé Esprit, la magnanimité est bien « le souverain degré de l'ambition [3] », mais tous deux ne
portent pas sur l'ambition le même jugement.
C'est toute la différence, et c'est un monde [4].

1. Max. 150.
2. Max. 18.
3. Esprit. *Fausseté des vertus humaines*, 2e partie, chap. XIV.
4. La Rochefoucauld et Pascal, dans leur désir d'ôter à
la gloire tout son prestige idéal invoquent le fait qu'elle
peut être attachée au vice comme à la vertu : « Un certain
genre de mal est aussi difficile à trouver que ce qu'on

Ainsi la désaffection des valeurs héroïques se manifeste par un malentendu profond. Il faut remarquer pourtant que les tenants de l'idéalisme aristocratique ne nient pas que la gloire, le désir d'accaparer les suffrages et d'éclipser autrui, ait ses côtés ridicules ou bas. Le malentendu est ailleurs : il leur semble tout naturel de distinguer la belle ambition de la mauvaise, celle qui dédaigne l'intérêt et celle qui est elle-même un intérêt, celle qui donne et celle qui convoite, celle qui procure la liberté et celle qui rend esclave. Ils font deux étages dans la nature humaine. Et c'est cette distinction que leurs adversaires ne veulent pas admettre, ne conçoivent même pas.

Ici apparaissent peut-être le plus nettement la signification humaine et la portée pratique du malentendu. Si l'appétit de gloire peut être tantôt bas, tantôt sublime, s'il est tourné tantôt vers l'intérêt, tantôt vers la plus haute vertu, à quoi tiendra-t-il qu'il s'oriente dans l'une des deux directions plutôt que dans l'autre ? Le choix va dépendre essentiellement de la *qualité* de chaque âme. La dualité introduite dans la nature morale revient en fin de compte à la dualité des âmes bien

appelle bien, et souvent on fait passer pour bien à cette marque ce mal particulier. Il faut même une grandeur extraordinaire d'âme pour y arriver, aussi bien qu'au bien » (*Pensées*, Br., 408 ). « Il y a des héros en mal comme en bien » (max. 185). Mais cela non plus, le héros ne le nierait pas ; nous avons vu Corneille définir ses grands criminels presque dans les mêmes termes.

nées et des âmes vulgaires [1]. Et la *nature* sublimée
en morale, c'est sous une forme transposée, la
*naissance* noble dans la société. Ce qu'entreprennent
des écrivains comme La Rochefoucauld ou Pascal
quand ils traitent de l'homme, c'est de faire cesser
la dualité au sein de la nature, de happer vers le
bas les penchants qu'on prétend émanciper, de
les montrer tout entiers attachés à leur objet le
plus terrestre. Le mot de nature n'a plus chez eux
qu'une seule signification : c'est le domaine de la
nécessité brute et moralement indifférente, et ils
en étendent les bornes à tout ce qui est, Dieu et
l'ordre de la grâce mis à part. Mais en unifiant la
nature aux dépens du sublime moral, ils unifient
l'humanité aux dépens des prérogatives de la
naissance. Nicole, dans son *Traité de l'Éducation
d'un Prince*, s'en prend à « cet oubli où les grands
tombent de ce qui leur est commun avec tous les
autres hommes, en n'attachant leur imagination
qu'à ce qui les en distingue [2] ». Pascal, dans le
premier des *Trois discours sur la condition des
Grands*, adressé à un jeune prince, écrit : « Si la
pensée publique vous élève au-dessus du commun
des hommes, que l'autre vous abaisse et vous
tienne dans une parfaite égalité avec tous les
hommes, *car c'est votre état naturel.* » Plus hardi-

1. Cf. Bremond, à propos de la théorie de Nicole sur
l'*amour-propre* qui se dissimule dans les mouvements de
l'oraison : « Les humanistes dévots lui répondraient qu'il
y a deux sortes d'amour-propre, dont l'une est le fait des
âmes généreuses. »
2. 1re partie, XXIV ; paru en 1670.

ment encore il raille l'opinion du peuple qui « croit
que la noblesse est une grandeur réelle et considère presque les grands comme étant d'une autre
nature que les autres ». Même opinion en termes
presque identiques chez l'abbé d'Ailly, selon
lequel « l'illusion de la plupart des nobles est de
croire que la noblesse est en eux un caractère
naturel [1] ». La lutte philosophique contre les prè-
tentions de l'homme atteint ici sa dernière conséquence, ou plutôt retrouve sa source vivante dans
la lutte contre la prétention aristocratique : le
refus d'admettre une hiérarchie de qualité entre
les sentiments est dirigé contre la doctrine traditionnelle qui institue des différences de qualité
entre les hommes [2].

*

Dans leur effort pour anéantir la distinction des
étages différents de l'âme humaine et pour tout
niveler au plus bas, les auteurs jansénistes disposent d'un argument suprême, par lequel ils
espèrent faire avouer à leurs adversaires leur
propre défaite. Il s'agit du procédé qui consiste
à prouver que les amis de la gloire se trompent
sur eux-mêmes et que, s'ils pouvaient se voir tels

1. *Pensées diverses*, 82.
2. Le manteau de pessimisme chrétien couvre parfois
des hardiesses singulières ; ainsi dans la pensée 85 de l'abbé
d'Ailly : « On s'étonne tous les jours de voir des personnes
de la lie du peuple s'élever et s'ennoblir, et l'on en parle
avec mépris : comme si les plus grandes des familles du
monde n'avaient pas eu un commencement semblable, à
les rechercher jusque dans le fond de leur origine. »

qu'ils sont, ils se verraient tout entiers conformes
à l'image basse qu'on leur trace de l'homme. Toute
leur assurance repose en dernier ressort sur le sentiment qu'ils ont d'aimer et de rechercher un bien
idéal, et ce sentiment est faux ; comme toutes les
intuitions que nous pouvons avoir de notre nature
ou de nos penchants, il demeure à la surface de
l'âme, qui serait désabusée si elle pouvait sonder
ses propres profondeurs. Tout ce que nous croyons
percevoir d'exaltant en nous-mêmes n'est qu'un
mirage de notre conscience. Rien n'est plus impru-
dent que de mettre dans le sentiment intérieur le
critère de la vérité humaine. Nous avons vu Nicole
dresser cette objection contre les mystiques ; mais
elle peut s'appliquer généralement à tous les cas
où l'homme ressent ses propres mouvements
comme sublimes ; il faut alors lui montrer que ses
mouvements réels sont bien différents du sentiment qu'il en a, et lui expliquer ce sentiment même
par un mouvement caché de l'intérêt. On en arrive
ainsi au point où l'argumentation de l'adversaire
n'a plus à être envisagée en elle-même, comme
argumentation, où elle |devient à son tour un
simple fait à expliquer comme les autres, bref où
elle s'absorbe, elle aussi, dans la nature. Il ne reste
plus rien du héros.

On n'a jamais assez remarqué le rôle capital
que joue dans la psychologie des écrivains naturalistes du xvii<sup>e</sup> siècle la critique du témoignage
de la conscience, et comment, parce que l'homme
se connaît trop grand à leur gré, ils sont conduits
à affirmer qu'il se connaît faussement. On admire

généralement leur pénétration psychologique, leur sens aigu de l'analyse morale, mais on se les figure surtout adonnés à une sorte de recherche introspective, qu'éclaire seulement un sens abstrait de l'universel. La vérité est qu'ils sont trop près du sens commun, auquel justement on les félicite si souvent d'être demeurés fidèles, pour n'avoir pas appris de lui à se défier des vues subjectives, à juger l'homme autrement que par le dedans. L'idée si commune selon laquelle chacun se fait illusion sur soi, ils l'ont reprise, approfondie et enrichie au point que leur œuvre psychologique se caractérise avant tout par la défiance à l'égard du sentiment intérieur. C'est leur réalisme même qui les conduit à cette attitude critique, en leur suggérant la notion d'une causalité naturelle qui dépasse et enveloppe la conscience : l'inconscient n'est pour eux que la marge qui sépare l'homme tel qu'il est de l'homme tel qu'il se pense ; les erreurs de l'œil intérieur en donnent la mesure. « Il s'en faut bien que nous connaissions toutes nos volontés [1] », écrit La Rochefoucauld, qui nous donne nous-mêmes pour dupes, autant et plus qu'autrui, des déguisements de notre amour-propre. Toute son œuvre repose sur cette idée, d'ailleurs plusieurs fois explicitement formulée [2]. Les habiletés de l'amour-propre, loin d'être des calculs conscients, sont ourdies sur notre propre aveuglement, et ses prodigieuses mises en scène

1. Max. 295.
2. Voir Max. 119, 233, 373, etc.

se font dans les ténèbres, à l'insu de l'acteur principal. Qu'on se reporte à l'admirable pensée sur
l'amour-propre qui ouvre l'édition de 1665 :
« ... Rien n'est si impétueux que ses désirs, rien de
si caché que ses desseins, rien de si habile que ses
conduites : ses souplesses ne se peuvent représenter, ses transformations passent celles des métamorphoses et ses raffinements ceux de la chimie.
On ne peut sonder la profondeur ni percer les
ténèbres de ses abîmes. Là, il est à couvert des
yeux les plus pénétrants, il y fait mille insensibles
tours et retours. *Là il est souvent invisible à lui-
même ; il y conçoit, il y nourrit et il y élève, sans le
savoir, un grand nombre d'affections et de haines ;
il en forme de si monstrueuses que, lorsqu'il les a
mises à jour, il les méconnaît ou il ne peut se résoudre
à les avouer. De cette nuit qui le couvre naissent de
ridicules persuasions qu'il a de lui-même ; de là
viennent ses erreurs, ses ignorances, ses grossiè-
retés et ses niaiseries sur son sujet* [1]... »

A partir de ces vues, toute une méthode psychologique s'édifie, qui découvre sous le sublime
moral les appétits réputés les plus bas et les plus
inavouables ; le déguisement qu'ils ont subi
s'explique par le besoin naturel à l'homme, et
inconsciemment agissant, d'éviter le spectacle de
sa propre vérité, toujours humiliante [2]. Cette

1. Max. 563.
2. Cf. Pascal, Br., 100 « ...ce *moi* humain... veut 'tre
grand, et il se voit petit », etc. ; d'où « une haine mortelle
contre cette vérité », une « aversion pour la vérité..., inséparable de l'amour-propre ».

psychologie nouvelle va comporter un bouleversement complet des rapports entre l'instinct brut
et l'intelligence, entre le cœur et l'esprit. L'esprit,
ou la raison, au lieu d'accompagner et d'éclairer
l'épuration de l'affectivité, ne servent plus qu'à
en dissimuler les hontes. L'intellect, de serviteur
conscient de la gloire, devient l'instrument aveugle
de l'égoïsme. L'éclatante subtilité du bel esprit [1]
se change en une prestidigitation mensongère où
la raison a abdiqué toute dignité ; l'esprit n'est
plus que la « dupe du cœur », suivant la formule si
expressive de La Rochefoucauld [2]. Le janséniste
Domat, ami de Pascal, disait de même : « Toute
la déférence que le cœur a pour l'esprit est que,
s'il n'agit pas par raison, il fait au moins croire
qu'il agit par raison [3]. » Mais il ne peut le faire
croire qu'en trompant l'esprit, qui est le siège de
la croyance, de sorte que cette déférence peut
s'appeler plus justement corruption et asservis-
sement. Pascal, toujours plus fort et plus saisis-

1. Le seul endroit où il y ait du bel esprit dans Pascal
encore qu'assez inégalement, est le *Discours des Passions,
de l'amour* ; mais sans poser la question d'authenticité, on
conviendra que c'est une inspiration toute différente des
*Pensées* que celle de passages comme ceux-ci : « Dans une
grande âme tout est grand... Un esprit grand et net aime
avec ardeur et il voit distinctement ce qu'il aime », — de
même qu'on ne retrouve guère l'esprit des *Maximes* dans
ces lignes du portrait de leur auteur, fait par lui-même :
« J'approuve extrêmement les belles passions ; elle marquent
la grandeur de l'âme... »
2. Max. 102.
3. Domat, pensées publiées par V. Cousin dans : *Jacque-
line Pascal*, Appendice nº 3.

sant que les autres, fait surgir la même disqualification de l'intelligence d'un jeu d'arguments qui
se croisent et se surpassent : « M. de Roannez disait :
« Les raisons me viennent après, mais d'abord la
chose m'agrée ou me choque sans en savoir la
raison que je ne découvre qu'ensuite. » Mais je
crois, non pas que cela choquerait par ces raisons
qu'on trouve après, mais qu'on ne trouve ces
raisons que parce que cela choque [1]. » Il ne suffit
pas à Pascal que l'intelligence soit devancée par
un instinct aveugle : il faut, quand elle se met en
mouvement, qu'elle n'agisse ni de sa propre initiative, ni pour la vérité, mais pour une mauvaise
besogne qu'à son insu on lui commande [2].

L'homme n'est pas grand. Le désir qu'il a de se
grandir ne le grandit pas. Telles sont les deux
vérités sous lesquelles doit succomber la morale
glorieuse. Mais comment expliquer alors ce senti-

---

1. Br., 276.
2. Ces remarques sur le rôle de l'idée d'inconscient chez
les écrivains naturalistes du xviie siècle sont forcément très
brèves. Nous avons là encore, dans ce renversement des
rapports habituels entre l'instinct brut et les facultés les
plus élevées de l'homme, sens du sublime, conscience, intelligence, un des aspects de ce qu'on pourrait appeler le maté-
rialisme janséniste. Ajoutons à cela que les écrivains dont
nous parlons assoient volontiers cette notion d'inconscient,
qui pourrait paraître une hypothèse gratuite, sur l'observation du *comportement* humain et des divergences qu'il
présente avec le sentiment intérieur du sujet et les décla-

ment immédiat du grand et du sublime, qui est
commun à tous les hommes, cette intuition de
noblesse spirituelle qui accompagne partout la
gloire et la vertu ? Il ne suffit pas, dira-t-on, de
dénoncer l'erreur, si erreur il y a, il faut en rendre
compte, surtout quand elle revêt aussi généralement le caractère de l'évidence. Je sens que je
poursuis un bien idéal dans la gloire, un bien distinct de mon intérêt, et que vous n'arriverez pas
à me faire confondre avec lui ; d'ailleurs chacun
sait distinguer dans la vie les hommes intéressés
des glorieux : ce sont deux caractères bien différents. Pouvez-vous de bonne foi prétendre qu'on
ait tort de les séparer ? Et si l'on a raison, il faut
que ce soit vous qui ayez tort. L'objection est
importante et ceux à qui elle s'adresse se sont bien
gardés de l'oublier. Il faut bien qu'ils admettent
la distinction qu'on leur oppose ; La Rochefoucauld
le fait très clairement quand il écrit que par le
mot d'intérêt il n'entend pas toujours un intérêt
de bien, mais le plus souvent un intérêt d'honneur

rations, si sincères soient-elles, qui le traduisent. La distinction dans l'âme humaine de la surface et du fond risquerait,
sans ce recours au critère objectif de la conduite, de tourner
à la mythologie. Voir La Rochefoucauld, maxime 43 :
« L'homme croit souvent se conduire lorsqu'il est conduit,
et pendant que par son esprit il tend à un but, son cœur
l'entraîne insensiblement à un autre. » Il s'agit bien ici de
ce que l'homme finit par *faire*, et qui permet de juger saine-
ment ce qu'il a dit ou pensé. C'est d'ailleurs l'habitude
ordinaire de tous ces écrivains de soumettre les vertus à
l'épreuve des événements : ainsi pour l'amitié, quand la
personne qu'on croit aimer se ruine, etc.

ou de gloire [1]. Mais cette distinction même ne sert chez lui et ses pareils qu'à discréditer davantage encore l'honneur et la gloire. Car si l'on ressent comme « désintéressé » ce qui n'est qu'un intérêt d'honneur, c'est tout simplement parce que cet intérêt-là, au contraire des « intérêts de bien », est sans objet réel et ne poursuit qu'une fumée. Aussi égoïste dans son mouvement que les autres appétits, il n'a sur eux que la supériorité de l'extravagance. Tous les désirs de l'homme vont à la jouissance, à la domination, et la gloire n'échappe pas à la règle ; tout son absurde prestige vient de ce qu'elle met son bien dans un fantôme, c'est-à-dire de ce que la sottise est jointe en elle à l'égoïsme. La notion de *vanité* vient compléter celle d'intérêt dans la critique de la gloire. Et la vanité n'innocente pas l'intérêt, elle le vide seulement de réalité.

Cette conception avait autant de racines que la conception contraire dans le sens commun, qui n'en est pas à une contradiction près. Vanité de la naissance, vanité de la gloire et des prouesses : une secrète malveillance à l'égard des grands avait toujours couvé dans le public sous l'admiration officielle ou sincère. Le christianisme, sous sa forme sévère, faisait traditionnellement vibrer cette corde. Aussi l'idée de la vanité humaine revient-elle sans cesse chez les écrivains jansénistes : « Nous ne nous contentons pas, écrit Pascal, de la vie que nous avons et nous et notre propre être : nous voulons vivre dans l'idée des autres une

---

1. *Avis au lecteur de* l'édition de 1668 des *Maximes*.

vie imaginaire, et nous nous efforçons pour cela
de paraître. Nous travaillons incessamment à
embellir et conserver notre être imaginaire, et
négligeons pour cela le véritable... Grande marque
du néant de notre propre être, de n'être pas satisfait de l'un sans l'autre, et d'échanger souvent
l'un pour l'autre [1]. » Le prix attaché instinctivement à la gloire, loin de sauver l'honneur de
l'homme, est ici le signe le plus frappant de sa
misère.

La réduction de la gloire à une idée fausse et
irréelle a joué un rôle capital dans la dissolution
de la morale héroïque. « La gloire et l'infamie, dit
l'abbé d'Ailly, sont vaines et imaginaires, si on
ne les rapporte aux biens et aux maux réels qui
les accompagnent [2]. » Et il prend aussitôt l'exemple
des vaillants, « dont toute la gloire se termine à
leur imagination [3] ». De même le mépris de la mort
est « plutôt extravagance que grandeur et fermeté
d'âme [4] ». En ce sens toute la pensée janséniste
apparaît comme une entreprise dirigée contre
l'idéalisme moral, et elle l'est. Sans doute l'adoration de la souveraineté divine est-elle le dernier
terme de cette critique, et le plus important ; mais
en deçà de ce point d'aboutissement, qui doit
d'ailleurs tout contredire, on ne voit qu'un effort
pour étendre le pouvoir et les limites de la nature.

1. Br., 147.
2. Pensée 5.
3. Pensée 6.
4. Pensée 56.

Le jansénisme, en déblayant au sein des choses
et de l'homme, pour la plus grande gloire de Dieu,
tout ce qui peut lui faire concurrence, éloigne Dieu
lui-même du monde et n'accorde de réalité, dans
un univers aveugle, qu'à une humanité sans gloire
et sans vertu.

*

En rendant à l'instinct son avidité, en récusant
le témoignage de la conscience et en dénonçant
le vide de la gloire, on a atteint la grandeur humaine
jusque dans ses principes, on l'a submergée jusque
dans ses sommets les plus hauts. Et les flots qui
l'ont battue et recouverte sont ceux qu'une
époque nouvelle jetait à l'assaut du héros noble.
Il suffit, pour s'en apercevoir, de regarder quelles
sont les vertus qui ont sombré avec le moi « haïssable » de Pascal. Ce sont toutes celles qui compo-
saient depuis toujours l'idéal de l'homme noble.
Les écrivains que nous citons n'en avaient peut-
être pas conscience ; sans doute croyaient-ils ne
s'attaquer qu'à une illusion éternelle de l'homme,
et leur entreprise peut, si l'on veut, se situer sur
ce plan ; mais ce serait en méconnaître l'inspiration véritable que de l'abstraire dès l'abord des
conditions réelles où elle s'est poursuivie. Nous
sommes à dix ou vingt ans de l'échec de la Fronde,
au moment du plus grand affaissement politique
de la noblesse qui se soit encore jamais vu ; la
discipline monarchique n'a connu en aucun temps
pareil degré de force, et l'individu noble pareil

degré d'impuissance. Tel est le sens profond de la
polémique morale évoquée plus haut : elle contient
en raccourci un long épisode de l'histoire sociale ;
on sent bien que c'est un type déjà à demi révolu
qui hante ces agressifs recueils de pensées où sa
silhouette criblée de coups se détache encore.

Les seules citations contenues dans ce chapitre
suffisent à nous renseigner sur l'identité de cette
victime. La table des matières des déguisements
de l'amour-propre selon La Rochefoucauld se
confond avec la liste des vertus chevaleresques :
grandeur éclatante, amour de la gloire, désintéressement, magnanimité ou « modération » dans le
succès, loyauté, sincérité, amitié, reconnaissance,
fidélité au souvenir, « constance » stoïque, mépris
de la mort, vaillance, amour épuré et spirituel. On
a faussé le sens véritable des *Maximes*, en discu-
tant surtout à leur propos de l'existence ou de la
non-existence de l'altruisme dans l'homme.
Certes il est question de cela aussi chez La Rochefoucauld, mais ce n'est pas l'essentiel. Le grandissement héroïque de l'image humaine, la puissance souveraine du moi, la hauteur des désirs sont
en cause dans les *Maximes* beaucoup plus que la
bonté, et à cette époque il ne pouvait en être autrement, car telles étaient surtout les formes sous
lesquelles on avait coutume alors de concevoir ou
nier le sublime. L'abbé Esprit termine son livre
par un portrait de la vertu humaine singulière-
ment ressemblant dans la plupart de ses traits
avec la vertu noble telle que nous la connaissons :
« La vertu humaine veut avoir un grand nombre

de témoins et d'approbateurs... La vertu humaine
est présomptueuse... La vertu humaine est fière
et orgueilleuse, elle ne veut jamais ni céder, ni
s'abaisser, ni souffrir rien qui l'égale... [1]. » Le
sublime aristocratique, essentiellement personnel,
reposait sur les victoires éclatantes du moi. Le
sublime plus fortement socialisé qui a cours aujour-
d'hui dans l'opinion courante repose davantage
sur la bonté, sur la capacité de se sacrifier pour
autrui, d'agir pour autre chose que pour soi. D'où
l'inévitable exemple du sauveteur dans les modernes
controverses sur les *Maximes*. C'est substituer au
débat qui préoccupait leur auteur, avec toute son
époque, un autre débat, qu'il n'a ni conçu ni
engagé.

Une contribution des plus intéressantes à l'étude
du courant de morale pessimiste qui nous occupe
nous est fournie par l'examen des réactions du
public aristocratique à la lecture des *Maximes*. On
a trouvé dans les papiers de la Marquise de Sablé [2]
une douzaine de lettres, provenant surtout de ses
amies, et qui sont unanimes dans la protestation,
si l'on met à part deux écrits, d'ailleurs anonymes,
et qui respirent la doctrine janséniste. M^me de
Guéméné estime ce qu'elle a lu des *Maximes* « plus
fondé sur l'humeur de l'auteur que sur la vérité ».
M^me de Liancourt demande «¦ qu'on ôte l'équivoque qui fait confondre les vraies vertus avec les

---

1. *Fausseté des vertus humaines*, 2^e partie, chap. XXVII.
2. On les trouvera dans l'édition de La Rochefoucauld,
collection des Grands Écrivains, t. I, p. 371 à 399.

fausses », opposant naïvement cette traditionnelle
distinction des deux étages de l'âme à un livre
qui n'est fait que pour la ruiner. M^me de La
Fayette ne croit pas à la « corruption générale ».
M^me de Schomberg juge les *Maximes* « dange-
reuses » puisqu'elles suppriment la responsabilité
morale. M^me de Sablé elle-même émettait une
opinion analogue dans un projet d'article pour le
*Journal des Savants.* On lit d'ailleurs dans les
*Maximes* dont elle est l'auteur : « Quand les grands
espèrent de faire croire qu'ils ont quelque grande
qualité qu'ils n'ont pas, il est dangereux de montrer qu'on en doute : car en leur ôtant l'espérance
de pouvoir tromper les yeux du monde, on leur
ôte aussi le désir de faire les bonnes actions qui
sont conformes à ce qu'ils affectent [1]. » On peut
voir dans cette remarque une réfutation générale
des *Maximes* de La Rochefoucauld, réfutation
bien significative à la fois par l'évocation sociale
qu'elle contient et par son caractère modeste :
M^me de Sablé se place sur le plan de l'oppor-
tunité, comme quelqu'un qui défend timidement
une cause déjà mal en point. Quant à La Rochefoucauld lui-même, sa qualité de grand seigneur
ne change rien à la signification de son œuvre ;
des motifs personnels, son caractère, ses échecs,
peut-être le désir de s'élever au-dessus des illusions
communes, peuvent expliquer qu'un aristocrate comme lui soit parmi les démolisseurs les
plus acharnés de l'idéal aristocratique. Le sens des

1. M^me de Sablé, *Maximes*, 75.

choses n'est pas changé par ce genre de désertions
individuelles, communes dans l'histoire des idées.
Le pessimisme moral tel qu'il apparaît au xviie siècle, et la théologie sur laquelle il se fonde, n'en
sont pas moins dirigés, à les prendre dans leur
signification générale, contre la tradition morale
du milieu noble.

# LE PARTI JANSÉNISTE

Nous nous sommes surtout préoccupé jusqu'ici de définir ce que le jansénisme tendait à détruire ; nous avons trouvé en lui, toujours variée et toujours fidèle à elle-même, la même volonté d'agression contre les prérogatives du moi aristocratique. Resterait à décrire le dessein positif et le destin réel du mouvement janséniste. Il ne faut pas oublier que le jansénisme a été, en même temps qu'une doctrine, un milieu et un parti. Or le jansénisme comme parti, secte, ou cabale, a échoué ; en aucun moment son histoire n'a été heureuse : c'est le long avortement d'une nouveauté dans un milieu qui, il faut le croire, lui était contraire. Corneille a derrière lui toute la chevalerie héroïque, Molière pense avec le présent ou l'avenir : Port-Royal commence par de grands hommes aussitôt condamnés et exilés, et finit par des convulsionnaires. Et toute la tragédie de son histoire semble préfigurée dans sa pensée première, volontiers indécise, insoutenable, mêlée d'audaces et de reculs.

Pourtant Port-Royal, par tout ce que nous en

avons vu jusqu'ici, allait bien dans le sens de
l'histoire, et aurait dû avoir le vent en poupe. En
effet le discrédit du sublime héroïque était général
sous le règne de Louis XIV, et tous les grands
écrivains de cette époque, Racine, Molière, Boileau, sont, chacun à sa façon, les témoins et les
artisans de ce discrédit, conséquence d'une évolution irrésistible. Évolution politique d'abord, qui,
par les progrès de la puissance monarchique et le
renforcement définitif de l'État, rendait anachronique le moi chevaleresque et toute la morale qui
pouvait se fonder sur lui. Or justement la conception janséniste de l'instinct est empreinte d'une
extrême méfiance à l'égard des mouvements du
moi ; elle aboutit en dernier ressort à une morale
de la coercition, à une réglementation sévère de la
vie intérieure et de la conduite, où le moi et ses
impulsions sont des ennemis, avec lesquels il ne
saurait y avoir de compromis. Plus profondément
encore, l'évolution économique condamnait tout
le système des comportements de l'homme noble.
Si l'étalage de soi, la dépense brillante et plus ou
moins gratuite, peuvent être des vertus dans l'aristocratie, c'est que l'accumulation de l'argent serait
dépourvue de sens dans cette classe sociale, ter-
rienne à l'ancienne mode ou courtisane. C'est dans
la bourgeoisie que l'épargne des revenus est la
condition de tout accroissement. Ce dernier procédé devait, en envahissant de plus en plus la vie
économique, aboutir à la condamnation du gaspil-
lage, de la dépense somptuaire. Pendant longtemps, la bourgeoisie n'a créé du luxe que pour la

consommation aristocratique. Il y aurait bien des
choses à dire sur le rôle de la dépense glorieuse
dans la genèse de l'idéologie noble ; on voit en
tout cas qu'en l'absence d'un mécanisme d'accumulation, cette dépense est le signe principal de
la supériorité sociale. Une situation semblable
peut expliquer le caractère désintéressé attribué
aux impulsions naturelles de l'homme noble, la
confiance dans la sublimation des appétits, l'optimisme en morale. A l'origine de la conception idéaliste de l'instinct, chère à l'aristocratie, il y a une
certaine attitude large à l'égard de l'argent. Avec
la nécessité bourgeoise de l'épargne est apparue
une conception nouvelle de l'instinct, plus agrippé
à la réalité, plus palpable dans son objet : comment
sublimer l'instinct, s'il vise avant tout à prendre,
à garder, à entasser du réel, à absorber toutes choses
pour se grandir ? Telle est la définition même de
l' « amour-propre » selon le jansénisme. Dans l'idéalisation de l'instinct on sent ou devine alors un
danger de déperdition, un geste vers le dehors :
geste absurde, geste impossible. Ce qui seul existe,
et qu'on nomme nature, c'est une impulsion à se
satisfaire aux dépens du monde. Il faut que cette
impulsion défie tout embellissement, et qu'elle
soit la loi, irrésistible et sans prestige, de l'humanité. Mais, dans la condition bourgeoise, l'abandon à la loi naturelle est contredit par un calcul
constant, une comptabilité des gains et des espérances, qui suppose une contrainte générale exercée
sur les forces désordonnées de l'affectivité. La victoire de la nature s'accompagne donc de sa con-

damnation, d'un recours à une instance différente
destinée à en réprimer les mouvements ; le naturalisme bourgeois se lie ainsi, tout naturellement,
à une morale de la répression.

La sympathie de la critique bien pensante du
xixᵉ siècle pour le jansénisme s'alimente à cette
double source [1], car le jansénisme a fortement
contribué à accréditer les deux postulats, éminemment bourgeois l'un et l'autre, de la toute-puissance de la nature, et de la nécessité de la contenir
durement. Par là il a créé un caractère bien différent de celui du gentilhomme impulsif, paradeur
et gaspilleur : un type à la fois positif et contraint,
conscient de ses appétits et guindé contre leur
désordre. On peut mesurer l'influence et la force
du jansénisme au fait que le bourgeois français,
sitôt qu'il domina la société, y imposa comme un
idéal ce type, devenu classique, en qui un sens
terre à terre des choses s'unit à une dignité com-
passée [2].

Sainte-Beuve, à qui l'idée de définir socialement
le jansénisme ne paraissait ni déplacée, ni sau-
grenue, y constate à plusieurs reprises l'action
prépondérante de la haute bourgeoisie, et surtout

1. Il est vrai que cette sympathie est mitigée, et souvent
effacée par l'aversion pour ce que le jansénisme contient
d'insoumission à l'autorité.
2. Il y a dans la bourgeoisie, dès sa naissance, tout un
côté de contention morne et sans éclat qu'on néglige
trop souvent. On imagine trop exclusivement la bourgeoisie
montante sous un aspect riant, hardi, naturaliste au sens
épanoui. La réalité est différente, surtout au xviiᵉ siècle.

de cette élite de la fortune et de la culture que constituait au sein du tiers état la catégorie des robins. « Port-Royal, écrit-il sans détours, fut l'entreprise religieuse de l'aristocratie de la classe moyenne en France [1]. » Et il remarque que presque tous les grands hommes du jansénisme sont issus de cette aristocratie bourgeoise : les Le Maître, les Arnauld, les Sainte-Marthe, les Pascal, Nicole, Domat, pour ne citer que les noms les plus connus. Il est naturel que la bourgeoisie ait eu pour interprètes ses éléments les plus cultivés, les plus considérés, les plus proches de l'aristocratie : le reste ne comptait guère. Sans doute les robins étaient-ils déjà des privilégiés ; mais ils formaient une catégorie sociale très distincte encore de la noblesse dans le sentiment public et dans le sien propre, et qui, déçue par l'expérience de la Fronde, réagissait par un sentiment de dignité hostile aux insolences dont elle était toujours l'objet de la part des aristocrates [2]. Bourgeoisie malgré tout, elle tâchait de l'être avec le plus de grandeur possible. D'où l'aspect imposant de cette réfutation, étayée sur la majesté du christianisme, de tout le système moral qui justifiait son infériorité.

De tout cela il résulte bien que Port-Royal traduisait un mouvement profond de la société fran-

---

1. *Port-Royal*, Discours préliminaire.
2. On lit dans les pensées de Domat, magistrat et juriste, janséniste notoire et ami de Pascal, la réflexion suivante : « Les gens d'épée appellent les officiers (*on appelait officiers les détenteurs d'offices, les robins*) gens d'écritoire ; il faut appeler les officiers gens de tête, et eux gens de main. »

çaise, qu'il avait ses racines dans un milieu relativement neuf et robuste. Pourquoi, s'il en est
ainsi, a-t-il à ce point échoué ? Cela paraît d'autant
plus surprenant qu'en un sens, et comme philosophie à la fois naturaliste et répressive, il a bien
imprégné tout l'esprit du siècle de Louis XIV.
Comment expliquer dans ces conditions qu'en
tant que secte il soit resté en marge de la société,
en butte aux persécutions des puissances officielles
et incapable d'en triompher, et que finalement il
ait agi sur l'ensemble du corps social à la façon
d'un ferment actif, mais lui-même éliminé ? Il faut
qu'il y ait eu entre le jansénisme et le mouvement
des choses une incompatibilité profonde : ce désac-
cord, comme on peut le voir à chaque moment de
l'histoire de Port-Royal, a porté sur la question
de l'autorité et de l'obéissance. Le jansénisme a
été tenu en suspicion pour ce qu'il renfermait de
contraire à l'esprit de docilité ; il a représenté la
seule forme d'esprit bourgeois ou moderne qui ne
fût pas acceptable dans la France de Louis XIV,
celle qui consistait à opposer à l'autorité extérieure
les commandements de la conscience. Toute
l'histoire du jansénisme est celle de ce conflit.

*

L'hérésie sociale du jansénisme a consisté surtout dans l'affirmation d'une certaine indépendance
de la conscience, que Port-Royal liait indissolu-
blement à la rigueur morale. Il y a dans le jansénisme la même tendance que dans la Réforme,

quoique à un degré beaucoup plus faible et plus
amorti, à distinguer la sévérité intérieure de la
contrainte reçue du dehors. Dans la Réforme, le
resserrement de la règle morale que chacun s'impose tend à rendre plus directs les rapports entre
l'homme et Dieu ; l'homme, plus strict à l'égard
de lui-même, est aussi moins aisément maniable
de l'extérieur, la garantie de la moralité se situant
dans la conscience. Port-Royal, malgré ses déné-
gations, malgré l'extrême modération de ses
démarches, reproduit la même attitude. A cet
égard le jansénisme peut être considéré comme
la dernière manifestation d'un grand mouvement
de pensée qui traverse tout le début des temps
modernes et met en cause les habitudes autoritaires
de l'Église catholique. Port-Royal ne s'attaque
pas seulement au relâchement dans la chrétienté
et à la corruption dans le gouvernement de l'Église,
mais il s'en prend plus ou moins ouvertement à
l'absolutisme romain, auquel il refuse ou marchande sa soumission.

La théologie même de Port-Royal, en même
temps qu'elle fonde une discipline intérieure
sévère, contient un principe, ou plutôt traduit un
désir d'autonomie morale. En effet la doctrine de
la grâce efficace, si elle semble, en rendant le
secours de Dieu indépendant du mérite de l'homme,
conduire logiquement au fatalisme et à l'apathie,
répond en réalité à une intention contraire ; elle
donne tant de valeur surhumaine et surnaturelle
à l'élection divine que les âmes qui en sont l'objet
se sentent d'emblée supérieures à toute crainte

terrestre, à toute soumission servile. La grâce
efficace faisait des natures solides, débarrassées
des fumées de la gloire, et pourvues par surcroît
d'un appui divin qui décuplait leurs forces. Le
prestige des institutions terrestres tendait à s'effacer devant l'idée de cette investiture d'en haut,
si rare et si directe. D'où le penchant au « remue-
ment » qui accompagnait ordinairement dans
l'Église les doctrines sévères de la grâce, et qui s'y
trouve liée dans Port-Royal comme dans la
Réforme [1]. Le jansénisme, en même temps qu'il
réagissait contre l'individualisme à la vieille mode,
a prétendu s'opposer à l'esprit d'autocratie qui
triomphait de plus en plus complètement au
XVIIe siècle, dans l'Église comme dans la société
civile. C'est par là que Port-Royal s'est mis en
marge de son temps, c'est en cela qu'il a été
vaincu.

L'Église catholique tendait depuis longtemps, —
et le grand assaut de la Réforme ne fit qu'accé-
lérer ce mouvement — à se constituer en une
monarchie absolue, où un chef unique, le pape,
fixait la doctrine et régissait la hiérarchie. Port-
Royal tenta de résister au courant, et, à peu près
seul en France, fit entendre une voix sourdement
insoumise. Le problème des droits respectifs de
l'autorité et de la conscience est parmi ceux que
ses écrivains ont posés avec le plus d'obstination.

1. Dans la vigueur combative du puritanisme et des
mouvements analogues issus de la Réforme, la théorie de
la prédestination, fort voisine de celle de la grâce efficace,
a certainement joué un grand rôle.

Ce problème, Pascal l'envisage déjà, au moins
sous l'aspect intellectuel, dans le *Fragment d'un
Traité du Vide*, écrit plusieurs années avant la
période proprement janséniste de sa vie, et il le
résout en soustrayant à l'autorité la connaissance
des sujets qui tombent sous le sens ou sous le
raisonnement. Même solution dix ans après dans
la dix-huitième *Provinciale* : « Ce fut aussi en vain,
dit-il aux Jésuites, que vous obtîntes contre Gali-
lée ce décret de Rome qui condamnait son opinion
touchant le mouvement de la terre. Ce ne sera pas
cela qui prouvera qu'elle demeure en repos. » Sans
doute cette affirmation des droits de la raison,
strictement limitée d'ailleurs à la connaissance
des choses naturelles, au-delà desquelles il faut s'en
remettre aux décisions de l'Église, n'est-elle pas
exclusivement janséniste : ce partage d'influence
de la raison et de l'autorité était généralement
admis depuis longtemps et l'Église même en tolé-
rait l'idée. Mais cette conception revêt dans le
jansénisme un caractère assez particulier, et les
circonstances dont elle s'entoure la rendent plus
dangereuse. Tout d'abord, il est bien difficile de
dire avec précision où s'arrête le domaine des
choses naturelles et où commence celui de la révélation : la croyance aux vérités révélées peut impliquer à chaque instant la soumission sur des
matières plus directement dépendantes de notre
jugement. L'esprit de conciliation, le désir d'éviter les débats scabreux pouvaient maintenir en
sommeil cette difficulté. Mais justement Port-
Royal l'a réveillée en exigeant la liberté d'appré-

ciation pour tous les points de fait, y compris ceux qui se trouvaient évoqués, à l'occasion d'une décision relative au dogme, par l'autorité suprême de l'Église ; ainsi, par exemple, de l'attribution de telle ou telle proposition condamnée à un auteur, en l'occurrence à Jansénius : ses disciples s'estiment autorisés, de par les droits de la raison naturelle, à ne pas trouver, là où on prétend la condamner, la proposition hérétique que par ailleurs ils reconnaissent pour telle. Il arrive ainsi que la distinction banale des objets naturels et surnaturels de la connaissance se transforme en une arme sournoise dirigée contre l'autorité dogmatique. A cette séparation du fait et du droit, célèbre dans l'histoire du jansénisme, un des ennemis les plus acharnés de Port-Royal, que nous connaissons déjà, Desmarets de Saint-Sorlin, objectait assez justement que la nécessité d'examiner librement le fait pourrait conduire à chaque instant à refuser le respect à l'autorité, même reconnue : ainsi, qui assure que l'hostie ait été réellement consacrée, et par un vrai prêtre ? On aurait donc le droit de refuser, sur le passage du saint-sacrement, les marques de vénération habituelles aux catholiques en cette occasion, en arguant que les faits sont douteux [1]. L'argument est moins sophistique qu'il ne semble. Il faut choisir entre la pensée qui se détermine du dedans, et celle qui se plie à des sugges-

---

1. Desmarets de Saint-Sorlin, *Réponse à l'insolente apologie des religieuses de Port-Royal*, 3e partie, chap. XVIII, 1666.

tions extérieures toutes-puissantes, et perd l'habitude d'en discuter ou d'en contrôler le bien-fondé. Pascal veut que la raison, quand elle renonce à ses droits, le fasse de bon gré : « Il n'y a rien de si conforme à la raison que ce désaveu de la raison. [1] » « Soumission et usage de la raison, en quoi consiste le vrai christianisme [2]. » « Il faut savoir douter où il faut, assurer où il faut, en se soumettant où il faut. Qui ne fait ainsi n'entend pas la force de la raison [3]. » Il ne s'agit plus ici d'un banal accommodement de la raison et de la foi dans un domaine purement spéculatif, mais d'une refonte complète des rapports de la conscience avec l'autorité extérieure [4].

On pourrait s'étonner de trouver dans le jansénisme, si sévère à l'égard de l'homme naturel, un pareil attachement aux prérogatives de la raison. L'anomalie disparaît si l'on songe que les jansénistes défendaient sous le nom de raison, non pas l'excellence de l'homme, mais les droits de sa conscience, tels qu'ils pouvaient les concevoir en tant que chrétiens. La dialectique de Pascal, par exemple, anéantit la raison en tant que principe d'orgueil, mais l'encourage et l'exalte en tant

---

1. *Pensées*, éd. Br., 272.
2. Br., 269.
3. Br., 268.
4. En tout cela, Pascal, sa dialectique propre mise à part, est l'écho de Port-Royal tout entier : voir notamment l'*Apologie pour les religieuses de Port-Royal*, par Arnauld, Nicole et Sainte-Marthe (1665), et la 10e des *Lettres imaginaires*, de Nicole (1665).

qu'exigence de vérité. L'exercice de la raison apparaît comme une simple nécessité de la conscience,
mais sous cette forme il est indispensable à la foi :
« C'est l'amour-propre, écrit Nicole, qui porte les
hommes à croire qu'on ne pèche point en obéissant, parce qu'il aime naturellement la sûreté, et
qu'il serait ravi de voir son chemin si bien marqué
qu'il ne pût craindre de s'y égarer... Dieu n'a pas
voulu s'accommoder de cette inclinaison des
hommes... il a voulu qu'il y eût piège partout et
tentation partout... Ainsi les véritables obéis-
sants ne croient point que leur chemin soit entièrement hors de danger, ni qu'ils puissent marcher
les yeux fermés... Ils ne se croient pas dispensés de
demander à Dieu la direction de son esprit pour
s'y conduire. » Il faut entendre qu'ils doivent
s'adresser à Dieu directement, par-dessus les puissances établies ; autrement, continue en effet
Nicole, ils seraient « non seulement esclaves, mais
adorateurs d'un homme mortel... [1] ». Toute la
raison janséniste est bien là : c'est une critique de
l'obéissance aveugle, c'est le moyen de se soustraire,
dans les rapports avec Dieu, aux injonctions de
l'autorité. L'exercice de la raison ainsi entendue
n'est pas seulement toléré ; il est exigé pour la
sauvegarde de la foi véritable car la servitude
conduit à la superstition, et toutes deux sont la
ruine de la religion [2]. On voit aisément que cette

1. Nicole, 9e *Lettre imaginaire*.
2. Voir Pascal, *Pensées*, Br., 254. On sait l'éloignement des
jansénistes pour la dévotion purement extérieure et supers-
titieuse ; voir le début de la 9e *Provinciale*.

solution nouvelle du problème de la raison et de
l'autorité, moins éclectique, plus violente que la
solution ordinaire, était aussi plus redoutable à
la tranquillité de l'Église.

D'ailleurs, sur le plan du gouvernement ecclésiastique, l'esprit janséniste se traduisit par une
opposition plus ou moins ouverte à l'absolutisme
papal envahissant et à l'affirmation, déjà triomphante en fait, de l'infaillibilité pontificale [1]. Les
jansénistes repoussaient l'idée d'une Église orga-
nisée à la façon d'une monarchie absolue, le chef
imposant d'en haut et du dehors sa volonté aux
membres. Ils considéraient volontiers l'Église
comme une communauté en même temps que
comme une monarchie. « En considérant l'Église
comme unité, dit Pascal, le Pape, qui en est le chef,
est comme tout. En la considérant comme multitude, le pape n'en est qu'une partie... La multitude qui ne se réduit pas à l'unité est confusion,
l'unité qui ne dépend pas de la multitude est
tyrannie [2]. » Et encore : « L'unité et la multitude...
Erreur à exclure l'une des deux [3]. »

Le jansénisme, en essayant de remonter l'irrésistible courant qui entraînait l'Église, se heurtait
tout naturellement à la Société de Jésus, incarnation tentaculaire dans toute la catholicité de
l'autorité croissante de Rome. Les deux forces qui

1. Voir *Pensées*, Br., 871 : « Il n'y a presque plus que la
France où il soit permis de dire que le Concile est au-dessus
du Pape. »
2. Br., 871.
3. Br., 874.

animaient Port-Royal et les Jésuites n'étaient
pas seulement contraires dans leur inspiration
philosophique ou morale, mais dans leur essence
politique. D'une façon générale, Port-Royal se
défiait des réguliers, contraints le plus souvent
par la règle de leur ordre à une discipline passive,
et directement rattachés à l'autorité romaine, qui
s'en servait pour bouleverser à son profit les traditions gênantes. Les jésuites étaient les plus mar-
quants, mais voici comment Pascal fait parler un
dominicain, auquel on demande pourquoi il accepte
de s'allier aux Jésuites malgré sa conviction profonde [1] : « Nous dépendons des supérieurs : ils
dépendent d'ailleurs. Ils ont promis nos suffrages :
que voulez-vous que je devienne ? » Nous l'enten-
dîmes à demi-mot, ajoute Pascal, et cela nous fit
souvenir de son confrère, qui a été relégué à Abbe-
ville pour un sujet semblable [2]. »

Cependant les jansénistes, quel que fût leur désir
de ranimer le corps de l'Église pour lui faire secouer
l'excessive tutelle romaine, demeuraient bien en
deçà de l'idée d'une Église démocratique. Ils
pouvaient parler avec admiration de l'Église primitive, où parfois la foule des fidèles faisait les
évêques : ce n'était là qu'un souvenir édifiant et
légendaire. Les jansénistes, ceux au moins du
XVIIᵉ siècle, se préoccupaient même assez peu des
droits du petit clergé. L'échelon important à leurs

1. Il s'agit du procès et de la censure d'Arnauld en Sorbonne : les dominicains avaient contribué à la condamnation.
2. Seconde *Provinciale*.

yeux, celui au-dessous duquel ils ne descendaient
guère et qu'ils auraient voulu voir moins dépendant de Rome, c'était l'épiscopat [1]. Saint-
Cyran déplorait que les évêques ne fussent plus
choisis par les chapitres comme jadis et que
l'Église les reçût d'en haut. Tout Port-Royal déplorait de même le fait que les évêques, résidant souvent loin de leurs diocèses, n'y gouvernaient plus
de façon réelle et proche, mais prenaient leur
inspiration à la cour ou chez le nonce. Ainsi ce que
Port-Royal eût rêvé de substituer à la monarchie
romaine, c'était, comme le dit Sainte-Beuve, « une
aristocratie sous la conduite des évêques [2] ». Le
« patriciat de la haute bourgeoisie » où le jansénisme, selon Sainte-Beuve, plongeait ses racines,
voyait volontiers le gouvernement des choses religieuses aux mains d'un patriciat ecclésiastique.

Dans la société civile, la même prétention eût
été plus difficile à concevoir et à formuler. L'absolutisme royal était plus directement redoutable,
et moins discuté. Le haut tiers état ne pouvait
être pour toutes sortes de raisons qu'un opposant
bien timide. Mais si le loyalisme politique des jansénistes n'est pas douteux, il n'est pas douteux
non plus que leurs dispositions générales d'esprit,

1. Noter pourtant le mouvement des curés de Paris et
de Rouen venant à la rescousse des *Provinciales* contre les
Jésuites en 1656 ; Pascal leur prêta même sa plume ; mais
c'étaient des curés de grandes villes, gens relativement
importants et notables.
2. Sainte-Beuve, *Port-Royal*, t. I, p. 318, à propos du
*Petrus Aurelius* de Saint-Cyran.

leur façon de concevoir la discipline et l'obéissance,
détonnaient dans la France de Richelieu et de
Louis XIV. On le leur fit bien sentir, en les traitant, pour quelques lointaines aspirations à l'indépendance, avec la même rigueur qu'on aurait
appliquée à des ennemis conscients du pouvoir.

Hostile à l'autocratie en même temps qu'au
vieil esprit féodal, le jansénisme fut comme une
velléité de la haute bourgeoisie de fonder la vie
religieuse et sociale sur une discipline plus grande,
mais plus imprégnée de conscience. A travers lui
on peut apercevoir ce qu'aurait été en France le
gouvernement des notables, s'il avait pu s'y établir.
Avec le gouvernement des notables, bourgeois
importants, robins, seigneurs, si les seigneurs
avaient été capables de renoncer à leurs insolences
et à leurs désordres, Port-Royal renfermait en
germe, dans le mélange de règle et d'indépendance
qui le caractérise, toute une entreprise de renouvellement et d'émancipation, au sens évidemment
très mesuré où les notables pouvaient l'entendre.
Le jansénisme aurait peut-être réussi si la France
avait pu devenir un pays de patriciat solide et
conscient, un pays de constitution sévère et de
légalité [1]. Mais depuis longtemps la force des ves-
tiges féodaux dans la société française, les aspira-

1. Il faut remarquer que le gouvernement des notables
aurait assez bien correspondu à l'esprit de la Réforme française. Ainsi Calvin donne ses préférences à un régime qu'il
appelle sans doute « aristocratique », mais qu'il définit très
largement comme étant « la domination gouvernée par les
principaux et gens d'apparence ».

tions rétrogrades ou la dissipation de l'aristocratie
et son divorce moral profond avec le haut tiers
état rendaient impossible une évolution dans ce
sens. La haute bourgeoisie demeura timide avec
toute sa rancœur, tandis que l'aristocratie devenait impuissante avec tout son orgueil. La haute
société française se trouvant incapable d'accéder
au niveau du pouvoir, une puissance extérieure et
supérieure à elle, de plus en plus soustraite à son
contrôle, et se nourrissant indéfiniment de sa faiblesse, la monarchie, acquit le monopole de la puissance publique. Au temps de Pascal, tout esprit
d'indépendance et d'autonomie, même aussi
timide, même aussi limité dans son objet qu'il pouvait l'être à Port-Royal, était réputé subversif et
traité comme tel.

Le despotisme monarchique et le despotisme
romain avaient à cet égard les mêmes intérêts
profonds. L'époque qui avait suivi la Réforme et
les guerres de religion, ce début du xviie siècle où
la société française retrouva et fixa pour longtemps son assiette, avait vu se sceller leur entente.
Rome, délaissant les écarts de doctrine de la Ligue,
issus des circonstances et oubliés avec elles, fournissait la doctrine du droit divin ; elle habituait
les hommes à voir Dieu derrière le commandement.
En échange les rois de France ouvraient le royaume
aux Jésuites, devenus leurs confesseurs attitrés,
et faisaient taire, d'accord avec Rome, la voix des
églises locales. Les évêques, créatures de la cour
et du Saint-Siège, représentaient bien ce double
despotisme ; de plus en plus tout ne fut qu'obéis-

sance au-dessous d'eux, et eux-mêmes exécutaient
les volontés d'en haut. Tel était l'état des choses
quand Port-Royal traçait le portrait de l'évêque
idéal, et s'efforçait d'équilibrer la soumission et la
conscience. Toutes les puissances existantes allaient
contre lui ; Rome et les Jésuites, la royauté, les
dignitaires de l'Église de France, telle qu'elle
était en réalité, se liguaient pour l'écraser. Jusqu'en 1715 seulement, quatre papes le foudroyèrent
d'une dizaine de brefs, bulles, constitutions et
excommunications, cependant que trois gouver-
nements successifs déployaient contre lui tout
l'appareil de la persécution ecclésiastique et poli-
cière. Richelieu mit et garda Saint-Cyran en prison, et dispersa les solitaires de Port-Royal ;
Mazarin et Anne d'Autriche firent condamner et
exclure par la Sorbonne le grand Arnauld, qui dut
vivre caché pour échapper aux poursuites, con-
traignirent de nouveau les solitaires à se disper-
ser et amorcèrent la grande persécution du Formulaire [1] ; Louis XIV commençait à peine de
régner personnellement, qu'il renouvela les exigences du pouvoir, fit détruire les petites écoles
de Port-Royal, expulser les pensionnaires et les
novices du couvent, interroger par l'archevêque
de Paris, surveiller, déplacer et exclure des sacre-
ments les religieuses qui refusaient de se soumettre ;

1. C'était un texte préparé par les Jésuites, adopté en
1656 par l'Assemblée du clergé, et que le roi enjoignait à
tous les ecclésiastiques de signer : il impliquait l'adhésion
aux bulles et à la condamnation des fameuses propositions
de Jansénius.

la persécution, interrompue dix ans, reprit de plus
belle en 1679, sous un nouvel archevêque : nouvelle dispersion des « Messieurs », nouvelle fuite
d'Arnauld, nouvelle défense au couvent de recru-
ter ; enfin, dans les dernières années de son règne,
désireux d'en finir, Louis XIV fit renaître le Formulaire et l'exigence de la signature, obtint l'excom-
munication des religieuses, les dispersa, fit saisir
les biens du couvent voué à l'extinction, enfin fit
démolir l'abbaye, et exhumer les restes des solitaires. Tant d'acharnement, contre un ennemi si
peu redoutable en effet, ne peut s'expliquer que
par l'incompatibilité profonde que l'absolutisme
sentait entre ses propres principes et les aspirations du jansénisme. Le jansénisme fut éliminé
dans la mesure où il contredisait l'évolution de la
société française, et les puissances qui en étaient
issues.

*

Les rapports du jansénisme avec la société officielle n'en demeurent pas moins fort complexes à
définir, car, s'il contenait un principe dangereux
d'insoumission, il introduisait par contre, nous
l'avons vu, des nouveautés morales nécessaires.
Une religion plus indulgente à l'homme, plus com-
plaisante aux instincts, contenait sans doute un
principe de détente morale, et par suite d'accommodement avec les puissances établies, qui la rendait préférable pour la royauté à un christianisme

intransigeant et offensif. Sans doute encore le
christianisme optimiste, relativement sympathique aux arts, aux sciences, à la civilisation,
s'adaptait-il mieux que le jansénisme à tout ce
qu'il y avait d'épanoui et de brillant dans cette
époque, au progrès du luxe et des connaissances ;
ce christianisme radouci dans ses principes, volontiers magnificent dans ses rêveries et accommo-
dant dans sa conduite, était bien plus en accord
avec la civilisation du grand siècle, comme avec
sa politique. Mais l'absolutisme n'avait pas seulement besoin de gens souples et faciles à vivre :
dans un pays aussi grand et cultivé relativement
qu'était la France, il était bien difficile de ne pas
fonder l'obéissance sur une tension intérieure, sur
des habitudes de discipline morale. La méthode
jésuitique qui consistait à dresser la conduite en
apaisant les scrupules, si elle était conforme à
l'esprit du despotisme, choquait une opinion
publique malgré tout influente, et qui exigeait
quelque chose de plus sérieux, de moins évidemment mensonger. Les casuistes de la société de
Jésus n'avaient pas bonne presse. Le besoin général de discipline et de régularité morale inclinait
à la sévérité ; le jansénisme n'était à cet égard que
la pointe avancée d'un mouvement de réforme et
de ressaisissement commencé au lendemain des
guerres de Religion. D'ailleurs la monarchie elle-
même ne pouvait regarder d'un œil favorable le
scandale des maximes jésuitiques : le relâchement
de la conscience risquait à la fin de ruiner l'obéissance elle-même. Les pères jésuites excusant

l'homicide dans le duel devaient être moins proches de ses vœux que le Pascal de la *Quatorzième Provinciale*, refusant de faire dépendre la vie ou la mort d'un homme d'un « fantôme d'honneur », et réservant à des « personnes publiques » le droit de requérir un châtiment quand il y a lieu, « de la part du Roi, ou plutôt de la part de Dieu [1] ».

En somme la monarchie, et toute la société officielle avec elle, avaient besoin de concilier une vertu décente et une conduite docile, des mœurs réglées et des consciences traitables. Il leur fallait un jansénisme expurgé, filtré du poison de la rébellion. Tout l'effort des bien-pensants de l'époque, d'un Bossuet par exemple, va dans ce sens. Tâche délicate et remplie d'indécisions qui se répercutent en douloureuses vicissitudes et contradictions dans le destin du jansénisme lui-même, et le marquent d'un bout à l'autre de son histoire. En gros, on résolut pourtant la question, en condamnant à la fois, chez les Jésuites, les « maximes relâchées » des casuistes, et chez les jansénistes, la doctrine turbulente de la grâce efficace. Les propositions

1. Certaine théologie des Jésuites n'avait pas meilleure presse que leur morale ; quelques-uns d'entre eux soutinrent qu'il suffisait de craindre l'enfer pour être sauvé. Richelieu avait jadis soutenu de son autorité une doctrine analogue, et on dit que, si Saint-Cyran fut mis à Vincennes, c'est en partie pour l'avoir contredite. Elle fut généralement mal accueillie ; elle avait le bon sens contre elle, autant qu'on puisse parler de bon sens dans ce domaine, et elle souleva une indignation, dont la *Dixième Provinciale* et l'*Épître XII* de Boileau, écrites à quarante ans de distance, sont les témoins principaux dans la littérature.

de Jansénius furent condamnées les premières,
comme c'était naturel, Rome y ayant l'intérêt le
plus grand. Mais l'opinion et le clergé français,
après avoir approuvé cette condamnation, obtin-
rent de Rome celle des casuistes, qui fut reprise à
grand fracas en France par l'assemblée du clergé
de 1700, alors que les *Provinciales* ne furent jamais
condamnées par une autorité ecclésiastique française. Aussi a-t-on coutume de dire que le jansénisme, battu en théologie, triompha en morale.
Bossuet, toujours très prudent sur le chapitre de
la grâce, et qui approuvait la condamnation des
cinq propositions, comme marquant les limites
exactes de l'hérésie et de l'orthodoxie dans un
domaine délicat [1], fraternisait en morale avec les
jansénistes, et fut un des plus acharnés parmi les
ennemis des casuistes, et l'organisateur de leur
condamnation en France. Cette discrimination
qui fut faite entre la théologie et la morale jansénistes a sa raison profonde : les puissances officielles s'arrêtent, dans la voie du jansénisme,
avant le point où l'exigence chrétienne met en
danger le principe d'autorité. La doctrine de la
grâce efficace était ce point, parce qu'elle témoi-
gnait d'un désir de nouveauté frappant, de scandale intellectuel et affectif, d'une volonté de tout
rapetisser devant l'élection divine et ceux qui
pouvaient s'en croire investis. En deçà de cette
doctrine, les sévérités de la conscience semblaient
compatibles avec l'obéissance.

1. Bossuet, *Oraison funèbre de N. Cornet*, 1663.

Ainsi purifié de ce qu'il contenait de dangereux, le jansénisme imprègne bien tout le siècle de Louis XIV. Il ne faut pourtant pas identifier ce jansénisme refroidi à celui qui s'agitait en marge de la société officielle, et que la société officielle persécutait. Le jansénisme proprement dit tire sa vigueur du fait qu'il représente une protestation contre le train des choses et les puissances établies, qu'il fonde sa sévérité même sur des pensées outrées et des aspirations importunes à la société réelle. C'est en définitive parce qu'il relève d'un certain esprit d'intranquillité, tenace en dépit des circonstances contraires, parce qu'il a produit Pascal et les *Pensées*, que le jansénisme s'est inscrit dans l'histoire de la pensée.

*

Il n'en reste pas moins qu'une position d'intransigeance rigoureuse était difficile à tenir pour le jansénisme au sein d'une société dont la structure et les puissances établies lui étaient contraires. Aussi est-il dominé lui-même, dans tout le cours de son histoire, par une invincible timidité, par une appréhension chronique des gestes irrémédiables, des ruptures trop éclatantes. Tous ceux qui ont étudié le jansénisme ont observé son infirmité. Sainte-Beuve, qui, dans son *Port-Royal*, s'efforce pourtant de mettre en valeur ce que le jansénisme contenait d'imposant et de fort, reconnaît sa faiblesse foncière : « Il y avait dans le jan-

sénisme, écrit-il, un principe concentré et énergique, mais qui devient vite stérile et qui tendait au
resserrement. Il n'avait rien d'expansif [1]. » Trai-
nant à son pied le boulet de l'orthodoxie et enlisé
dans un amas de controverses paralysantes, destinées précisément à établir cette orthodoxie, le
jansénisme se condamna lui-même à l'échec avant
d'y être réduit par ses ennemis [2].

A l'acharnement des puissances, Port-Royal ne
pouvait opposer que les armes des faibles : l'entêtement, la discussion, l'art de couper théologique-

---

1. Sainte-Beuve, *Port-Royal*, t. I, p. 294, note.
2. Il ne sert à rien de distinguer des époques dans Port-
Royal, époque de Saint-Cyran, époque d'Arnauld : le vice
de timidité et d'hésitation est commun à toutes. De Sainte-
Beuve lui-même il ressort que le destin de Port-Royal est
toujours suspendu à des « si » et à des « peut-être ». L'auteur
du *Port-Royal* fait remarquer comme une singulière coïncidence que les plus conséquents selon lui des jansénistes,
et les plus capables par leur caractère d'aller jusqu'à la rupture
avec Rome, Jansénius, Saint-Cyran et Pascal sont morts tous
les trois avant le moment décisif ; reste qu'ils ont hésité jusqu'à leur mort, malgré de grandes occasions du contraire, au
moins pour les deux derniers. — Les ennemis de Port-Royal
insistent plus cruellement encore sur la faiblesse congénitale
du jansénisme, quand toutefois ils ne cèdent pas à la tentation
d'exagérer la malignité et la puissance du monstre : voir
notamment comment Bremond s'efforce de dissoudre presque
comiquement le colosse de Sainte-Beuve, Saint-Cyran (*Hist.
litt. du sent. religieux en France*, Port-Royal, chap. III, IV,
V.) Il est pourtant difficile d'admettre sa conclusion, suivant
laquelle le jansénisme est une absurdité historique, un à-
côté aberrant et inconsistant de l'histoire chrétienne. Le
jansénisme a existé, aussi obstiné que timide, et il faut croire
qu'il représentait, dans son échec même, quelque chose de
profond.

ment les cheveux en quatre ; il n'affronta jamais
l'ennemi et garda jusqu'au bout la psychologie
indécise et la pensée contradictoire du dissident
qui s'affirme plus orthodoxe que ses persécuteurs.
Saint-Cyran et Jansénius, complotant ensemble
la réforme de l'Église, projetaient de gagner le
pape lui-même à leur grand et vague dessein. Pascal, au moment même où il côtoie la rupture avec
Rome, où il préconise avec Arnauld et Nicole le
refus de signer le Formulaire sans additif, où il
écrit les fameuses paroles de révolte : « Si mes
lettres sont condamnées à Rome, ce que j'y condamne est condamné dans le ciel [1] », s'en prend
aux huguenots antipapistes, « qui excluent l'unité [2] » de l'Église. Arnauld et Nicole, au plus dur
de la persécution antijanséniste, s'acharnèrent à
combattre les Réformés ; Arnauld exilé, au milieu
des malheurs de Port-Royal, approuva la révoca-
tion de l'édit de Nantes. Tous deux inventèrent
la distinction du fait et du droit qui leur permettait de se déclarer soumis à Rome pour le fond,
tout en refusant d'admettre que les propositions
coupables fussent dans Jansénius. La rigueur
doctrinale n'exista chez eux qu'en puissance ; elle
eût été l'âme du mouvement, mais elle se perdait
sans cesse dans le marécage de leur loyalisme ; il
n'est pas en effet jusqu'à l'austérité de la théologie
janséniste qu'ils n'aient entourée, à travers diverses
vicissitudes et fluctuations, de correctifs destinés

1. Br., 920.
2. Br., 874.

à la rendre moins choquante [1]. Face à la puissance
royale, même attitude. On cite des propos de
Saint-Cyran, qui semblent bien traduire une hostilité instinctive au despotisme, mais toujours
sur le ton de la simple mauvaise humeur [2]. En
fait Port-Royal, qui pourtant avait toutes les
raisons de s'y laisser tenter, ne conspira jamais
au sens politique du mot, contrairement à une
légende fausse [3]. Pascal, à en croire sa sœur, voyait
dans la puissance royale « non seulement une image
de la puissance de Dieu, mais une participation
à cette même puissance [4] ». Et Racine affirme
qu'on était persuadé à Port-Royal « qu'un sujet
ne peut jamais avoir de justes raisons de s'élever
contre son prince [5] ».

1. Nicole fléchit complètement à la fin de sa vie. Il y
avait un clan à Port-Royal qui avait été souvent choqué de
sa tiédeur, et Arnauld même n'échappait pas à tout reproche.
2. Ainsi son propos à la mère Angélique Arnaud, sur le
gouvernement qui ne veut que des esclaves ; voir Sainte-
Beuve, t. I, p. 486.
3. Les sympathies de certains frondeurs repentis
(Mᵐᵉ de Longueville, les Conti) pour le jansénisme, si elles
sont importantes dans l'histoire des amitiés et des vicissitudes
de Port-Royal, le sont beaucoup moins pour qui veut juger de
son esprit et de ses tendances. Les intrigues des jansénistes
avec Retz sont postérieures à la Fronde, et n'ont rien à voir
avec elle ; ils le soutenaient contre la cour comme archevêque
en titre de Paris, croyant se ménager une puissance favorable,
et sans dessein plus vaste. Le jansénisme, et c'est bien dans
son caractère, eut toujours l'apparence et les inconvénients
du complot, et n'en eut jamais ni la réalité ni les avantages.
4. *Vie de Pascal par* Mᵐᵉ Périer.
5. Racine, *Abrégé de l'histoire de Port-Royal.*

Tels étaient les sentiments des jansénistes à l'époque même où la royauté les contraignait à vivre en cachette ou dans l'exil, et où eux-mêmes enfreignaient chaque jour la volonté royale par leurs entrevues, leurs projets, leurs publications clandestinement répandues.

Le jansénisme demeura toujours tiraillé au XVII$^e$ siècle entre la force qui le poussait à se séparer et celle qui le happait vers le courant commun. Les résistances du patriciat bourgeois à l'esprit du gouvernement absolu, la conscience qu'il pouvait avoir de son importance expliquent la durée et l'obstination du mouvement ; le train général de la société, où les jeux étaient faits contre lui, explique sa faiblesse, et cette habitude qu'il avait de se nier lui-même, de se nommer par la bouche de ses plus acharnés promoteurs le « fantôme du jansénisme ».

*

Le jansénisme, même dans ce qu'il a de plus passionné, apparaît, au contraire du calvinisme, comme purement négatif au regard de la vie réelle. Il n'y a rien de semblable en lui à ce sens du devoir ou de la vocation terrestre qui accompagnait dans le calvinisme une théologie humaine. La Réforme, tout en poussant jusqu'à l'extrême les affirmations antinaturelles du christianisme, évitait de déprécier la vie laïque ; le contrôle chrétien s'étendait partout, mais il rehaussait toute chose. C'était

pratiquement, et quoique sous une forme très
particulière, la réhabilitation de la vie terrestre.
Par une sorte de compensation, où résida le sens
moderne de la Réforme, le renforcement de la
morale chassait l'ascétisme, les pratiques mortifiantes, dissolvait en partie l'anathème jeté sur
la vie. Au contraire, le catholicisme, quand il est
violent, l'est volontiers contre la vie ; toute la
dureté catholique, quand elle ne s'exerce pas uniquement sur le plan de la discipline extérieure,
peut tendre vers une sorte de protestation désespérée contre la nature humaine. C'est bien dans
ce sens que le jansénisme, coupé de la réalité et de
l'action, s'est dirigé. Un fort parfum monacal s'en
dégage ; grandi autour d'un couvent, et d'un
couvent de femmes, il conduit à ses dernières
conséquences l'opposition du ciel et de la terre.
En dépit de tendances contraires, qui existent en
lui, mais sans pouvoir s'y épanouir, il apparaît
surtout comme une forme aiguë de la négation.
Qu'on se reporte aux scrupules de Pascal dans la
vie courante tels qu'ils nous sont rapportés par sa
sœur, et on comprendra sans peine, au spectacle
de cette macération de tous les instants, à quelle
impuissance profonde était liée la fidélité catholique du jansénisme.

Ce qui demeure pourtant de redoutable dans le
jansénisme c'est la tournure volontiers agressive
que prend chez lui la négation des valeurs terrestres, de la justice humaine notamment, et de
l'autorité. Il a existé sur ce point une sorte de
nihilisme janséniste, d'autant plus audacieux

que la société réelle offrait moins de prise à la
subversion. Les passages des *Pensées* de Pascal
qui furent corrigés ou retranchés dans l'édition
de Port-Royal donnent la mesure de cette audace.
On est ici bien au-delà des pensées naturalistes qui
disqualifient la magnanimité ou la gloire. Tant qu'il
ne s'agit que de naturalisme moral, Port-Royal
se fond dans un courant plus vaste venu de tous
les coins de l'horizon moderne. Il tranche davantage
quand il se met à traiter la société et sa justice
de la même façon que l'homme et sa vertu, quand
le désaveu des valeurs humaines vient atteindre
le prestige de l'autorité et la dépouiller de son
auréole. Si déjà les *Maximes* de La Rochefoucauld
ont pu sembler socialement dissolvantes, que dire
des réflexions de Pascal sur la coutume, les digni-
tés, la justice, l'autorité? Sainte-Beuve, après
Joseph de Maistre, compare Jansénius à Hobbes,
et le rapprochement s'impose en effet entre certaines vues jansénistes et les critiques matérialistes
du droit et de la justice. Un Pascal ne peut admettre qu'il y ait quelque parcelle de justice,
si faible soit-elle, dans les institutions des hommes.
Les variations des lois et des coutumes à travers
le monde, leurs contradictions, leur inconsistance
du point de vue de la raison et du droit, leur
soumission au caprice ou au hasard, voilà ce qui
se présente à l'esprit de Pascal chaque fois qu'il
veut définir la société humaine. Un seul principe
d'unité dans ce chaos : la force. On connaît la
fameuse phrase : « Ne pouvant faire que ce qui
est juste fût fort, on a fait que ce qui est fort fût

juste [1]. » La prétendue justice n'est dans les
sociétés humaines que le masque de la puissance
brutale, comme la vertu était dans les individus
le déguisement des appétits. Tout au plus Pascal
ajoute-t-il à la force l' « imagination » ou l' « opinion », élément accessoire d'ailleurs, car « c'est la
force qui fait l'opinion [2] ». Au surplus « l'empire
fondé sur l'opinion et l'imagination règne quelque
temps... ; celui de la force règne toujours [3]. » Tout
l'ordre social ainsi rétabli dans sa vérité, nous ne
nous étonnerons pas de constater que le nihilisme
de Pascal renferme dans son propre sein, suivant
l'habitude du jansénisme, de quoi se rendre lui-
même inopérant. Car, si la croyance que les institutions existantes sont conformes à la justice est
absurde, l'illusion selon laquelle des institutions
justes pourraient les remplacer n'est pas moins
chimérique, et s'inspire, dans l'état de corruption
radicale de l'espèce humaine, d'une sacrilège
présomption. Aussi est-il insensé de s'élever, au
nom d'une justice impossible, contre une inévitable injustice : c'est ce que font les « demi-habiles »,
contre lesquels à plusieurs reprises Pascal donne
raison au vulgaire. Les « effets » devant lesquels
le peuple s'incline ont leur raison, quoique non
perçue par le peuple, dans l'inanité de toute
prétention humaine à la justice, et dans la nécessité
de l'ordre et de la paix. Tout le nihilisme de Pascal

1. Br., 298.
2. Br., 304.
3. Br., 311.

aboutit donc à la soumission, et au respect effectif de l'ordre établi. La double nature, à la fois entravée et révoltée, impuissante et réformatrice du jansénisme apparaît dans la nuance de ce respect, qui, pour entier qu'il soit, se veut exempt de toute illusion sur la valeur intrinsèque de ceux auxquels il est rendu. Les vrais « habiles », selon Pascal, sont ceux qui honorent les grands de ce monde, mais sans les estimer pour leur grandeur. Il y a dans l'obéissance de Pascal ce qu'il appelle lui-même une « pensée de derrière [1] », qui la distingue de l'obéissance vulgaire. Si Pascal se soumet à la force, c'est pour des motifs dont l'énoncé le met moralement au-dessus de la force. C'est ainsi qu'il appelle tyrannie, non pas l'excès dans l'exercice du pouvoir, car la puissance a tous les droits dans son domaine, mais la prétention à dominer « hors de son ordre », c'est-à-dire à usurper une catégorie d'hommages à laquelle on n'a pas droit, hommage d'estime par exemple quand on n'est que fort [2]. La dialectique pascalienne, avec ses ordres distincts et sa gradation constante du pour au contre, s'emploie ici à accoupler ingénieusement le mépris et l'obéissance.

Il faut bien se garder d'ailleurs de confondre l'attitude de Pascal, quand il revendique le droit

1. Br., 336 et 337.
2. Voir les *Trois discours sur la condition des Grands*, et toute la section V de l'édition Brunschvicg. Nicole a repris les idées de Pascal dans le groupe d'écrits qu'il a intitulés *De l'éducation d'un Prince* (1671), et auxquels il a adjoint les trois discours de Pascal.

de tenir les puissants pour ce qu'ils sont, avec
celle du philosophe qui, sa dette payée à la nécessité
sociale, veut être libre au-dedans. Pascal a plutôt
le ton d'un partisan, à qui les circonstances
contraires ne permettent pas d'autre dissidence
que celle du mépris. Car il s'agit bien d'une sorte
de mépris passionné, autorisé par le zèle chrétien,
et non pas, comme chez d'autres, d'une liberté
tranquille du jugement. Ce mélange de conformisme et de négation recouvre une amertume
aisément agressive ; témoin cette évocation :
« Quand la force attaque la grimace, quand un
simple soldat prend le bonnet carré d'un premier
président, et le fait voler par la fenêtre [1]. » La
violence, abstraction faite de l'appréciation que
Pascal pouvait porter sur elle en dernier ressort,
apparaît ici jusqu'à un certain point comme
l'organe de la vérité. Derrière la construction
apparemment équilibrée où semblent se concilier
la dépendance de l'homme social et la liberté du
penseur, persiste la trace amère d'un drame dont
Port-Royal a ressenti les vicissitudes douloureuses :
le drame d'une rébellion condamnée dans sa naissance. La société française ne connaîtra plus cette
position du problème politique, à la fois hardie
dans son principe, désespérée dans son dessein,
et banale dans ses conclusions, parce que plus
jamais ne se reproduira le cas du jansénisme,
c'est-à-dire d'un mouvement réformateur également dépourvu de tradition et d'avenir, ne s'ins-

1. Br., 310.

pirant ni de ce qui a été, ni de ce qui sera, mais
de ce qui aurait pu être et qui, par le fait de l'évolution monarchique triomphante, n'a pas été : le
règne des familles notables émancipées et de la
morale contrainte, le triomphe conjugué de la
conscience et de la règle.

# RACINE

La tragédie de Racine peut être considérée comme la rencontre d'un genre littéraire traditionnellement nourri de sublime avec un nouvel esprit naturaliste délibérément hostile à l'idée même du sublime. Il ne s'agit pas seulement des liens particuliers de Racine avec Port-Royal, qui furent, comme on sait, très étroits au cours des vingt premières et des vingt dernières années de sa vie. Le tempérament de Racine, et l'esprit général de son époque, qui déborde l'influence de Port-Royal, ont agi dans le même sens, et plus efficacement sans doute. La tragédie, telle qu'elle s'était reconstituée en France dans la première moitié du XVIIᵉ siècle, cherchait avant tout à produire dans le public l'élan de l'admiration morale. Les habitudes, les conventions même du genre, tout était orienté vers le grand. La tragédie était encore telle au temps de Racine ; même la mode de la tendresse n'en avait pas altéré profondément le caractère héroïque. Le public était accoutumé à admirer au théâtre les grandes actions, les pensées rares, les délicatesses du cœur ; c'est ce qu'il

attendait de ces héros, travestis ou non à l'antique,
de ces grands hommes et de ces Grands, rois et
princes, que la loi du genre imposait aux auteurs
comme les seuls personnages dignes de la tragédie.
A leur gloire était liée celle du poète, d'autant plus
admirable dans son domaine qu'ils l'étaient
davantage dans le leur. Ainsi s'explique que la
tentation de la tragédie héroïque ait été si forte
et si persistante chez Racine lui-même, en dépit
de son penchant naturel et de son système. Ce
serait une erreur de croire que Racine ait introduit
du premier coup la nature dans la tragédie, ni
peut-être qu'il ait clairement conçu le bouleversement qu'il imposait au genre. L'homme naturel
se glissa dans le théâtre tragique, sans en violer
le cadre ni les apparences et sans que l'ambition du
sublime ait jamais cessé tout à fait de s'attacher
aux créations du poète. Tout le théâtre de Racine
est fait d'oscillations entre le sublime traditionnel
et une psychologie qui le contredit, d'aménage-
ments et de gradations nuancées, souvent indé-
cises, au milieu desquelles les éléments les plus
nouveaux n'ont pas toujours, à première vue,
leur plein relief.

Racine a commencé par des tragédies conformes
au goût du temps, et on aurait peine à différencier
nettement la *Thébaïde* et l'*Alexandre* des tragédies
de Corneille et de ses successeurs. La *Thébaïde*
ressemble à *Rodogune* par la mégalomanie meurtrière des personnages principaux, par l'obsession
royale qui les hante, par le pathétique barbare
et entortillé de certaines scènes. La situation des

deux frères ennemis, qui se disputent un trône
auquel chacun d'eux peut également prétendre,
donne lieu à une longue suite de discussions et de
sentences glorieuses sur la valeur et le sens véritable de la dignité royale. Un scélérat, Créon,
oncle des deux frères, obsédé lui aussi par l'ambition du trône, criminel emphatique dans la nuance
cornélienne, s'écrie après la mort de ses deux
fils :

> *Le nom de père, Attale, est un titre vulgaire :*
> *C'est un don que le ciel ne nous refuse guère.*
> *Un bonheur si commun n'a pour moi rien de doux ·*
> *Ce n'est pas un bonheur s'il ne fait des jaloux.*
> *Mais le trône est un bien dont le ciel est avare ;*
> *Du reste des mortels ce haut rang nous sépare* [1].

Jocaste, mère d'Étéocle et de Polynice, se voyant
sans recours contre leur barbare ambition, veut
mourir et le dit avec cette amertume violente et
compliquée des héroïnes cornéliennes, de Sabine
ou de Rodelinde :

> *Je n'ai plus pour mon sang ni pitié ni tendresse.*
> *Votre exemple m'apprend à ne le plus chérir,*
> *Et moi je vais, cruels, vous apprendre à mourir* [2].

Pour que rien ne manque à la pièce, un couple
d'amants élégiaques et précieux, Hémon et Anti-
gone, viennent en agrémenter l'action, semblables
au Thésée et à la Dircé qui agrémentent chez
Corneille le sujet tout aussi atroce d'Œdipe.

---

1. *La Thébaïde*, V, 4.
2. *Ibid.*, IV, 3.

Même conformité au goût régnant dans l'*Alexadre*. Moins sanglante d'inspiration, cette tragédie rend à peu près le son d'un épisode du *Cyrus*. La fierté glorieuse s'y trouve étroitement mêlée à l'amour dans le couple du roi Porus et de la reine Axiane, ennemis d'Alexandre et décidés à défendre contre lui leur indépendance. Le personnage de Porus comble les vœux de cette reine qui exige de ses amants assez de courage pour servir avec succès son « illustre colère ». Il va presque au-delà des exigences de sa dame, un moment inquiète des dangers qu'il court ; mais comment lui conseillerait-elle de se soumettre ?

*Non, non, je n'en crois rien ; je connais mieux, Madame,*
*Le beau feu que la gloire allume dans votre âme* [1].

Car la gloire, dans cette pièce célèbre par sa tendresse, ne tient pas la place la moins importante. L'intraitable Axiane et Cléophile, princesse aimée d'Alexandre et conseillère de soumission, s'affrontent, se persiflent avec toute la hauteur glorieuse des femmes de Corneille ; Axiane, en face d'Alexandre victorieux, parle comme l'Émilie de *Cinna* ou la Cornélie de *Pompée*. Le grand Alexandre tient à sa Cléophile les mêmes propos que le César de Corneille à Cléopâtre ; devant sa dame, il n'est plus vainqueur, mais vaincu, il oublie toute sa gloire pour elle, etc. Et quand il a pardonné à ses ennemis, ce parfait chevalier sait

1. *Alexandre*, II, 5.

se faire un mérite de sa générosité aux yeux de
Cléophile :

> *Souffrez que jusqu'au bout achevant ma carrière,*
> *J'apporte à vos beaux yeux ma vertu tout entière* [1].

Rien n'apparaît donc, dans les premiers essais
de Racine au théâtre, de cette psychologie nouvelle de l'instinct qui devait être plus tard son originalité principale. Les passions vont ici de
l'héroïque au tendre, suivant la gamme habituelle.
Car il ne faudrait pas exagérer l'opposition, dans
la littérature de ce temps-là, de l'héroïsme et de
la tendresse. Il est vrai qu'à partir de 1650 on a
tendance à substituer à la religion des grands intérêts et à l'héroïsme la religion de l'amour, à remplacer les « généreux » par les « mourants » ; les
noms de Quinault, de Thomas Corneille, sont
restés liés à cette transformation, dont on peut
se demander pourtant si elle a eu tout le sens et
toute la portée qu'on lui attribue d'ordinaire. Ce
qu'on appelait tendresse à l'époque était une forme
renouvelée de la vieille religion courtoise et de ses
thèmes traditionnels : dévouement absolu à l'objet
aimé et idéalisation de l'amour. On a vu que le
conflit était très amorti entre la tendresse ainsi
conçue et les plus grandes vertus. Il faudrait, pour
qu'il éclatât, que la tendresse se mît en révolte
ouverte contre les valeurs morales admises par la
société. Mais tel n'est pas le cas le plus fréquent,
surtout dans la littérature du xviiᵉ siècle : même

1. *Ibid.*, V, 3.

dans l'*Astrée*, la générosité, sous ses formes les plus sublimes, conserve toujours ses droits. Aussi ne peut-il être question que de nuances, d'un dosage de l'héroïsme et de la tendresse. Dosage dans lequel la note dominante peut appartenir à l'héroïsme, comme chez Corneille, ou à la tendresse, comme dans les romans ou dans certaines tragédies contemporaines de celles de Racine. Les récriminations du vieux Corneille contre les auteurs tendres qui le continuent, et les accusations répétées de ces tendres eux-mêmes, généralement partisans du grand Corneille qui les accuse, contre la tendresse excessive de Racine [1], auquel d'autres reprochent en même temps son excès de brutalité, ont fini par former un enchevêtrement confus de polémique, d'où il ressort finalement que personne ne veut être tendre, que la religion du parfait amour avait honte d'elle-même, et aussi qu'elle était généralement implantée dans les habitudes littéraires, de sorte qu'il faudrait éviter de prendre cette contradiction du goût avoué et du goût réel pour la controverse de deux écoles bien distinctes [2]. En fait, on a mis au théâtre, bien avant la

1. On comprend à la rigueur qu'un Saint-Évremond reproche à l'*Alexandre* son excès de tendresse, car c'est un partisan assez conséquent du théâtre héroïque ; mais le *Mercure galant* et la *Gazette*, d'ordinaire enthousiastes de Thomas Corneille et de Quinault, font le même reproche à *Bajazet*.
2. D'une façon générale, il n'est rien de plus confus ni embrouillé que les polémiques littéraires au xviie siècle. Un débat sur une tragédie aboutit inévitablement à un fatras

vieillesse de Corneille, des épisodes de l'*Astrée*,
et l'on -trouverait sans peine dans le théâtre cornélien plus d'un « mourant » dans le genre d'Alexandre, non pas seulement, comme on le dit
d'habitude, dans les dernières tragédies, mais
dans celles de la belle époque : c'est en 1641 que
César soupire aux pieds de Cléôpatre, et *Rodogune*,
où l'on voit deux princes disposés à renoncer au
trône pour épouser une princesse qu'ils aiment,
est de 1644. Il est aussi rare de trouver une tragédie purement tendre qu'une tragédie purement
héroïque. Nous avons vu que l'*Alexandre* fait
une large part à l'héroïsme et à la gloire. Cette
interpénétration du sublime et de la tendresse
se comprend si l'on se souvient de leur source
commune : ce sont les deux créations principales
de l'idéalisme aristocratique. L'héroïsme et la tendresse sont liés tous deux à une certaine qualité
d'âme, hors de laquelle n'est concevable ni un
héros véritable ni un véritable amant. Et comme
cette qualité d'âme implique en même temps la
lucidité de l'esprit, le brillant des pensées, héros
sans pareils et parfaits amants sont volontiers
raisonneurs, au plus haut de l'héroïsme comme
au plus vif de la tendresse ; et cette habitude
aisément visible peut leur servir, si l'on veut, de
marque particulière. De la même façon, l'absence

de chicanes et d'arguties de détail relatives à la décence, ou
à la vraisemblance, ou à la vérité historique, ou à la correction grammaticale de tel ou tel passage, et il est extrêmement difficile en général de discerner un fil conducteur dans
la discussion, d'en dégager une vue d'ensemble.

de ce trait distinctif chez les héros véritablement
raciniens traduit un bouleversement, profond
celui-là, de la psychologie tragique. Peu importe
que le sublime ait tendance à s'attendrir en passant de Corneille à ses cadets ; il n'y aura de vraie
révolution que dans le rejet simultané de l'héroïsme et de la tendresse au nom de la nature :
c'est ce que tentera Racine, et c'est en cela qu'il
sera original.

•

*Andromaque* a inauguré non sans une certaine
soudaineté cette tentative. Ce n'est pas que les
éléments habituels du théâtre tragique ne puissent
s'y retrouver : un débat entre la Grèce victorieuse
et ce qui reste de Troie sert de cadre à l'intrigue,
d'où les intérêts d'État et les devoirs de famille
ne sont pas absents ; la rivalité de la veuve d'un
héros avec une jeune princesse orgueilleuse,
l'opposition d'un roi fier et violent à un parfait
amant longtemps éconduit, c'est là, vue du dehors,
toute la matière d'une tragédie conforme aux
habitudes reçues. Corneille avait usé de matériaux
à peu près identiques dans son *Pertharite*, sans
cesser d'être fidèle à ses conceptions et à son
génie. Et chez Racine même, la grandeur des
intérêts en présence, l'orgueil d'Hermione, le
dévouement d'Oreste, sont plus qu'une façade
conventionnelle recouvrant un drame brutal de
l'instinct. Ce sont des ressorts d'émotion tragique
qui attestent, chez Racine lui-même, la force de

la tradition. Il n'en reste pas moins vrai qu'*Andromaque* est quelque chose de tout nouveau et que
l'instinct y tient un langage inusité, incompatible
avec les traditions de la morale héroïque.

Avec *Andromaque* se dessine une psychologie
de l'amour, que Racine a reprise et approfondie
ensuite, surtout dans *Bajazet* et dans *Phèdre*, et
qui est, dans son théâtre, l'élément le plus ouvertement et le plus violemment contraire à la tradition. Autour de Racine, dans le théâtre tragique
de son temps et dans les romans qui avaient la
faveur du public, triomphait partout l'esprit,
plus ou moins modernisé, de la chevalerie romanesque. On peut dire que jamais en France cet
esprit n'avait été battu en brèche ailleurs que
dans la littérature satirique ou la comédie. Les
grands genres restaient son domaine. Racine a
rompu sa tradition, en introduisant dans la tragédie un amour violent et meurtrier, contraire
en tous points aux habitudes courtoises. Le caractère dominant de l'amour chevaleresque réside
dans la soumission ou le dévouement à la personne aimée ; il ne se permet d'aspirer à la possession que moyennant une sublimation préalable
de tous ses mouvements. Racine détruit d'un trait
de plume toute cette construction quand il écrit
dans la préface d'*Andromaque*, en réponse à ceux
qui trouvaient Pyrrhus trop brutal : « J'avoue
qu'il n'est pas assez résigné à la volonté de sa
maîtresse et que Céladon a mieux connu que lui
le parfait amour. Mais que faire ? Pyrrhus n'avait
pas lu nos romans. » De fait l'amour tel qu'il

deadly love
contradiction

apparaît chez les deux personnages principaux
d'*Andromaque*, n'a plus rien de commun avec le
dévouement : c'est un désir jaloux, avide, s'attachant à l'être aimé comme à une proie ; ce n'est
plus un culte rendu à une personne idéale, en
qui résident toutes les valeurs de la vie. Le comportement le plus habituel de cet amour, dans lequel
la passion de posséder est liée à une insatisfaction
profonde, au point qu'on le conçoit malaisément
heureux et partagé, est une agressivité violente à
l'égard de l'objet aimé, sitôt qu'il fait mine de
se dérober. L'équivalence de l'amour et de la
haine, nés sans cesse l'un de l'autre, cet axiome qui
est la négation même du dévouement chevaleresque, est au centre de la psychologie racinienne
de l'amour. Encore entrevoit-on, chez Pyrrhus et
chez Hermione, la possibilité d'une autre attitude,
si leurs vœux étaient exaucés. On peut en dire
autant de l'Atalide de *Bajazet*, partagée entre le
désir de sauver la vie de Bajazet, qu'elle aime, en
renonçant à lui pour apaiser Roxane, et celui de
provoquer sa mort plutôt que de le perdre, en
faisant éclater leur amour ; le premier désir
triomphe dans la conscience, bien que le second
soit assez fort pour dicter la conduite dans un
moment décisif et déchaîner la catastrophe :

*Et lorsque quelquefois de ma rivale heureuse*
*Je me représentais l'image douloureuse,*
*Votre mort (pardonnez aux fureurs des amants)*
*Ne me paraissait pas le plus grand des tourments* [1],

1. *Bajazet*, II, 5.

dit-elle à Bajazet au moment même où elle le
supplie de feindre de l'amour pour sa rivale ; mais
enfin elle l'en supplie, et, assurée au moins qu'il
l'aime, elle fera tout pour le sauver après l'avoir
perdu. Racine est allé plus loin avec le personnage
de Roxane : en elle l'agressivité semble fondue
en toute occasion à l'attitude amoureuse, et on
a peine à l'imaginer heureuse ; dès le début la
menace est dans sa bouche comme l'expression
naturelle de l'amour :

> *Bajazet touche enfin au trône des sultans :*
> *Il ne faut plus qu'un pas. Mais c'est où je l'attends* [1].

Et à Bajazet lui-même :

> *Songez-vous que je tiens les portes du Palais,*
> *Que je puis vous l'ouvrir ou fermer pour jamais,*
> *Que j'ai sur votre vie un empire suprême,*
> *Que vous ne respirez qu'autant que je vous aime* [2] ?

Avant *Bajazet*, Racine avait représenté dans
Néron, et sous une forme plus directement éro-
tique, l'union de l'amour et de la cruauté ; Néron
aime en Junie sa victime, et son amour est né du
spectacle d'une détresse dont il est lui-même la
cause ; la rêverie amoureuse qui suit cette première
impression est une rêverie de persécution. Dans
un caractère comme celui-là, la vertu aperçue dans
l'objet aimé peut en augmenter l'attrait, mais en

1. *Ibid.*, I, 3.
2. *Ibid.*, II, 1

irritant le désir, et non en exaltant le dévouement :

> *Et c'est cette vertu si nouvelle à la cour*
> *Dont la persévérance irrite mon amour* [1] *;*

c'est le mécanisme de l'amour courtois, mais
interprété au rebours de son sens ordinaire, et
comme parodié.

Les racines confondues de l'inimitié et de l'amour
ne plongent nulle part aussi profondément que
dans le cœur de Phèdre. La haine de celui qu'elle
aime emprunte chez elle un surcroît de force à
l'impossibilité morale où elle se trouve de s'abandonner à son désir. Parce que l'amour qu'elle a
pour Hippolyte la persécute, elle le voit lui-même
comme un persécuteur :

> *Mon repos, mon bonheur semblait être affermi ;*
> *Athènes me montra mon superbe ennemi...*
> *Par mon époux lui-même à Trézène amenée,*
> *J'ai revu l'ennemi que j'avais éloigné...* [2]*.*

Cet état de torture passive n'attend qu'une occasion pour se changer en agression : la découverte

---

1. *Britannicus*, II, 2.
2. *Phèdre*, I, 3. Dans cette même tragédie de Phèdre il y
a un autre personnage pour qui l'amour est aussi un sujet
d'anxiété, et qui ne s'y livre qu'avec remords, et c'est Hippolyte lui-même, en qui une sorte de misogynie juvénile joue,
plus faiblement, le rôle de censure que tient chez Phèdre la
morale matrimoniale et familiale ; voir II, 2 :
> Depuis plus de six mois, honteux, désespéré,
> Portant partout le trait dont je suis déchiré, etc.
C'est comme un double affaibli de Phèdre, qui ne contribue
pas peu à créer cette atmosphère de remords, de désaveu
de soi, qui est celle de toute la pièce.

des amours d'Hippolyte et d'Aricie libère la haine
latente de Phèdre ; elle dénonce à Thésée son
innocent persécuteur en lui imputant son propre
crime. De sorte que *Phèdre* nous représente un
véritable délire de persécution, issu d'un amour
coupable et aboutissant à un attentat. Il faut
ajouter que l'instinct de destruction qui accompagne l'amour chez les personnages de Racine
ne les épargne presque jamais eux-mêmes, et que
son aboutissement chez Hermione, chez Atalide,
chez Phèdre, est le suicide. La passion brutale
et possessive que Racine a substituée à l'amour
idéal de la chevalerie, en même temps qu'elle se
meut dans les limites de la nature, est impuissante à y trouver son aliment et son équilibre :
c'est par là surtout que la psychologie de Racine
se rattache aux vues inhumaines de Port-Royal [1].

\*

1. Il est faux de caractériser, comme on le fait d'ordinaire,
la psychologie de Racine uniquement par le fait que l'amour
y domine tous les autres mouvements. C'est dans les œuvres
d'inspiration courtoise, dans les romans, que l'amour règne
vraiment. Céladon, ou tel parfait amant cornélien, incarne
bien le triomphe de l'amour. Ce qui distingue le personnage
de Racine n'est pas la puissance de l'amour, mais la forme
de cet amour, à la fois égoïste en ce qu'il vise à la possession
de l'objet à n'importe quel prix, et ennemi de lui-même,
tout entier tourné vers le désastre. La nouveauté de Racine
ne réside pas dans la primauté donnée à l'amour parmi les
autres instincts, mais dans la façon de concevoir l'instinct
en général, étranger à toute valeur, et tragique, en un mot
*naturel*, au sens janséniste de ce mot.

Le théâtre de Corneille n'est pas exempt de
violence ou d'horreur. Et pourtant il reste au-
dessus de la nature, même en cela. C'est que la
jalousie, le crime et la vengeance s'y accompagnent
d'une affirmation consciente de l'individu. Le
passage de l'amour à la haine, de la prière au défi
s'y fait dans la clarté et avec éclat ; chez Racine
au contraire, les volte-face de l'instinct mènent
et ballottent le moi au lieu de l'exalter. Le propre
de la passion telle que la conçoit Racine est qu'elle
tend à posséder d'abord celui qui l'éprouve ;
elle est la négation de la liberté, la réfutation vivante de l'orgueil. Ceux qui décrivent la passion
sous sa forme égoïste sont d'ordinaire les mêmes
qui la jugent fatale dans sa puissance et dans ses
mouvements. La Rochefoucauld et Racine se
rejoignent ici dans l'intention de rabaisser l'homme
au niveau de la nature [1]. Et pour que la servitude
de l'homme soit complète, Racine, comme La Rochefoucauld ou Pascal, submerge sa raison et
sa conscience en même temps que sa volonté,
et veut qu'il se fasse illusion sur ce qui le conduit.
C'est là qu'on aperçoit peut-être le plus nette-

---

1. La Rochefoucauld : « Si l'on juge de l'amour par la
plupart de ses effets, il ressemble plus à la haine qu'à l'amitié » (Max. 72) ; « Il n'y a point de passion où l'amour de soi-
même règne si puissamment que dans l'amour… » (Max. 272) ;
et d'autre part : « La plus juste comparaison qu'on puisse
faire de l'amour, c'est celle de la fièvre : nous n'avons non
plus de pouvoir sur l'un que sur l'autre, soit pour sa violence
ou pour sa durée » (Max. 638).

ment le chemin parcouru de Corneille à Racine,
et de l'*Alexandre* ou de la *Thébaïde à Andromaque.*
Le langage d'Hermione n'est pas comme celui de
Chimène ou d'Émilie, à l'image de ses actes et
de leurs mobiles vrais ; il ne renseigne sur l'Hermione véritable qu'à travers une déformation
qu'il appartient à nous de corriger si nous voulons
saisir les vrais ressorts qui la font agir, et que ses
propos sont destinés à dissimuler à nos yeux
comme aux siens. C'est dans ce qu'on est convenu
d'appeler le dépit amoureux que cette duplicité
du conscient et de l'inconscient est le plus communément visible ; Hermione abandonnée de Pyrrhus prétend ne plus l'aimer, mais veut rester
auprès de lui, afin, dit-elle, de le haïr davantage ;
et comme Cléone veut l'éclairer sur elle-même :

> *Pourquoi veux-tu, cruelle, irriter mes ennuis ?*
> *Je crains de me connaître en l'état où je suis* [1].

La passion telle que la peint Racine veut l'obscurité pour agir, et quand elle prétend s'expliquer
ou raisonner sa conduite, il faut chercher derrière
ses fausses raisons quelque intérêt tout-puissant
du cœur. Racine, fidèle ici à l'esprit du jansénisme,
fait de l'exercice de l'intelligence une duperie.
Les personnages raciniens ne se sont jamais plus
bas dans l'échelle de la grandeur humaine que
quand par hasard ils argumentent : c'est Hermione,
follement raisonnante dans le désaveu dont elle
prétend accabler Oreste après le meurtre qu'elle

1. *Andromaque,* II, 1.

lui a elle-même commandé, ou Atalide interpré-
tant de façon délirante la soumission que Bajazet
a témoignée sur ses propres instances à l'amour de
Roxane [1].

Ce faux usage de la raison que Racine attribue
à ses héros fait invinciblement penser dans certains
cas à une sorte de caricature de l'héroïsme, réduit
à une façade verbale, dont nous entrevoyons le
réel et peu brillant revers. C'est ainsi qu'Hermione
invoque constamment, pour demeurer auprès de
Pyrrhus infidèle, son devoir, sa gloire, et même
la gloire du nom grec :

> ... *Songez quelle honte pour nous*
> *Si d'une phrygienne il devenait l'époux* [2] !

Pyrrhus revenu à elle, le jeu continue ; elle conge-
die Oreste en termes cornéliens :

> *L'amour ne règle pas le sort d'une princesse :*
> *La gloire d'obéir est tout ce qu'on nous laisse* [3].

Quand Pyrrhus l'aura de nouveau délaissée, elle
invoquera, pour convaincre Oreste de le tuer, sa

---

1. Ces inconséquences du dépit et de la jalousie n'étaient
pas inconnues dans la littérature romanesque ; toute
l'intrigue de l'*Astrée* repose sur un incident du même genre.
Racine, ici comme en d'autres domaines, semble reprendre
une tradition romanesque alors qu'il l'utilise à des fins toutes
nouvelles.

2. *Andromaque*, II, 2. L'inconscience touche ici au comique,
par le contraste des motifs invoqués et des mobiles réels ;
cf. II, 5, les fanfaronnades de Pyrrhus, quand il se prétend
victorieux de son amour pour Andromaque, et veut aller
la voir encore, « pour la braver ».

3. *Ibid.*, III, 2.

gloire offensée et la haine des tyrans. C'est le
langage de Corneille, mais à une place où tout le
dénonce comme mensonger. La tradition héroïque,
fidèle à elle-même en apparence, ne se retrouve
ici que pour se nier.

\*

Il serait faux pourtant de croire que l'égarement
de la raison accompagne en toute occasion la
violence de la passion racinienne. Après *Andromaque*, Racine semble avoir préféré de plus en
plus la peinture d'une déchéance lucide, qui se
contemple elle-même avec désespoir et se sait
sans remède. L'altération inconsciente du jugement, si elle marque un moment plus avancé
peut-être dans l'anéantissement du moi héroïque,
s'accompagne par contre d'un état d'irresponsa-
bilité qui peut nuire à la profondeur du pathétique : la perdition la plus douloureuse est celle
qui se mesure elle-même. Déjà Hermione et Roxane, les moins déprimées pourtant des héroïnes
raciniennes, prennent plaisir à contempler leur
infortune, à se retracer amèrement les mépris
que leur faiblesse accepte. Ainsi Hermione :

> *Le cruel ! de quel œil il m'a congédiée !*
> *Sans pitié, sans douleur, au moins étudiée.*
> *L'ai-je vu se troubler et se plaindre un moment ?*
> *En ai-je pu tirer un seul gémissement ?...*
> *Et je le plains encore ? Et pour comble d'ennui,*
> *Mon cœur, mon lâche cœur s'intéresse pour lui*[1] *?*

1. *Ibid.*, V, 1.

De même Roxane, à qui la révélation soudaine de la défaite et du malheur découvre en même temps sa propre faiblesse :

> *Tu ne remportais pas une grande victoire,*
> *Perfide, en abusant ce cœur préoccupé,*
> *Qui lui-même craignait de se voir détrompé*[1].

La lamentation tragique devant le destin, héritée de l'antiquité, et qui se revêtait chez Corneille et ses contemporains d'un langage stoïque, réapparaît chez Racine comme une lamentation véritable, mais transposée de l'ordre de la fatalité extérieure à celui de la fatalité passionnelle, et surchargée des angoisses du remords et du mépris de soi. Pour l'orgueil du moi, la passion coupable est un aveu radical de misère, et cet aveu, altérant jusqu'aux rapports de l'homme avec l'univers, peut atteindre l'intensité d'une angoisse métaphysique :

> *Et moi, triste rebut de la nature entière,*
> *Je me cachais au jour, je fuyais la lumière*[2]...

Évidemment une culpabilité aussi écrasante ne peut s'attacher qu'à des instincts réputés monstrueux ; mais au fond tout instinct, dans la conception pessimiste de Racine et de Port-Royal, entre à quelque degré dans cette catégorie[3]. Le carac-

---

1. *Bajazet*, IV, 5.
2. *Phèdre*, IV, 6.
3. Si Racine est chrétien dans ses tragédies, ce ne peu. être que par la culpabilité dont il accompagne l'amour. On connaît l'agrément qu'Arnauld donna à *Phèdre*. Du cas de

tère inquiétant attribué à l'instinct justifie une
répression sévère qui entretient en retour l'horreur
de l'homme pour son être. On voit aisément
combien cette lutte sans fin de la nature et de la
morale, avec ses antithèses et ses retours, est
différente de l'élan direct et continu de la sublimation héroïque.

La révolution que Racine a accomplie entre
*Alexandre* et *Andromaque* est donc avant tout
une révolution dans la psychologie de l'amour,
et on conçoit qu'il en soit ainsi si l'on songe qu'en
aucun autre domaine une représentation naturaliste de l'homme n'aurait pu, compte tenu des
conventions de l'époque, présenter une valeur
tragique. En outre la nouveauté était plus facile
à sentir dans ce domaine : l'amour seul peut unir
à l'égoïsme la perte de soi et l'égarement ; l'ambition garde toujours quelque lucidité, quelque
estime d'elle-même, et il n'est pas facile d'y séparer ce que le désir a d'intéressé de ce qu'il a de
glorieux ; c'est une affaire de nuances en tout cas,
au regard du contraste violent qui oppose par

Phèdre, symbole de la misère naturelle, Racine n'avait tiré
évidemment qu'une peinture tragique médiocrement édifiante. Mais le prestige et l'attrait que le crime peut avoir
au théâtre, les audaces et les dangers de la mise en œuvre
littéraire du péché, n'affaiblissaient pas le sens, profondément rabaissant pour l'homme, de la peinture.

exemple, dans le domaine de l'amour, un Pyrrhus
à un Sévère. Ainsi c'est à la peinture de l'amour
que Racine a surtout demandé le renouvellement
du tragique : c'était par là qu'il pouvait saisir
et surprendre le mieux le public. Mais le reste
était trop important, l'ambition et l'orgueil
avaient depuis trop longtemps droit de cité dans
la tragédie pour qu'il pût échapper à la nécessité
de les accommoder à l'atmosphère nouvelle qu'il
avait créée. D'ailleurs on ne pouvait faire grand,
selon l'opinion des contemporains, sans peindre
le grand et Racine fut toujours soucieux de prouver qu'il y pouvait exceller, en sorte que, si c'est
dans la peinture de l'amour qu'il a fait éclater
son génie propre, cette peinture est loin d'occuper
son théâtre tout entier. Plus importante pour ses
contemporains, et pour lui-même, sinon pour nous,
était la partie de l'œuvre où s'affirmait le dessein
de peindre des héros ambitieux et de grands
intérêts. Cependant l'accent de la grandeur n'est
plus le même chez Racine qu'il était chez les
auteurs tragiques de la génération précédente ;
il est intéressant d'observer de près, dans cette
différence, l'altération du sublime héroïque. Les
demi-teintes occupent une place immense dans le
théâtre de Racine, et n'ont pas moins d'intérêt
que les nouveautés brutales.

Dans l'amour même les personnages de Racine
ne sont pas toujours exempts d'orgueil, et cet
orgueil des amants et surtout des amantes jalouses
ou dépitées n'est pas toujours une simple façade.
Hermione rougit de donner à Oreste, qu'elle a

jadis délaissé, le spectacle de sa propre infortune :

> *Quelle honte pour moi, quel triomphe pour lui*
> *De voir mon infortune égaler son ennui !*
> *Est-ce là, dira-t-il, cette fière Hermione ?* [1]...

De même Roxane ressent l'indifférence et la trahison de Bajazet comme une offense :

> *O ciel, à cet affront m'auriez-vous condamnée* [2] *?*

Quand son malheur cesse d'être douteux, les tourments de l'orgueil l'accroissent :

> *Dans ce comble de gloire où je suis arrivée,*
> *A quel indigne honneur m'avais-tu réservée ?*
> *Traînerais-je en ces lieux un sort infortuné,*
> *Vil rebut d'un ingrat que j'aurais couronné,*
> *De mon rang descendue, à mille autres égale,*
> *Et la première esclave enfin de ma rivale* [3] *?*

Mais la nouveauté réside en ce que cet orgueil n'est plus exaltant. C'est une blessure du moi à laquelle on pense toujours sans pouvoir la fermer ; les pensées d'orgueil sont là pour entretenir, au moyen d'une honte cruelle et qui ne peut plus s'oublier que dans la violence, le sentiment de la déchéance. L'orgueil n'est plus l'aiguillon de l'honneur, mais la mesure du déshonneur. Semblable aux autres passions, violent et misérable comme elles, il est rentré dans la nature.

Il a suffi pour cela d'un changement de ton parfois imperceptible, d'une nuance que les

---

1. *Andromaque*, II, 1.
2. *Bajazet*, III, 7.
3. *Ibid.*, V, 4.

contemporains peut-être ne saisissaient pas toujours clairement, mais qu'une oreille habituée
au langage de la gloire ne pouvait pas ne pas
ressentir, même sans se l'expliquer : « Il ne s'en faut
presque rien qu'il n'y ait du grand, disait Saint-
Évremond d'*Andromaque*... ceux qui veulent des
beautés pleines y chercheront je ne sais quoi qui
les empêchera d'être tout à fait contents [1]. »
C'était le sentiment général des ennemis de Racine :
il était insuffisant à leurs yeux plutôt que mauvais [2]
Si l'on veut saisir de façon plus concrète en quoi
consiste le changement, on trouvera que l'orgueil
et l'ambition ont cessé de s'exprimer sentencieu-
sement, c'est-à-dire de se connaître et de se décrire ;
ils ne sont plus éclairés et soutenus par la conscience
de soi et c'est pour cela qu'ils ont cessé d'être exal-
tants. Rien de plus profond à cet égard que la parole
de Vauvenargues : « (Les personnages de Corneille)
parlent afin de se faire connaître ; (les personnages
de Racine) se font connaître parce qu'ils parlent [3]. »
Il faut entendre que les premiers veulent communiquer par le langage une image d'eux-mêmes que
leur esprit connaît déjà, tandis que les seconds se
découvrent dans leurs propos, sans toujours se
connaître. C'est tout l'abîme qui sépare la psychologie naturaliste du bel esprit héroïque, et la
force des faits de celle du sublime.

1. Dans une lettre à M. de Lionne.
2. Cf. M^me de Sévigné, lettres des 13 janvier, 15 janvier
et 16 mars 1672.
3. Vauvenargues, *Réflexions critiques sur quelques poètes*,
V, VI.

A diverses reprises au cours de sa vie, dans
*Britannicus* et dans *Mithridate* surtout, Racine
a essayé d'écrire des tragédies où la peinture des
grandes ambitions fût au premier plan. Dans
*Britannicus* l'intrigue amoureuse est au moins
balancée par le duel d'ambition de Néron et de
sa mère. Il ne faut pas négliger l'effet que pouvaient
produire, au xvii<sup>e</sup> siècle surtout, les apostrophes
orgueilleuses d'Agrippine à Burrhus, ou les affirmations impériales de Néron, disputant à sa mère
l'empire de l'univers. Mais on sent bien en quoi
Agrippine diffère d'une ambitieuse cornélienne.
L'orgueil est chez elle comme une expansion
soudaine, déréglée, insultante du moi, qui s'accompagne de plus de souffrances que de satisfactions ;
c'est un endroit douloureux du cœur :

> *Que dis-je ? l'on m'évite, et déjà délaissée...*
> *Ah ! je ne puis, Albine, en souffrir la pensée* [1].

Cet orgueil ne s'exprime jamais en « maximes »
glorieuses ; il éclate en démarches imprudentes,
en menaces inconsidérées ; il traîne après lui le
malheur et la mauvaise conscience. Néron, aussi
avide de domination que sa mère, perd aussi vite
son assurance devant elle — il l'avoue lui-même —
qu'elle perd son sang-froid devant le danger,
de sorte que leur combat, tout en impulsions et
en mouvements instinctifs, a plutôt l'allure d'une
crise passionnelle que d'une lutte d'ambitions
selon la formule cornélienne. On pourrait trouver

---

1. *Britannicus*, III, 4.

la même peinture naturaliste de l'ambition dans le personnage de Mithridate, le plus cornélien peut-être, dans le dessein tout au moins, de tous les héros de Racine. Avec toute la hauteur de son caractère, avec la hardiesse de ses desseins et le prestige de sa volonté, ce grand homme reste en deçà du caractère héroïque. Autoritaire, brutal, orgueilleux sans sublimité et grand sans chevalerie, usant de morale à son corps défendant avec Monime, et dissimulant sous un langage imposant des ruses cyniques de despote, Mithridate, dans l'amour et aussi dans l'ambition, que Racine a voulue chez lui plus forte que l'amour [1], est en proie à une nature violente qui le conduit plus obscurément qu'il ne conviendrait à un héros. A dessein ou non, Racine a toujours peint les passions réputées grandes sous leur jour le moins édifiant [2].

1. L'exemple de Mithridate éclaire ce que peuvent être chez Racine les rapports de l'amour et des grands intérêts : comme ni l'un ni les autres n'échappent à la définition naturaliste de l'instinct, le dernier mot est au mouvement le plus fort, sans qu'il y ait matière à un débat édifiant. Racine sacrifie même plus aisément l'amour que Corneille, que les principes courtois obligent à plus de précautions et de justifications. Les rois et les princes amoureux renoncent plus volontiers à leur trône ou à leur ambition dans Corneille que dans Racine (comparez par exemple le personnage de Titus à son pendant cornélien de *Tite et Bérénice*).
2. Sans doute faut-il expliquer par ce côté du génie racinien le fait que Saint-Évremond, si favorable aux noirceurs de la tragédie et défenseur de *Rodogune*, ait critiqué *Britannicus* comme une pièce trop noire et trop horrible. En bon

\*

L'audace du naturalisme racinien n'a été aperçue qu'assez tardivement par la critique. La continuité des conventions et de l'apparat extérieur du genre tragique, de Corneille à Racine et de Racine à ses successeurs, a contribué à estomper aux regards la révolution profonde opérée par Racine. C'est seulement à la fin du xixᵉ siècle qu'on s'est avisé de la violence profonde de la tragédie racinienne. Bien des causes étrangères au simple souci de la vérité ont contribué à cette découverte. Le discrédit définitif des bienséances classiques, le penchant croissant du public pour une littérature affranchie des préjugés, moraux et mondains, contraignaient la critique universitaire de cette époque à porter la défense du siècle de Louis XIV sur un plan différent de celui où elle s'était située jusque-là, à montrer dans les écrivains classiques, au moins autant que les modèles du bon goût, les peintres sans pitié de la vérité humaine. Le souci de trouver, dans le classicisme même, un substitut aux audaces du romantisme et du naturalisme, est évident chez Brunetière, Jules Lemaître et leurs continuateurs. Ils invoquent la brûlante vérité des peintures du grand siècle pour diminuer le sens des révolutions littéraires qui ont suivi. Ainsi la redécou-

cornélien, il voulait du sublime, même dans le crime, de la gloire, des desseins hardis ; les âmes de *Britannicus* ne sont que basses à ses yeux.

verte des classiques à laquelle on assiste à la
fin du xixᵉ siècle, trop vite résolue en lieux
communs réactionnaires, n'a pas toujours eu les
effets éclairants qu'on en pouvait attendre. Sur
le plan moral encore moins que sur le plan littéraire : car on a fait les classiques édifiants à rebours, non plus par la noblesse, mais par la sévérité
du coup d'œil ; on n'a consenti à trouver dans
leurs œuvres tant de cruelle vérité que pour
autoriser du prestige de leur génie les disserta-
tions les plus tendancieuses sur l'humanité éternelle, et éternellement indigne d'estime, pour
faire du réalisme classique un antidote aux enthousiasmes de l'humanisme révolutionnaire. Cependant, l'usage qu'on a pu faire, dans la lutte des
idées, de cette interprétation du classicisme n'en
affecte pas la valeur intrinsèque. Elle demeure
comme un moment, impossible à négliger, de la
connaissance critique du siècle de Louis XIV,
et dans ce moment nous sommes si bien inclus
nous-mêmes, que nous avons peine à imaginer
la position qui a précédé celle-là. Elle a existé
pourtant, et elle a eu elle aussi ses évidences et
sa certitude. Pendant près de deux siècles, personne n'a senti la violence ou l'audace de Racine.
Pour toute la période classique, et au-delà jusqu'au
xixᵉ siècle lui-même, Racine a représenté au
contraire la correction fine, le goût allié à la vérité,
le tempérament de l'art imposé aux passions de
la nature. Vauvenargues, Voltaire, Sainte-Beuve,
Taine admiraient ou critiquaient dans son œuvre
tout autre chose que la violence. Et ils n'avaient

pas entièrement tort en cela. Car Racine n'a pas toujours fait régner la brutalité de la nature sur les ruines du sublime ; en bien des cas, il s'est contenté d'adoucir, d'apprivoiser la gloire ; il a humanisé l'héroïsme, affiné l'orgueil, attendri le bel amour. Partout où s'exprime chez lui un sentiment touchant, partout où se fait jour un caractère sympathique, partout où ne parle pas seulement la nature violente et obscure, c'est-à-dire dans une part très considérable de son œuvre, règne une noblesse élégante qui peut le caractériser tout autant que la violence de certaines peintures. Andromaque et Monime, Bérénice et Iphigénie, Britannicus, Bajazet, Xipharès prolongent dans le grand théâtre racinien, sous une forme plus délicate et plus naturelle, l'atmosphère de l'*Alexandre*.

A cette conception nouvelle de la noblesse morale l'influence du naturalisme janséniste n'a plus guère de part. Ce n'est plus ici la nature au sens violent de Port-Royal, c'est le naturel au sens où on l'entendait à la cour. La soumission de la noblesse s'était accompagnée, dans l'ordre moral, d'une dégradation des valeurs héroïques ; mais bien des restes persistent de l'ancien esprit, dont on conserve les éléments les moins inquiétants pour le pouvoir, les plus compatibles avec l'abdication du vieil orgueil. Les valeurs aristocratiques s'accommodent au temps sans se renier tout à fait ; l'ancienne idée du beau moral se survit encore à la cour, mais comme le dehors bienséant, la parure touchante de la vie réelle.

On connaît les pages célèbres où Taine rapproche les mœurs du théâtre racinien de celles de
la cour de Versailles. Si on laisse de côté l'aspect
purement esthétique de la question, et l'accord
incontestable de l'architecture de l'œuvre et de
sa forme avec l'étiquette, l'ordonnance et la
pompe de la vie de cour, et si l'on recherche l'évolution morale profonde qui accompagne et facilite
les progrès de l'esthétique classique, on constate,
sous le triomphe de la régularité littéraire, un adoucissement général des vieux idéaux héroïques.
La règle déjà tyrannique et le culte encore vivace
des héros s'accordent tant bien que mal chez
Corneille et ses contemporains. L'évolution
poursuivie chez Racine aux dépens du héros
s'achève par la victoire élégante et tranquille de
la règle.

Sans doute Racine ne fut-il ni le premier ni
le seul à imprégner de douceur et de tendresse les
beaux sentiments tragiques. Il y avait là, dans
une certaine mesure, une évolution générale.
Mais les doux et les tendres, Thomas Corneille
et Quinault même, conservaient le ton glorieux,
l'habitude de la subtilité sentimentale. Racine
est le premier qui ait élaboré vraiment dans un
sens plus naturel et plus moderne l'héritage romanesque. Ses personnages mettent dans l'héroïsme
une réserve spontanée, une discrétion de style,
qui rompent avec les habitudes de la gloire et
du bel esprit. Jamais le passage n'est coupé chez
eux entre l'attitude héroïque et l'expression toute
simple des mouvements du cœur. Le cas d'Andro-

maque, veuve exemplaire selon la tradition, et
la comparaison qu'on peut faire aisément entre
elle et ses devancières, notamment la Cornélie de
*Pompée*, le contraste de la rancune naturelle et
de la fierté décente de l'une avec la haine éclatante et la jactance des autres, donne la mesure
de l'originalité de Racine. Il arrive que ses personnages soient moralement au-dessus de la nature
commune, mais l'écart n'est jamais miraculeux
ou immodeste. Le bon goût que Vauvenargues lui
attribue et qu'il refuse à Corneille, ce « sentiment
fin et fidèle de la belle nature [1] » n'est pas seulement chez lui un don esthétique, mais une nouveauté morale : c'est l'accommodation des vertus
héroïques à l'atmosphère tempérée de la cour, où
il convenait que rien dans l'individu ne s'élevât
de façon trop éclatante au-dessus du commun.

Racine est revenu sans cesse sur le thème, si
commun à cette époque, de la jeune fille contrainte
dans son amour par une autorité ou un intérêt
supérieur à elle. C'est tout le sujet d'*Iphigénie*,
de *Bérénice* et en grande partie celui de *Mithridate*. Mais s'il est vrai qu'Iphigénie, Bérénice et
Monime ne s'abstiennent pas toujours, au plus
fort de leurs épreuves, d'évoquer leur « gloire »
comme la Pauline de Corneille, elles obéissent
ou se révoltent sans orgueilleuse exaltation, sans
subtilité et sans grandiloquence. Bérénice délaissée
commence par des reproches où il y a plus d'amour
que d'amour-propre, puis plus de désespoir que

1. *Réflexions critiques sur quelques poètes*, V-VI.

de colère, et enfin, croyant comprendre qu'elle
n'a pas cessé d'être aimée, et répugnant à répandre
autour d'elle le malheur, se résigne d'une façon
que Racine a voulue seulement touchante :

> *Bérénice, Seigneur, ne vaut point tant d'alarme* [1].

Quand Iphigénie demande à Achille furieux de
se soumettre aux volontés d'Agamemnon, qu'elle
l'exhorte à se soucier davantage de leur gloire à
tous deux, et qu'il discute ses arguments, on est
bien près du bel esprit romanesque, et on y serait
tout à fait, si les mouvements du cœur étaient
moins sensibles dans ce débat, si le jeu intellectuel ne s'y effaçait dans le jeu plus profond de
la tendresse et du reproche, de la réserve ou de
l'abandon. On peut en dire autant de Monime,
la plus cornélienne peut-être des héroïnes de
Racine : elle bannit Xipharès après lui avoir
avoué qu'elle partage sa passion, en espérant
qu'il l'aidera lui-même à conserver sa gloire intacte ;
mais le ton est celui de la tendresse triste, et
l'ingéniosité des pensées, toujours mise en œuvre
avec discrétion, disparaît presque dans la courbe
adoucissante de la plainte :

> *J'entends, vous gémissez ; mais telle est ma misère.*
> *Je ne suis point à vous, je suis à votre père.*
> *Dans ce dessein, vous-même, il faut me soutenir,*
> *Et de mon faible cœur m'aider à vous bannir.*
> *J'attends du moins, j'attends de votre complaisance*
> *Que désormais partout vous fuirez ma présence.*
> *J'en viens de dire assez pour vous persuader*

1. *Bérénice,* V, 7.

*Que j'ai trop de raison de vous le commander.*
*Mais après ce moment, si ce cœur magnanime*
*D'un véritable amour a brûlé pour Monime,*
*Je ne reconnais plus la foi de vos discours*
*Qu'au soin que vous prendrez de m'éviter toujours* [1].

Cette forme délicate du sublime est plus étroitement liée qu'on ne croirait à l'utilisation tragique de la violence : la plainte, dans le système tragique de Racine, est l'accompagnement de la cruauté. En substituant, au type de l'*héroïne* parleuse et hautaine, celui de la *victime* secrètement gémissante, Racine alliait ensemble une poésie cruelle, un pathétique voilé, et une peinture enfin vraisemblable des beaux sentiments. Dans cet alliage tout nouveau, l'héroïsme perdait sa figure ancienne même quand apparemment son langage et sa conduite étaient demeurés les mêmes.

*

Ce changement de ton n'a pas été sans difficultés. C'est ainsi que les peintures sympathiques de Racine, dès qu'il s'agit de héros masculins, sont irrémédiablement faibles ; ce qui n'apparaît qu'adouci dans les héroïnes est fade chez les héros. « Tendres, galants, doux et discrets », comme dit Voltaire ; tels étaient, non seulement les jeunes premiers de Racine, mais le jeune premier selon l'idéal des courtisans. Cette image

1. *Mithridate*, II, 6

flottait dans l'air à cette époque ; c'était tout
ce qui pouvait rester de la chevalerie dans une
cour d'où toute affirmation excessive de soi était
bannie. Racine a bien fait ce qu'il a pu pour
conserver à ses soupirants, Britannicus, Bajazet,
Xipharès, de l'ambition, du courage, de l'attachement à leurs prétentions royales ; il a essayé
de les rendre virils en même temps que touchants,
ce qui ne veut pas dire qu'il soit parvenu à ceci
ni à cela. Il travaillait dans les limites que son
temps lui traçait : la dégradation de l'héritage
chevaleresque, et l'attrait qu'il exerçait encore,
étaient indépendants de sa volonté, et tout
son génie n'a pas pu sortir de cette contradiction.

Hors cette image du gentilhomme délicat et
du parfait amant, la cour ne concevait pas d'autres
types que celui de l'honnête homme, ou celui de
l'intrigant, tous deux médiocrement intéressants
pour la tragédie, ou encore celui du politique à
grands desseins. Mais, bien entendu, à l'époque où
écrivait Racine, la seule politique qui fût capable
d'alimenter un drame, celle de *Cinna* ou de *Nicomède*, était morte. Le temps de la rébellion aristocratique était passé, et l'absolutisme triomphant
avait rendu désuets, à vingt ans d'intervalle, le
personnage du conspirateur héroïque et les
maximes de la politique généreuse. C'est bien
pourquoi le drame politique tient si peu de place
dans Racine, en dépit de Racine lui-même. Il
a beau avoir écrit *Britannicus* et *Mithridate* :
dès lors que la politique n'enthousiasme pas,

qu'elle ne se développe pas en formules exaltantes,
qu'elle ne montre pas aux prises un pouvoir injuste et des héros vengeurs — et Racine n'a pas
voulu suivre en cela des habitudes qu'il sentait
vieillies — elle se résout en un jeu d'ambitions
qui ne s'élèvent guère au-dessus du niveau des
passions privées. Même quand le regard est plus
vaste, quand un grand dessein s'exprime ou que
se plaide une grande cause, quand Racine ouvre
au spectateur une fenêtre plus large sur la vie
publique et sur l'histoire, ses tableaux, ses récits,
son éloquence se tiennent toujours dans les limites
de la nature. Ce sont des exposés où il y a plus de
sens, de conduite et de mouvement naturel que
de souffle héroïque. Tels sont les grands discours
d'Agrippine et de Mithridate, où les discussions
du premier acte d'*Iphigénie*. C'est de la politique
positive et non plus de la politique glorieuse ;
c'est de la politique de cour et de conseil royal,
à la fois vaste et réfléchie, imposante dans son
allure et intéressée dans ses buts.

Ce n'est pas que Racine ait toujours écarté
de ses scènes politiques les sentences et l'emphase ;
la tradition, le désir d'égaler Corneille, les lui
suggéraient avec trop de force. *Britannicus* est
rempli de belles formules sur l'ancienne Rome, et
*Mithridate* reproduit en partie les traditionnelles
tirades des rois contre la servitude romaine. Mais
l'évocation de la Rome républicaine est devenue
bien pâle dans *Britannicus* ; la vertu romaine est
un souvenir, et non plus un ressort de l'action,
et la tirade où Burrhus décrit à Néron le monarque

idéal qu'il pourrait être ressemble plus à une sup-
plique désespérée qu'aux ombrageuses remontrances qu'on trouve en pareil cas chez Corneille.
Il n'est pas indifférent que l'opposition au despotisme se traduise en gémissements dans les tragédies de Racine ; il ne pouvait guère en être autrement à l'époque où elles ont paru. Mais aussi
on sent bien qu'il fallait autre chose qu'un conflit
du type Néron-Burrhus pour soutenir une tragédie,
et l'on comprend que le drame politique, affaibli
à ce point, soit devenu un ornement, plus ou moins
important, d'une action plus substantielle. C'est
aussi le cas dans *Mithridate*. Et que dire des débats
diplomatiques d'*Andromaque*, des discussions
musulmanes de *Bajazet*? Que donnent-ils d'autre
à l'action qu'un prétexte ? La politique tient peut-
être une place plus réelle dans *Esther* et dans
*Athalie*, où l'on trouve repris avec insistance et
chaleur le thème du souverain victime de ses
mauvais conseillers. Mais la nuance est nouvelle :
il s'agit de sujets religieux, et la religion pouvait
moraliser la royauté avec moins de scandale que
n'auraient pu faire les grands ; elle était censée
parler au nom d'intérêts moins violents et plus
généraux. Elle était la seule source de culpabilité
désormais possible pour l'absolutisme. S'il y a
des maximes un peu fortes dans les deux dernières
pièces de Racine, elles opposent généralement
aux abus du despotisme, au nom de la loi chrétienne, le bonheur du peuple entier et la justice :

*Un roi sage, ainsi Dieu l'a prononcé lui-même,*
*Sur la richesse et l'or ne met point son appui,*

*Craint le Seigneur son Dieu, sans cesse a devant lui*
*Ses préceptes, ses lois, ses jugements sévères,*
*Et d'injustes fardeaux n'accable point ses frères* [1].

Le crime des flatteurs est de dire

*... Que les plus saintes lois,*
*Maîtresses du vil peuple, obéissant aux rois ;*
*Qu'aux larmes, qu'au travail, le peuple est condamné*
*Et d'un sceptre de fer veut être gouverné* [2].

C'est là un ton tout différent de celui de la Fronde ;
la critique du despotisme, sous Louis XIV vieil-
lissant, a des accents plus graves et déjà, en un
sens, plus modernes.

*

Ce que l'influence de la cour et de son esprit
faisait perdre à la grandeur tragique par la dégradation de l'héroïsme, se trouve en partie compensé
par un prestige nouveau, moins exaltant, mais
plus puissant peut-être poétiquement, qui rayon-
nait de la cour elle-même, de la cour de Versailles
avec ses fêtes et ses triomphes. Tout ce qui était
grand résidait dans la royauté, et on y partici-
pait d'autant plus qu'on était plus proche d'elle.
L'éclat qui venait d'en haut était celui d'une
puissance extraordinaire, supérieure à toute agitation et à tout conflit. L'idée de grandeur héroïque
avait fait place dans les esprits à celle de|majesté.

1. *Athalie*, IV, 2.
2. *Iphigénie*, IV, 4.

L'homme touchait au dieu moins par la valeur,
que par la puissance et le bonheur. Cette atmosphère a passé dans Racine, qui tire souvent son
pathétique de la perte et du regret d'une semblable
félicité. Ainsi les plaintes de Clytemnestre quand
elle croit sa fille perdue :

> *Et moi, qui l'amenai triomphante, adorée,*
> *Je m'en retournerai seule et désespérée ;*
> *Je verrai les chemins encor tout parfumés*
> *Des fleurs dont sous ses pas on les avait semés* [1]

Iphigénie dit davantage encore :

> *Qui sait même, qui sait si le ciel irrité*
> *A pu souffrir l'excès de ma félicité ?*
> *Hélas ! il me semblait qu'une flamme si belle*
> *M'élevait au-dessus du sort d'une mortelle* [2].

Même contraste dans *Bérénice* entre l'espérance
d'un bonheur impérial et une soudaine disgrâce.
Le tableau que fait Bérénice heureuse de la nuit
de l'apothéose de Vespasien, à qui vient de succéder
celui qu'elle aime, nous fait mesurer ce que Bérénice doit perdre, et qui est l'enjeu profond de la
tragédie. Et ce tableau s'achève par un éloge du
charme royal de Louis XIV sous le nom de Titus [3],
comme pour relier plus clairement à nos yeux
cette poésie du bonheur à l'ambiance de la cour de
Versailles dans la jeune époque du règne.

La qualité royale des héros, indispensable dans

1. *Ibid.*, IV, 4.
2. *Ibid.*, III, 6.
3. *Bérénice*, I, 5.

le théâtre de Corneille pour appuyer la grandeur
de la conduite, trouve chez Racine un autre
usage : étrangère à toute idée de supériorité
morale, elle grandit seulement les héros dans le
bonheur et le malheur, elle projette leur triomphe
ou leur infortune à l'étage des dieux et des rois.
Si la valeur du héros, rejetée au rang des chimères
par l'évolution sociale, est tragiquement niée dans
Racine, la majesté de ses personnages n'en est pas
amoindrie ; au contraire, pour être toute gratuite,
elle n'en est que plus éclatante. L'idée de la grandeur d'âme, tant qu'elle hante l'homme noble,
ne lui permet jamais complètement, même dans le
crime, de s'élever au-dessus de toute dépendance ;
toujours il se donne à juger et à admirer pour un
mérite qui le distingue. Les aristocrates ont beau
poursuivre le rêve d'une supériorité irresponsable
de leur personne ; ils sont trop proches du public,
ils dépendent malgré eux de lui et de son estime.
D'où le lien établi sans cesse dans la tradition
aristocratique entre la qualité du sang et la valeur
morale. Le triomphe de la monarchie absolue
libère, en la détachant de tout jugement moral,
la qualité surhumaine du héros, qu'il s'agisse
du roi ou des nobles, qui ne le sont plus qu'autant
qu'ils participent à quelque degré à l'éclat de la
royauté. Plus il est étranger au critère de la valeur,
plus le prestige des rois et des princes s'attache
à leur condition, à leur *situation* au-dessus du destin
commun des hommes. Leurs actes et leurs paroles,
qui sont les mêmes que ceux de tous, retentissent
autrement. L'idée d'une pareille grandeur n'était

pas nouvelle ; l'imagination poétique en subissait
le charme depuis les grands règnes du siècle
précédent ; ce qu'on nomme poésie à partir des
derniers Valois n'est guère séparable de cette
sorte de prestige ; la lumière même du beau se
confond avec celle de la condition royale, dont la
poésie transmet l'idée et d'une certaine façon la
jouissance à tous les hommes. Inspiration, thèmes,
style, tout y évoque cette majesté vive dont la
royauté est la source.

Parce que Racine nous montre des personnages
royaux moralement semblables à tous les hommes,
il ne faut pas réduire, comme on fait quelquefois,
les drames raciniens à de simples faits divers
passionnels ; ceux qui le font contredisent certainement le sentiment du public pour qui Racine
écrivait, et aux yeux duquel la projection sur un
plan royal ou mythique des démarches humaines
était inséparable de la tragédie. La position de
l'action tragique au-delà des limites communes de
la vie est demeurée une exigence stricte tant que la
grandeur royale et le prestige de la cour ont duré ;
tout le destin de la tragédie s'est d'ailleurs joué, dès
le xviiie siècle, sur cette convention, qui était
plus qu'une convention, et dont la ruine a entraîné
celle de tout le genre. La grandeur poétique n'est
donc pas chez Racine un embellissement ajouté
par artifice à la vérité des passions. Chacun des
deux éléments est indispensable à l'autre, et lui
donne tout son sens, conformément à l'esprit
même de la Fable païenne, où Racine a trouvé le
modèle de cette grandeur gratuite, de ce merveil-

leux nourri du scandale des instincts qui est l'âme
de son théâtre. C'est cette coïncidence foncière
qui a permis à Racine de faire revivre, avec une
intensité sans égale, les mythes de l'ancienne
Grèce dans l'Europe moderne. Le sacrifice d'Iphigénie, le destin sanglant de la famille d'Atrée,
la légende du Minotaure et les égarements des filles
de Minos ne l'inspirent si bien que parce qu'il
y retrouve les mêmes données, qui définissent
le destin des Grands depuis le dépérissement de
l'idée chevaleresque : la grandeur d'une situation
privilégiée, jointe à la vérité dévoilée de la
nature [1].

Racine lui-même fait dépendre l'émotion tragique de la dimension des personnages représentés,
quand il exprime l'espoir qu'on trouvera dans sa
Bérénice « cette tristesse majestueuse qui fait tout

---

1. Il y aurait beaucoup à dire sur la faveur que les siècles
monarchiques ont témoignée aux mythes de la Grèce païenne.
Cette faveur dépasse de beaucoup le cas particulier de Racine.
On la voit trop souvent encore expliquée par un engouement
artificiel, dû à la pauvreté d'inspiration des poètes, trop
heureux de trouver dans l'arsenal de la Fable de quoi orner
pompeusement leur faiblesse. C'est expliquer bien légèrement
un goût profond et tenace, sans lequel deux siècles de grande
poésie européenne ne seraient pas ce qu'ils sont. Mieux vau-
drait essayer de retrouver les contacts profonds entre les
données de la Fable et l'esprit des siècles qui ont suivi la
Renaissance. On entreverrait alors, dans cette période de
l'histoire européenne, des points de sensibilité réelle, et orga-
niquement explicable, aux mythes antiques. Et la poésie
de cette époque y prendrait une vie nouvelle, qu'à vrai dire
la seule pratique des œuvres, depuis pas mal de temps déjà,
a recommencé à révéler au lecteur sans préjugé.

le plaisir de la tragédie [1] ». De fait, il n'est guère
d'endroits, même en dehors de *Bérénice* et d'*Iphigénie*, qui en sont les exemples les plus frappants,
où la lamentation racinienne n'ait pour objet la
perte d'une grandeur prestigieuse ; c'est même là,
peut-on dire, une des composantes les plus profondes de la poésie de Racine. Cet incessant rapprochement, cette fusion presque de la divinité
et du néant, cette majesté incertaine ou menacée
à son insu dans le bonheur, et fidèle à elle-même
dans la détresse, cette lumière égale de la félicité
et de l'angoisse, libre à nous évidemment de les
considérer et de les aimer par rapport à la figure
humaine en général. Racine a été assez grand
pour nous en laisser la possibilité,  pour nous y
inviter. Mais il ne faudrait pas croire qu'il ait pu
concevoir et sentir « cette tristesse majestueuse »,
source, selon lui, de tout le plaisir tragique, indépendamment du prestige dont se revêtait à ses
yeux et aux yeux de ses contemporains la condition royale.

Que ce prestige chez Racine soit célébré sur le
mode de la douleur et du désastre, cela ne résulte
sans doute pas seulement de la définition de la
tragédie. La nécessité du genre a répondu ici à
une disposition profonde du poète. Le monarque,
aux confins de la divinité, est, pour des yeux chrétiens, et jansénistes, aux confins du sacrilège ;
d'où la menace, sans cesse suspendue sur lui, d'un
châtiment céleste. L'obsession du veto chrétien,

1. *Bérénice*, Préface.

Némésis nouvelle, mêle intimement à la grandeur
des personnes royales l'inquiétude de leur propre
néant, bien que cette inquiétude, sous le Roi-So-
leil, ne soit jamais assez grande pour effacer leur
caractère. La grandeur de Phèdre, en même
temps qu'elle est plus étrangère à la vertu que
celle des héros cornéliens, est davantage traversée
par l'incertitude. Le débat de la grandeur et de la
bassesse, du bien et du mal, a changé complètement d'aspect en se posant par rapport à une
condition royale libérée de tout obstacle et à une
culpabilité concurremment renforcée. La condition simplement noble ayant cessé d'être au centre de tout, la fusion qu'elle représentait du prestige social et de la valeur morale, s'est trouvée
brisée. La royauté illimitée et la nature brute,
produits extrêmes de cette rupture, ont coexisté
désormais dans une nouvelle synthèse, toute
chargée d'angoisse, que la tragédie racinienne
fait surgir à nos yeux.

\*

La tragédie de Racine est moins représenta-
tive peut-être que celle de Corneille, en ce sens
qu'elle est moins spontanément, moins directement, l'expression d'un milieu social et d'une
tendance morale. Elle est composée d'éléments
non seulement divers, mais parfois contradictoires, et qui ne peuvent s'équilibrer que par un
miracle de nuances ; c'est la réussite d'un génie
unique d'avoir fondu ensemble l'inspiration jan-

séniste et le goût de la jeune cour de Versailles, et
de les avoir coulés dans le même moule qui avait
servi à Corneille. La violence pessimiste des peintures du cœur, inspirée du nihilisme janséniste,
ne devait pas avoir beaucoup d'imitateurs. Cette
violence est restée un exemple unique, à peine
compris et vite rejeté ; comme celle de Pascal et
sans doute pour les mêmes raisons, elle est sans
lendemain. Quant à Racine poète, la tradition
déjà longue dont il hérite s'immobilise en lui,
s'approfondit et se magnifie prodigieusement
dans ses vers, et meurt après lui. Le xviii$^e$ siècle
n'admire et n'imite de Racine que le souci du
naturel, l'habile observation de la vérité, la logique
du drame, l'élégance sensible du style, toutes
choses qui, sans le reste, ne sont que la survivance
du genre. Pourtant tout ce que Racine avait uni,
tous les éléments qui, venus de toutes les sources,
s'harmonisent dans son théâtre, cruauté des passions, vérité de la conduite, délicatesse de la sympathie, résonances grandioses du récit, tout,
matériaux et forme, obéit à une loi commune et
procède de la même impulsion : tout tend à mettre
la tragédie en harmonie avec le penchant d'une
époque nouvelle, qui est celle de la désaffection
du vieux sublime. Aussi peut-on penser finale-
menr que nul n'a mieux situé, sinon défini, Racine
que Heine, quand il écrit : « Racine se présente
déjà comme le héraut de l'âge moderne près du
grand roi avec qui commencent les temps nouveaux. Racine est le premier poète moderne,
comme Louis XIV fut le premier roi moderne.

Dans Corneille respire encore le moyen âge. En lui et dans la Fronde râle la voix de la vieille chevalerie... Mais dans Racine les sentiments du moyen âge sont complètement éteints ; en lui ne s'éveillent que des idées nouvelles ; c'est l'organe d'une société neuve [1]. » Plus exactement peut-être c'est l'organe d'une époque neuve, diverse et contradictoire dans sa nouveauté, où achève de mourir et de se transformer une société ancienne.

1. H. Heine, *Die romantische Schule*, Hambourg, 1836, p. 131.

# MOLIÈRE

Il peut paraître difficile de demander à la comédie telle qu'on l'entendait jadis une conception bien arrêtée de la condition humaine et des valeurs morales. Car si le genre comique, plus concret en un sens, plus proche de la vie et de la société que les autres, est tenu, par sa nature même, de conduire à quelques conclusions de morale pratique, ces conclusions, le plus souvent, demeurent vagues et communes : l'auteur comique s'adresse au public le plus large, et flatte malgré lui dans ce public la tendance à tout niveler par le rire, à mesurer aux normes habituelles de la vie tout ce qui est nouveau ou insolite. Il se fait ainsi l'avocat de la sagesse ordinaire contre les ridicules les plus divers. Pour qui voudrait trouver en lui une inspiration morale plus profonde, une tendance plus précise, il devient vite indécis ou obscur. C'est bien ce qui s'est produit pour Molière : chose remarquable, ce champion du bon sens et de la simplicité n'a pas écrit une seule grande œuvre dont la signification ne soit âprement discutée depuis bientôt trois siècles. Autant de lecteurs,

autant d'interprétations différentes du *Don Juan*,
du *Misanthrope*, du *Tartuffe*, voire des *Précieuses
ridicules*. C'est que, si la loi de la comédie est de
représenter des types empruntés à la vie, qui
apportent avec eux sur la scène les débats dont ils
sont l'objet dans la réalité, le ton et l'esprit du
genre interdisent de présenter ces débats avec
toute la netteté intellectuelle désirable. On peut
donc être tenté de ne voir dans une œuvre comme
celle de Molière qu'une critique judicieuse et
moyenne de tous les excès humains, se dégageant
d'une peinture exceptionnellement vivante de ces
excès. D'où la valeur permanente de cette œuvre,
où chaque époque, chaque individu même pourrait
trouver de quoi corriger ses misères. Tel est, en
gros, le jugement de la critique traditionnelle, et,
pour une très grande part, celui des admirateurs
de Molière à son époque.

C'est surtout le xixe siècle, plus curieux que
ses prédécesseurs de définir des positions et de
discerner des tendances, qui a fait effort pour donner à Molière une figure plus appuyée et plus personnelle. On s'est mis alors, sans rejeter la notion
courante, à y ajouter des interprétations philosophiques ou sentimentales plus précises. Interprétations variées à l'infini et contradictoires, qui,
d'un Musset à un Brunetière, à travers toute la
foule des éditeurs et des critiques du xixe siècle,
dont la descendance se prolonge et s'amplifie jusqu'à nous, font tour à tour de Molière un penseur
pessimiste, un romantique avant la lettre, un pré-
curseur des Encyclopédistes, un bon bourgeois,

un précieux. De l'abondance de ces interprétations, souvent fragiles en raison même de leur
caractère systématique, et plus d'une fois enta-
chées d'anachronisme, a fini par naître une certaine méfiance à l'égard de la prétention même
d' « interpréter » Molière. On a insisté sur l'accord
de son œuvre avec les idées couramment répandues
dans la société polie de son temps. On a fini par
revenir dans une certaine mesure, avec tout l'appareil de l'érudition moderne en plus, et un sens
plus exact de la couleur propre du xviie siècle, à
la traditionnelle image de Molière, peintre clair-
voyant et critique raisonnable de l'homme social.

Il est vrai qu'on perd son temps à vouloir faire
de Molière un homme à système, plus exactement
à chercher une volonté consciente à travers son
œuvre. De ce que telle de ses pièces confond un
ridicule, on a trop vite tiré la conclusion qu'elle
illustre une thèse. On avait moins l'habitude au
xviie siècle qu'aujourd'hui de voir les choses sous
l'angle de la discussion systématique. Les conflits
d'idées s'y estompent, à moins qu'on ne soit théologien ou moraliste à parti pris, dans l'atmosphère
morale commune à l'ensemble de la société. Un
auteur comique suit le courant général du public
pour lequel il écrit ; il prolonge et incarne dans les
actions qu'il met à la scène les pensées de tout le
monde ; il cherche pour sa raillerie l'auditoire le
plus vaste, pour sa pensée les voies où ses contemporains ont coutume de se rencontrer. Molière
ne peut pas être un « penseur », dans la mesure où
il ne saurait être vraiment un partisan ; et l'on

bâtira toujours sur le vide quand on prétendra
expliquer comme des déclarations de guerre ce
qui ne veut être chez lui que la traduction, dans
le langage souvent irresponsable du rire, des jugements déjà formés de ses auditeurs. Toute pensée,
chez Molière, se présente avec une auréole d'approbation publique dont on ne peut la séparer
sans la déformer à quelque degré.

Mais de ce qu'une pensée n'est pas systématique, de ce qu'elle se présente même sous l'aspect
d'une mise en œuvre comique plutôt que d'une
pensée proprement dite, on ne saurait conclure
qu'elle n'ait pas une tendance et un sens déter-
minés. La pensée méthodique est au fond une
exception, et la société, dans son ensemble, se
conduit par des vues confuses, qui ne sont dépour-
vues pour autant ni d'unité pratique, ni de direction. Et toute direction, même unanimement
adoptée, suppose un choix, un rejet, une discussion implicite. La somme de jugements qui constituait le bon sens mondain au temps de Molière
forme malgré tout, au sens large du mot, une philosophie, c'est-à-dire une façon particulière et
tendancieuse d'envisager la vie. Déjà ce qu'on
appelle le bon sens, même considéré en dehors
des temps et des lieux, constitue une philosophie
spéciale, qui, si commune qu'elle soit et si évidente
qu'elle veuille être, peut prêter légitimement à la
discussion. Le « bon sens » a ses cibles de prédilection, ses armes aiguisées d'une certaine façon, ses
victimes et ses ennemis, et il ne se maintient d'une
société à l'autre, que parce qu'il apparaît utile à

la conservation de toutes. Les vérités éternelles
ne sont bien souvent que des vérités également
valables pour toutes les sociétés jusqu'ici connues,
la traduction pratique de constantes sociales
demeurées sans démenti. Mais cette constance
elle-même n'est qu'approximative. Qu'on le veuille
ou non, le bon sens de 1665 n'est pas celui de 1865.
Pour faire de Molière un sage à l'épreuve des
siècles, ou à la convenance du moment, car les
deux choses bien souvent se confondent, on a
parfois estompé tous ses traits distinctifs, surtout
ceux auxquels son public avait été peut-être le
plus sensible. S'il faut donc se garder, quand on
étudie Molière, des idées singulières et systéma-
tiques, qu'il exclut par tempérament et par profession, il faut éviter tout autant de décolorer,
par d'abusives généralités, la signification propre
de son œuvre. Même si son théâtre est le miroir
des idées moyennes de son temps, il est du plus
haut intérêt de reconstituer ces idées moyennes
dans leur atmosphère particulière, de les replacer
dans leur lumière, qui n'est pas la nôtre. Les contemporains n'ont si peu particularisé Molière que
parce qu'entre eux et lui la sympathie était parfaite. On ne se distingue pas soi-même. Nous ne
saurions tirer argument de la généralité un peu
vague qui caractérise leurs jugements, pour les
imiter et attribuer dès l'abord à Molière une
valeur humaine, toute générale, que nous n'en-
tendons peut-être pas comme eux.

Un des penchants les plus communs de la critique, sitôt qu'elle veut *situer* de façon précise
l'œuvre de Molière, est d'y retrouver les idées
moyennes du bourgeois. Que de fois ce mot a
été écrit, surtout depuis soixante ans, pour définir
ses personnages ou sa philosophie! Bon sens et
bourgeoisie sont deux notions à tel point confondues dans les esprits, que tout ce qui dans Molière
raille la démesure passe aujourd'hui pour bourgeois. Une vue partielle de son œuvre, limitée à
quelques-unes de ses pièces, que d'ailleurs on
interprète de façon discutable, *Précieuses ridicules*
et *Femmes savantes* surtout, vient confirmer ce
sentiment. L'habitude prise depuis Brunetière de
séparer la première moitié du xviie siècle, imagina-
tive et idéaliste, de l'époque inaugurée justement
par Molière, Racine, Boileau, et qui est celle du
naturalisme et des idées positives, a renforcé
l'idée d'un Molière bourgeois, interprète des côtés
roturiers, équilibrés et solides, du règne de
Louis XIV. Bien que telle ne fût pas l'idée de
Brunetière, qui faisait de Molière, plutôt qu'un
simple bourgeois, un révolutionnaire de la morale,
intermédiaire entre Rabelais et Diderot, il a beaucoup fait, en opposant l'œuvre de Molière au courant
général de l'idéalisme aristocratique, pour embour-
geoiser sa figure. Un Faguet ira jusqu'à représenter l'auteur de *Don Juan* comme le Sancho Pança
de la France [1]. Cette conception est suffisamment

1. Faguet, *En lisant Molière*, 1914, p. 98.

répandue aujourd'hui, elle a suffisamment éclipsé
l'idée, trop évidemment erronée, d'un Molière
pathétique et douloureux à la façon romantique,
pour mériter d'occuper le premier rang dans toute
discussion sur Molière.

Pour généralement admise qu'elle soit, la prétendue inspiration bourgeoise de Molière soulève,
sitôt qu'on lit sans préjugé l'ensemble de son
théâtre, d'invincibles objections. Il ne faut pas
oublier pour qui Molière écrivait surtout : sans la
cour et les grands, sa gloire eût été bien maigre.
Et le public bourgeois lui-même façonnait ses
goûts suivant ceux du beau monde. Cela apparaît
bien dans l'œuvre, où le partage du beau et du
laid, du brillant et du médiocre à travers la vie
humaine, se fait à l'encontre de toutes les habitudes bourgeoises. Les figures, et plus généralement la manière d'être, auxquelles Molière a
attaché l'agrément et la sympathie répondent
sans conteste à une vue noble de la vie. La *qualité*
les marque, d'une façon assez particulière et qui
mérite d'être définie, mais elle les marque à peu
près sans exception. Le ridicule ou l'odieux sont
presque toujours mêlés à quelque vulgarité bourgeoise. Ce fait qui n'a rien d'étonnant étant donné
l'époque et le milieu de Molière, et qui était trop
naturel pour qu'on le remarquât au cours des
siècles aristocratiques, fut ensuite à tel point
masqué par la nécessité d'accommoder Molière
aux mœurs bourgeoises régnantes, qu'il a de la
peine à apparaître de nos jours dans sa pleine
lumière. C'est par là que s'explique peut-être, plus

que par la seule considération de leur valeur, le mépris qui demeure attaché à toute une catégorie de ses comédies. Sainte-Beuve mis à part [1], il semble qu'il ait fallu attendre une époque toute récente pour qu'on cessât de considérer comme un à-côté de l'œuvre véritable de Molière ses pièces galantes ou héroïques, ses pastorales, ses « comédies-ballets » à intermèdes musicaux, et qu'on voulût bien en tenir compte dans la définition de son génie. C'est pourtant par ces pièces que Molière tient le plus directement à son temps et à son public : écrites presque toutes pour les divertissements de la cour et destinées à flatter le goût du monde, elles établissent mieux que les grandes œuvres le contact entre Molière et ses contemporains. Molière lui-même ne dédaignait pas cette partie de son œuvre. Tout porte à croire qu'il ne l'écrivit nullement à contrecœur, mais par goût spontané, et qu'il fut sensible, aussi bien qu'au succès de ses grands ouvrages, à celui de ses comédies de seconde zone. Or, dans plusieurs de ces comédies, règne une sorte de galanterie à grand spectacle, dont la littérature du temps est coutumière, mais qui peut sembler inattendue chez un écrivain en qui on prétend incarner le sentiment bourgeois de la vie. L'adversaire des précieuses et des femmes savantes eut souvent le goût brillant et romanesque. Outre sa prédilection, en tant que comédien, pour les rôles héroïques, et son caractère magnificent, nous avons, dans son œuvre

1. Voir *Portraits littéraires*, t. II.

même, le témoignage qu'il ne fut rien moins que fermé à l'idéal aristocratique de son temps. Dès les débuts de sa carrière nous en avons comme preuve ce curieux *Don Garcie*, à l'échec duquel il se résigna si mal. Cette pièce qui porte, comme le *Don Sanche* de Corneille, le sous-titre de « comédie héroïque », est un tissu de débats galants sur les relations possibles du parfait amour, de la jalousie masculine et de la gloire féminine [1]. Des débats analogues se retrouvent dans les vers et dans la prose de *la Princesse d'Élide*, où l'on voit se mêler et s'entrelacer, dans une atmosphère romanesque, la gloire de dédaigner l'amour et le plaisir d'aimer. Avec *Mélicerte*, « comédie pastorale héroïque », nous retrouvons les sentiments, le style et jusqu'aux détails de *l'Astrée*. Les subtilités de la tendresse et de la galanterie occupent les conversations de Jupiter et d'Alcmène dans *Amphitryon*. Les situations romanesques à la mode

1. Les mêmes propos qui, prononcés par Armande, sont ridicules dans *Les Femmes savantes*, avaient eu d'abord un sens sérieux dans *Don Garcie* :

... Et les premières flammes...
Ont des droits si sacrés sur les illustres âmes
Qu'il faut perdre grandeurs et renoncer au jour,
Plutôt que de pencher vers un second amour.

(Vers 912-15 de *Don Garcie*, repris presque textuellement dans *Les Femmes savantes*, IV, 2.)

Sur un plan plus purement littéraire, comparer au sonnet d'Oronte, qui, sans être donné pour ridicule, essuie quelques railleries, le sonnet qui se trouve dans la première scène de *la Comtesse d'Escarbagnas*, beaucoup plus nettement « précieux » celui-là, et qu'un amant sympathique débite à sa maîtresse sans la moindre nuance de ridicule.

du temps, les conflits de la dignité et de l'amour
chez une fille bien née, les intermèdes pastoraux
ou merveilleux font encore la matière des *Amants
magnifiques*, et un an plus tard, avec le grandissement mythologique en plus, celle de *Psyché*, que
Molière composa avec les deux grands hommes du
théâtre romanesque, Corneille et Quinault.

Dans toute cette partie de son théâtre, Molière
a sacrifié à une forme de sentiment où l'esprit
bourgeois n'avait que faire. Il a partagé le goût de
ses contemporains en matière de tendresse et de
galanterie, et il s'est fait la même idée qu'eux des
agréments spectaculaires du théâtre. On ne peut
pas négliger, dans Molière, tout ce qui se ressent
de la somptuosité des fêtes de la cour : une bonne
part de ses pièces furent écrites pour ces fêtes et
conçues selon l'esprit qui y présidait. Molière
dédaignait si peu cette partie de sa tâche, qu'il
créa, pour y faire face, le genre nouveau de la
comédie-ballet, amalgame de l'ancien ballet de
cour avec la comédie proprement dite, dont il
a laissé une dizaine d'exemples, depuis *les Fâcheux*
jusqu'au *Malade imaginaire*. Le siècle de Louis XIV
a aimé les galanteries à grand spectacle, dont le
goût s'était toujours fait sentir aux époques
brillantes des cours, sous Louis XIII comme sous
les Valois. Le goût de la magnificence est même lié,
dès les origines, à la littérature galante. Les fêtes,
les tournois et les divertissements royaux étaient
le côté facile et détendu de la chevalerie. Le
xvııe siècle, avec ses ballets de cour et ses carrou-
sels, n'a pas perdu cette tradition. Il en a seulement

accentué l'élément agréable, imaginatif, mythologique, aux dépens de l'élément proprement
chevaleresque ou héroïque. Vu sous un certain
angle, le théâtre de Molière se situe au terme de
cette évolution.

\*

Le déploiement du spectacle n'était pas seulement destiné à flatter les sens du spectateur. Si
l'on se plaisait tant à voir évoluer dans les divertissements de la cour les dieux et les déesses de
l'Olympe, c'était qu'on cherchait volontiers dans
ces spectacles l'image d'un monde plus brillant,
plus irresponsable, plus libre d'entraves que le
monde réel, et qui amplifiait encore l'idée que
pouvaient se faire de leur propre condition les
courtisans de Louis XIV. Le prestige du spectacle
n'était pas indépendant de la qualité attribuée aux
personnages principaux. L'attrait de cette qualité
est très perceptible chez Molière, et non pas seulement dans ses œuvres de second plan. Deux de ses
grandes comédies, *Amphitryon* et *Don Juan*, sont
tout entières occupées du contraste des Dieux et
des Grands avec l'humanité commune.

Tout l'intérêt dramatique, et toute la poésie
particulière d'*Amphitryon* résultent du groupement des personnages en duos contrastés, où
s'opposent un supérieur et un inférieur : Mercure-
Sosie, Amphitryon-Sosie, Mercure-Amphitryon,
Jupiter-Amphitryon. Dans ce système de personnages, les rapports de valet à maître sont pro-

longés mythologiquement par les rapports d'homme
à dieu. Dès le début de la pièce et avant même sa
rencontre avec Mercure, Sosie se présente bien
avec tous les caractères habituellement attribués
aux inférieurs, poltronnerie et vanité, récriminations contre les exigences du maître et irrésistible
attachement à l'honneur de le servir :

> *Vers la retraite en vain la raison nous appelle,*
> *En vain notre dépit quelquefois y consent :*
> *Leur vue a sur notre zèle*
> *Un ascendant trop puissant*
> *Et la moindre faveur d'un coup d'œil caressant*
> *Nous rengage de plus belle* [1].

Sosie ne fait que décrire ici un type de relations
entre valets et maîtres dont on pourrait trouver
d'autres exemples en grand nombre dans toute
l'œuvre de Molière. Les premiers sont comme
l'ombre des seconds ; turbulents et rebelles par
accès, ils sont contraints malgré eux de les suivre
et de les servir ; ils joignent à la malice l'infériorité
burlesque et la soumission. En ce sens ils sont
comme des doubles dégradés de ceux à qui ils
appartiennent, et qu'ils singent plus souvent qu'ils
ne les maudissent. Le jeu qui consiste à juxta-
poser sans cesse, dans toutes les situations possibles,
amour, bonheur, infortune, les réactions des
valets à celles des maîtres n'est pas seulement un
procédé traditionnel de la comédie. Le rapprochement des deux conditions et leur opposition cons-

1. *Amphitryon*, I, 1.

tante appartenaient à la vie. A la vie sociale,
dominée quotidiennement par les différences de
qualité ; à la vie morale et poétique, tout entière
influencée par l'image du demi-dieu noble. La
comédie, en développant l'opposition sur un ton
enjoué, détendu, et finalement conservateur,
accomplissait une fonction sociale non dénuée
d'importance [1].

La note originale d'*Amphitryon* est dans la
forme, empruntée au vieux motif mythique du
double, que revêtent dans les deux cas les plus
importants les rapports de l'inférieur et du supérieur. Mercure a pris les traits de Sosie pour le
persécuter, et Jupiter ceux d'Amphitryon pour
séduire sa femme. Le drame y acquiert une valeur
humaine plus intense. Le thème légendaire du
double persécuteur, visible à travers la fable
grecque, peut en effet passer pour la transposition
métaphysique d'un sentiment d'infériorité vitale,
non plus seulement sociale. Le double, par son
caractère de surnaturelle puissance, incarne les
ambitions du moi, et son hostilité écrasante
reflète l'incapacité de ce moi à s'élever réellement
au niveau de ses désirs. Mercure, identique et

1. Voltaire fait preuve d'une délicatesse fort opposée aux
façons de sentir traditionnelles quand il écrit, à propos de
la *Suite du Menteur* de Corneille : « Ces scènes où les valets
font l'amour à l'imitation de leurs maîtres sont enfin pros-
crites du théâtre avec beaucoup de raison. Ce n'est qu'une
parodie basse et dégoûtante des premiers personnages. »
Le même jugement pouvait s'appliquer tout aussi bien au
*Dépit amoureux*, à *Amphitryon*, etc., et dans le siècle même
de Voltaire, aux comédies de Marivaux.

supérieur à Sosie, l'empêche d'être lui-même, le
rabroue même quand il le supplie de l'accepter
pour son reflet :

> S. : *O cœur barbare et tyrannique,*
> *Souffre au moins que je sois ton ombre. — M. : Point du*
> [tout.
>
> S. : *Que d'un peu de pitié ton âme s'humanise.*
> *En cette qualité souffre-moi près de toi :*
> *Je te serai partout une ombre si soumise*
> *Que tu seras content de moi.*
> *M. : Point de quartier.........* [1]

Ainsi le personnage de Sosie exprime à la fois, sur
le mode comique, une infériorité sociale propre
à une catégorie d'hommes et une misère commune à tout le genre humain. Il est bien évident
que Molière n'a mis aucune intention pathétique
dans son *Amphitryon*, et que de son temps les
thèmes de la mythologie païenne servaient surtout de prétexte à divertir une imagination peu
portée à l'inquiétude métaphysique. Mais il ne
faudrait pas exagérer dans ce sens, le XVIIe siècle
ayant été très accessible à un certain émoi mythologique pour des raisons qui tiennent à la forme
même de sa sensibilité, aisément tournée vers le
grand ; et l'habitude même de jouer avec le grand,
qui caractérise toute la poésie de l'époque, n'altère
ni la signification ni la résonance secrète des
thèmes évoqués. Si déguisé qu'il soit par l'espèce
de jeu brillant qui enveloppe toute la pièce, le
désir de l'illimitation divine parcourt d'un bout

1. *Ibid.*, III, 6.

à l'autre la comédie d'*Amphitryon*. On s'en aper-
cevra aisément si, quittant Sosie et Mercure, et
passant par-dessus l'Amphitryon terrestre, on
reconnaît en son rival immortel l'animateur véritable du drame. Toute l'action procède bien en effet
de Jupiter, séducteur et mystificateur souverain, et
elle aboutit à Jupiter, qui coupe court au drame
en faisant accepter, avec son identité divine, les
irrésistibles prérogatives qu'il vient d'exercer une
fois de plus parmi les mortels. C'est bien Jupiter,
plutôt que Mercure ou Amphitryon, qui fournit
dans la pièce le type opposé à celui de Sosie. Mercure, dieu subalterne en habit de valet, Amphitryon, homme de qualité berné par un dieu qui
le réduit à la condition ridicule d'un second Sosie,
occupent chacun à sa manière un degré intermédiaire entre le valet et le dieu, qui, situés aux pôles
véritables de l'action, incarnent respectivement
la condition la plus basse et la condition la plus
haute qui se puissent concevoir.

Celle de Jupiter se caractérise à la fois par un
surcroît de puissance sur les choses et par une
diminution des entraves intérieures que créent la
timidité ou le scrupule. Tout ce qui limite ordinairement le désir, c'est-à-dire la réalité, et les
interdictions morales, cesse pour lui d'exister.
Transposé sur le plan humain, un personnage de
cette sorte se distinguerait du commun des hommes
non par la force de la vertu, mais par la facilité
dans le bonheur. Il ne s'agit plus ici de la grandeur
d'âme, mais de quelque chose de plus nouveau,
d'une surhumanité heureuse, libre, facile, païenne

en un mot. Cette idée d'une excellence ou d'une
majesté liée à la liberté dans le plaisir est un des
enseignements principaux que l'aristocratie des
temps modernes ait cru pouvoir tirer de l'antiquité
ressuscitée. Tout l'art, et la poésie en premier lieu,
s'en est trouvé renouvelé. Épanouissement de
l'ambition poétique dans la plénitude retrouvée
de la vie et des choses, goût magnifique mêlé au
goût naturel, alliage de l'agrément et de l'infinité :
toute la belle poésie du xviiᵉ siècle, celle des May-
nard, des Théophile, des Tristan, procède de là.
La majesté et le désir parlent ensemble dans les
œuvres des poètes ; l'Olympe céleste et les
Olympes de la terre, les Dieux et les rois mêlés
y répètent, comme leur secret le plus profond, la
loi toute-puissante du plaisir.

Il est remarquable que les « lieux communs de
morale lubrique » dont parle Boileau soient toujours traités de son temps dans un langage prestigieux ; réciproquement, il n'est guère de grandeur poétique qui n'ait l'agrément pour matière.
La poésie galante, quand elle aura rompu ce lien,
quand elle aura cessé de résonner dans le grand,
prendra l'allure du badinage pur et simple. Mais
il est loin d'en être ainsi au temps de Molière. On
lit trop souvent les vers de ce temps-là à travers
l'esprit et le goût du siècle suivant. L'emploi constant des symboles grandissants de la mythologie,
l'appel répété à des thèmes aussi troublants pour
l'imagination que ceux du phénix ou du soleil-roi,
la divinité attribuée à l'objet aimé, l'habitude de
donner issue aux mouvements du cœur humain

dans les aventures et les métamorphoses de la
Fable, tout cela, pourra-t-on dire, n'est guère, sous
Louis XIII et Louis XIV, que de la littérature.
Mais la littérature, si elle n'engage pas la croyance,
engage au moins le sentiment et la représentation,
et ne saurait se résoudre en simples « façons de
parler » ; sa fonction, dans la société et chez l'individu, est plus profonde. La vérité est qu'il y a eu,
dans la France du xviie siècle, un mélange du jeu
et de la profondeur, de la légèreté et de l'envergure
poétique, dont la formule s'est perdue avec les
conditions qui l'avaient rendue possible, et n'a
plus été reconnue ensuite.

Pareille formule convenait bien à une aristocratie toujours occupée de sa grandeur, mais qui,
à la cour des rois, ne pouvait plus guère la faire
consister que dans la faveur et le plaisir. Formule
passablement irréelle d'ailleurs, et où s'aperçoit le
besoin de transposer et de résoudre poétiquement
un problème moins aisément soluble dans la vie.
En fait, dans l'aristocratie domestiquée, la prétention à la grandeur, élargie spectaculairement,
se fait de plus en plus vaine, de plus en plus encline
à se nier soi-même, à se perdre dans les appâts du
plaisir au lieu de s'y exalter. La surhumanité se
résout en dissipation, le dédain de la morale en
complaisance. *Amphitryon*, dès qu'on cesse de le
considérer comme un pur poème, n'est pas exempt
de cette tare. On connaît la tradition suivant laquelle cette comédie représente les amours de
Louis XIV, nouveau Jupiter, avec Mme de Montes-
pan, dont le mari prenait très mal son infortune.

Que cette tradition soit vraie ou fausse, il est significatif qu'on puisse imaginer, sous le vêtement
flatteur du poème, la matière d'un fabliau cynique,
tournée en flatterie de cour. Sans doute les grands
prétendent exercer dans leur sphère des droits
analogues à ceux qu'ils reconnaissent au souverain : vues sous cet angle, les données principales
de la comédie, le sans-gêne du Dieu, la fureur
comique d'Amphitryon, enfin l'irrésistible pré-
séance de l'amant de haut parage sur le mari légitime reproduisent un genre de relations observables
dans toute la société de ce temps-là, et que le mot
de privilège résume parfaitement. La poésie du
Jupiter de Molière est la poésie du privilège, considéré en général comme une façon de vivre. Mais
la notion de privilège, de supériorité gratuite et
qu'on ne songe pas à justifier, ne prend la première place dans la vie noble qu'autant que l'aristocratie cesse d'exercer une fonction sociale effective, se sent impuissante à fonder ses droits. Dans
le mot de privilège est inscrite, en même temps
que la primauté, l'inutilité sociale. Aussi le seul
respect qui puisse s'attacher au privilège est-il de
nature servile :

> *Un partage avec Jupiter*
> *N'a rien du tout qui déshonore* [1],

ainsi prêche le Dieu au mari qu'il a supplanté. A
cette lumière, la reviviscence des mythes païens
dans l'époque qui nous occupe peut apparaître

1. *Amphitryon*, III, 10.

comme un afflux d'imaginations superstitieuses, revenues de fort loin pour autoriser d'un prestige poétique l'inégalité et l'arbitraire.

On se convaincra des rapports du thème d'Amphitryon avec le fait social du privilège, en voyant racontée dans *la Princesse d'Élide* une histoire en tous points semblable à celle de Jupiter et du général grec, mais se déroulant cette fois sur le plan purement terrestre, entre un prince et un paysan. C'est le bouffon Moron, fils du paysan, qui la raconte au fils du prince :

*Ma mère dans son temps passait pour assez belle,*
*Et naturellement n'était pas fort cruelle ;*
*Feu votre père alors, ce prince généreux,*
*Sur la galanterie était fort dangereux,*
*Et je sais qu'Elpénor, qu'on appelait mon père*
*A cause qu'il était le mari de ma mère,*
*Contait pour grand honneur aux pasteurs d'aujourd'hui*
*Que le prince autrefois était venu chez lui*
*Et que durant ce temps il avait l'avantage*
*De se voir salué de tous ceux du village* [1].

C'est la situation d'*Amphitryon*, mais d'un *Amphitryon* retenu à l'échelle de la vie réelle, où les droits du Dieu ne sont plus que le « droit du seigneur », et où, au surplus, la victime elle-même est assez abusée pour faire vanité de son infortune, et proclamer presque, avant Mercure,

> *Que les coups de bâton d'un dieu*
> *Font honneur à qui les endure* [2].

1. *La Princesse d'Élide*, I, 2.
2. *Amphitryon*, III, 9.

*

Les thèmes essentiels d'*Amphitryon* avaient déjà
été traités par Molière, sous une forme plus dramatique, dans celle de ses pièces où sont évoqués
avec le plus de force les problèmes et les conflits
créés par l'amoralité aristocratique, le *Don Juan*.
Il est curieux que la parenté profonde de cette
comédie avec celle d'*Amphitryon* soit demeurée
généralement inaperçue. Pourtant le comportement de Don Juan, séducteur aussi irrésistible et
aussi passager que le dieu païen, la supériorité
facile qui enveloppe ses démarches, son contraste
avec Sganarelle, comme avec un double inférieur
et grossier, tout invite à rapprocher les deux
œuvres. Du fait qu'*Amphitryon* est une pièce
enjouée, où toutes les difficultés se résolvent dans
les fantaisies de l'imagination païenne, tandis
qu'elles apparaissent nues et insolubles dans *Don
Juan*, on a vu les deux pièces avec des yeux tout
différents. Toutes deux reposent pourtant sur la
conception d'un héros souverain, dont les désirs
se prétendent au-dessus du blâme et de la contrainte ; et dans toutes deux des relations réelles
apparaissent à travers une action légendaire.

On reconnaîtra sans peine dans le couple Don
Juan-Sganarelle les caractères déjà observés dans
les couples mythiques d'*Amphitryon*. Ici on est
seulement plus près du modèle réel, du groupe
gentilhomme-valet tel que Molière pouvait l'observer dans la vie. Sans doute Sganarelle, qui récri-

mine sans cesse contre son maître, prétend, non
sans sincérité, le haïr, et s'affirme lié à lui par la
seule peur : « Il faut que je lui sois fidèle en dépit
que j'en aie ; la crainte fait en moi l'office du zèle,
bride mes sentiments et me réduit d'applaudir bien
souvent à ce que mon âme déteste [1]. » Mais sous
cette haine perce à plusieurs reprises une sorte de
respect impuissant, qui fait du valet, malgré qu'il
en ait, l'écho de son maître. L'ironie avec laquelle
Sganarelle répète les attitudes de Don Juan est
celle d'un inférieur, plus abasourdi que vraiment
moqueur. Ainsi quand Don Juan lui annonce le
projet d'enlever en barque une jeune fiancée :
« C'est fort bien fait à vous, et vous le prenez
comme il faut : il n'est rien de tel en ce monde que
de se contenter [2]. » Même accent dans le mot qui
double les ricanements de Don Juan, lorsque Elvire
le menace de la colère divine : « Vraiment oui, nous
nous moquons bien de cela, nous autres [3]. » On
sait comment Sganarelle, singeant Don Juan,
éconduit après lui M. Dimanche, créancier du
valet aussi bien que du maître : Sganarelle prouve
bien dans cette circonstance qu'il admire assez son
maître pour l'imiter quand il l'ose. D'ailleurs tout
le personnage a été conçu comme une incarnation
timide et pitoyable, foncièrement *inférieure*, de
tout ce qui pouvait se scandaliser des audaces de
Don Juan. On a reproché à Molière d'avoir cou-

1. *Don Juan*, I, 1.
2. *Ibid.*, I, 2.
3. *Ibid.*, I, 3.

vert de ridicule en Sganarelle le défenseur de la
morale et de la foi ; mais, quel que fût son sentiment personnel sur Don Juan, et si l'on considère
que le personnage du valet lui était déjà fourni par
la tradition, il devait à la nature même de son sujet
et à des données sociales impossibles à changer, de
peindre Sganarelle tel qu'il l'a peint, à la fois
scandalisé et ridicule, indigné et bredouillant, en
état de perpétuelle protestation et de perpétuelle
déconfiture.

Face à lui, comme à tous les autres personnages
inférieurs de la pièce, l'attitude de Don Juan est
celle d'un seigneur, à qui tout est dû, qui exige et
prend ce qui lui plaît, et ne doit rien en retour.
Le bourgeois auquel il emprunte de l'argent, le
paysan dont il séduit la fiancée et qu'il soufflette à
la première protestation, sont logés à la même
enseigne que Sganarelle, et leur condition est définie par cette raillerie de Don Juan à son valet :
« C'est trop d'honneur que je vous fais ; bien heureux est le valet qui peut avoir la gloire de mourir
pour son maître [1]. » Que Don Juan ne soit pas dupe
de cette édifiante formule, cela ne fait qu'ajouter
à sa supériorité. D'ailleurs tous ceux qu'il méprise
sont ainsi faits que l'attitude écrasante du héros
les confond malgré eux, et se légitime en quelque
sorte par leur impuissance à la riposte.

Quant aux prolongements fabuleux de l'action,
s'ils sont moins apparents ici que dans l'*Amphitryon*, ils n'en existent pas moins : la grandeur de

1. *Ibid.*, II, 5.

Don Juan n'est pas uniquement terrestre ; elle se
manifeste également sur le plan métaphysique
par une prétention à se situer au niveau de la
divinité en la dédaignant ou en la bravant, qui
rend nécessaire un dénouement surnaturel. Il y a
sans aucun doute en Don Juan quelque chose qui
passe les bornes habituelles de la condition humaine.
Les désirs ne sont pas seulement souverains en
lui, ils n'occupent pas seulement tout le champ de
la pensée, rejetant dans un oubli presque incroyable
tout ce qui peut les entraver, comme dans l'instant qui suit chacune des importunes apparitions
d'Elvire ; mais leur objet même est sans limite et
dépasse la mesure humaine. L'inconstance chez
Don Juan n'est pas l'effet de la seule sensualité,
elle manifeste une insatisfaction essentielle, le
dégoût d'un plaisir limité, l'ambition d'aller toujours au-delà des victoires déjà acquises. Aussi sa
profession de foi en cette matière est-elle sans cesse
aux confins du badinage et de la grandeur. C'est
le ton que nous connaissons déjà ; Don Juan y
excelle : « J'ai beau être engagé, l'amour que j'ai
pour une belle n'engage point mon âme à faire
injustice aux autres ; je conserve des yeux pour
voir le mérite de toutes et rends à chacune les
hommages et les tributs où la nature nous oblige.
Quoi qu'il en soit, je ne puis refuser mon cœur à
tout ce que je vois d'aimable, et, dès qu'un beau
visage me le demande, si j'en avais dix mille, je les
donnerais tous. Les inclinations naissantes, après
tout, ont des charmes inexplicables, et tout le
plaisir de l'amour est dans le changement... Enfin

il n'est rien de si doux que de triompher d'une
belle personne, et j'ai sur ce sujet l'ambition des
conquérants, qui volent perpétuellement de victoire en victoire et ne peuvent se résoudre à borner
leurs souhaits. Il n'est rien qui puisse arrêter
l'impétuosité de mes désirs, je me sens un cœur à
aimer toute la terre, et, comme Alexandre, je
souhaiterais qu'il y eût d'autres mondes pour y
pouvoir étendre mes conquêtes amoureuses [1]. »

Ainsi conçu, le personnage de Don Juan enchan-
terait sans danger l'imagination, s'il appartenait
à la Fable. C'est parce qu'il est homme, parce qu'en
lui prennent corps scandaleusement les rêveries du
paganisme aristocratique, parce que le privilège,
au lieu de se projeter et de se parfaire sur le plan
poétique, est chez lui l'objet d'une exigence vitale
illimitée, que les difficultés se dressent devant lui
et que l'anathème le frappe. La qualité héroïque
apparaît en lui, avec une entière netteté, comme
l'ennemie de toute contrainte morale. Aussi doit-
il des comptes au Dieu chrétien, à qui il a déclaré
la guerre. Le Héros selon Corneille, avec tout son
orgueil, est accommodable au christianisme, au
moins à un certain christianisme ; le Héros racinien ne se situe pas plus tôt hors de la loi morale
que son propre désordre le perd et le convainc
d'erreur ; Don Juan court le monde en défiant
Dieu, qui n'a pas de prise sur son âme. A ce conflit
ouvert, il n'est pas d'autre solution que la foudre
finale.

1. *Ibid.*, I, 2.

Cette amoralité souveraine, exempte de tout sentiment de culpabilité [1], emprunte sans doute ses caractères à une conception du héros bien antérieure au christianisme. Les éléments merveilleux de l'histoire de Don Juan, l'invitation à dîner du mort, la statue animée, le châtiment surnaturel du héros, trahissent une formation légendaire archaïque, dont la signification dépasse certainement la moralité apparente du drame. En conséquence on peut considérer, si l'on veut, la légende de Don Juan comme le point de rencontre de la vieille conception du héros souverain, qui double et éclipse les maris et sème au gré de ses désirs le germe vital, avec la morale chrétienne, qui non seulement condamne toute prétention à la surhumanité, mais se lie à des institutions où la jalousie des hommes et l'honneur des femmes se trouvent ligués contre les entreprises du séducteur [2]. Cette

1. On ne saurait trop insister sur ce point : le Don Juan de Molière n'est pas anxieux. C'est le romantisme qui a allié l'angoisse aux ambitions et aux désirs de Don Juan. Chez Molière, et aux XVIIᵉ et XVIIIᵉ siècles en général, Don Juan est Don Juan principalement en ce qu'il ignore l'angoisse ; le scandale et le châtiment naissent extérieurement à lui ; il est frappé du dehors. Le Don Juan romantique est plus profondément sympathique à son public, qui ne le condamne presque plus de vouloir s'égaler à la divinité, mais il porte en lui-même sa limite, qui est l'inquiétude, et il se révèle finalement, du moins est-ce le cas le plus général, inférieur à son ambition. En ce sens on peut dire que le romantisme, en transgressant les limitations chrétiennes du moi, les a recréées dans le moi lui-même.

2. C'est la thèse que semble soutenir O. Rank dans son étude souvent profonde, mais malheureusement assez obscure, sur *Don Juan* (traduction française, Paris, 1932).

interprétation de Don Juan comme une figura-
tion chrétienne d'un héros païen, devenu maudit,
a l'avantage de rendre compte à la fois de ce qui,
en lui, demeure visiblement étranger au christianisme, et de ce qui, dans le drame, assure au
christianisme une écrasante victoire. Mais elle
ne peut être entièrement satisfaisante si l'on songe
que la légende de Don Juan ne s'est développée
qu'après de longs siècles de foi chrétienne, et au
moment où le christianisme avait subi la première
secousse sérieuse, au lendemain seulement de la
Renaissance : le Burlador espagnol, prototype de
Don Juan dans la littérature, date du début du
xviie siècle. Il n'est pas moins remarquable que
le personnage ne se soit que progressivement
dégagé au cours du xviie siècle des résidus de la
psychologie chrétienne, pour prendre figure véritable de héros païen : chez Molière pour la première
fois, quarante ans après son apparition, Don Juan,
vraiment exempt de scrupules et de remords,
tient tête d'un bout à l'autre à la menace chrétienne. Cela semble bien indiquer que le personnage
de Don Juan est surtout le fruit d'une évolution
moderne, où des souvenirs préchrétiens se sont
trouvés simplement réactivés, qu'il est issu, en
somme, d'un divorce récent de la mentalité noble
et de la religion. En fait sa fortune est liée à celle
de l'incrédulité dans la classe noble, telle qu'elle
s'est développée à partir du xvie siècle en
Italie, en France, en Angleterre : car ce sont là
les pays d'élection de Don Juan, qui a vite oublié
sa trop chrétienne terre d'origine pour se fixer,

en y prenant son véritable caractère, dans les pays
du « libertinage » aristocratique. Tout le problème
de Don Juan revient donc à rendre compte de
l'aggravation moderne du conflit entre l'aspiration noble à la surhumanité et la loi chrétienne.
Il est bien évident que le christianisme eut à souffrir, dans ce domaine comme dans tous les autres,
de l'élargissement des connaissances et de l'horizon humain qui a marqué le début des temps
modernes. Les grands de ce monde ont profité de
l'occasion pour rejeter avec éclat une morale
d'abstinence et d'humilité qu'ils avaient toujours
impatiemment soufferte. Mais ils n'ont pu se vouer
aussi impudemment à la religion du plaisir qu'en
perdant à quelque degré leur responsabilité devant
l'ensemble du corps social. Le libertinage moral,
désaveu cynique de la vieille idée selon laquelle
« noblesse oblige », longuement et vainement
opposée à Don Juan par son père [1], aboutit à rejeter ses adeptes hors de toute position sociale
tenable, et par suite hors de toute souveraineté
solide et effective. Ce grand seigneur demi-dieu
est en même temps un grand seigneur déchu, et sa
place est bien dans les siècles où se consomme la
déchéance politique de l'aristocratie. Rodrigue ou
Nicomède sont des modèles humains valables et
répondent à un idéal efficace, qui a prévalu pendant des siècles. Don Juan est impossible à donner

---

1. Cf. aussi le mot de Sganarelle : « Eh! oui. Sa qualité!
la raison en est belle, et c'est par là qu'il s'empêcherait des
choses (I, 1). »

en exemple, et, il ne faut pas l'oublier, il finit en
vaincu, comme le libertinage noble, mort sans laisser d'héritage avec ses dédains et ses scandales.
Des Importants aux Roués, le type du gentilhomme scandaleux traverse les siècles monarchiques, grand seulement, et d'une sorte de grandeur vaine, dans la mesure où il défie la sottise
tremblante des hommes, et sait donner l'avantage
au plaisir sur l'intérêt, sur la vie même. Tel est
Don Juan, qui méprise la mort autant qu'il
recherche le plaisir, et qui conserve, comme des
traits inséparables de sa demi-divinité, le dédain
des hommes et l'oubli du danger, les réflexes
naturels de l'orgueil et de la bravoure.

Le conflit d'un semblable personnage avec le
christianisme n'est qu'un aspect particulièrement
net de son opposition générale à tout ce qui est :
à la nécessité sociale, aux scrupules communs, aux
lois de l'amour, de la famille, de la société, incarnée
dans Elvire, dans le Père, dans le Pauvre. Finalement *Don Juan* marque le point où l'ambition
aristocratique, presque détachée de la réalité sociale,
devient à la fois subversive et vaine. Molière,
tenté avant tout de reproduire fidèlement un état
de choses, ne semble pas avoir beaucoup pensé à
prendre position lui-même dans le débat : le prestige qu'il a donné à son héros était conforme au
sentiment, secret tout au moins, du public ; mais
ce prestige est fortement compensé par une adhésion, non moins évidente, à la réprobation qui
entourait le personnage. Il n'y a là rien de contradictoire. Le « grand seigneur méchant homme »

intimide et révolte à la fois. Et on ne saurait nier
qu'il soit méchant homme, ni que Molière l'ait
fait à certains moments plus proche de Satan que
de Jupiter [1]. Reste qu'il a porté à la scène l'image
la moins voilée, la plus insoutenable, de la prétention aristocratique. D'où l'impression énigmatique
que laisse la pièce à un spectateur qui ne peut ni
admirer sans danger le demi-dieu, ni le réprouver
sans regret, ni l'absoudre sans inconséquence. *Don
Juan* fait mieux saisir par contraste, l'équilibre,
même facile et superficiel, d'*Amphitryon*, et par-
delà *Amphitryon*, de toute la littérature galante et
mythologique du siècle. Les tentations et les périls
de l'imagination aristocratique, ses séductions
toutes-puissantes, bref tout l'ensemble des appâts
dont se trouvait entouré, pour un homme du
xviie siècle, le sentiment de la « qualité », ont, en
tout cas, suffisamment intéressé Molière pour lui
fournir, en même temps qu'une bonne part des
ornements de son théâtre, la matière de plusieurs
comédies, dont deux parmi les plus grandes.

\*

Il suffit de parcourir le théâtre de Molière pour
se rendre compte que le bourgeois y est presque
toujours médiocre ou ridicule. Il n'est pas un seul
des bourgeois de Molière qui présente, en tant que

1. Voir I, 3, le récit que fait Don Juan de sa jalousie et
de son dépit à la vue d'un couple heureux.

bourgeois, quelque élévation ou valeur morale ;
l'idée même de la vertu proprement bourgeoise se
chercherait en vain à travers ses comédies. Le sens
de la mesure ou du juste milieu caractérise chez
lui l'honnête homme, c'est-à-dire l'homme du
monde, noble ou non, mais formé selon l'idéal de
la civilité noble, non le bourgeois pris en lui-même.
Même dans les œuvres les plus hostiles en apparence aux façons d'être et de penser aristocratiques,
dans *les Précieuses* et *les Femmes savantes*, le type
du bon bourgeois a sa part de ridicule. Gorgibus
est aussi peu que les précieuses un modèle à suivre.
La franchise de l'un, opposée à la prétention des
autres, fait rire, et entraîne peut-être une adhésion
passagère. Mais, quand il a voulu développer son
sujet dans *les Femmes savantes*, Molière a distingué
deux formes possibles du bon sens, en l'incarnant
à la fois dans Chrysale, où il est bourgeois, c'est-
à-dire prosaïque et risible, et dans Clitandre, chez
qui il est solidaire du bon ton : le bon sens, là où il
est digne de la société polie, a perdu toute trace de
bourgeoisie. Quant aux précieuses ou aux femmes
savantes, leur ridicule naît en grande partie de la
disproportion qui existe entre leur rang et leurs
visées. Gorgibus et Chrysale, définissant leur véritable milieu, qui est tout médiocre, les font apparaître avant tout comme des bourgeoises singeant
les grandes dames. C'était là un élément de comique
encore plus fortement perceptible à cette époque
qu'aujourd'hui. Ce n'est pas que Molière n'ait
ridiculisé dans les précieuses certains traits
empruntés à une philosophie incontestablement

aristocratique, et notamment la spiritualité romanesque. Mais il embourgeoise ces idées pour les
rendre ridicules, les imprègne de médiocrité roturière, les présente comme des modes vieillies mal
imitées par un monde inférieur, et apparaît ainsi
lui-même comme le champion, non pas du bon sens
bourgeois, mais du bon ton aristocratique. La solidarité établie par Molière dans *les Femmes savantes*
entre la préciosité et le pédantisme n'est pas moins
digne de remarque. Le type du pédant était un des
plus incompatibles avec les habitudes du beau
monde, et tous les témoignages du temps font de
l'horreur du pédantisme un des caractères de la
Précieuse, qui, selon l'abbé de Pure, est en « guerre
immortelle contre le Pédant et le Provincial [1] ».
De même la précieuse de la *Satire X* de Boileau,
loin de se laisser embrasser « pour l'amour du grec »,

> *Rit des vains amateurs du grec et du latin.*

Molière a donc multiplié les traits qui pouvaient
distinguer ses précieuses de celles de la belle
société. Non qu'il admirât ces dernières sans réserves
mais la façon dont il caricaturait leurs imitatrices
ne trahit en tout cas aucun parti pris bourgeois.
L'esprit véritable des *Femmes savantes* doit être
cherché dans la véhémente apologie du goût de
la cour, adressée aux pédants par Clitandre, fils
de gentilhomme et honnête homme de la pièce [2].
Ce Clitandre, qui « consent qu'une femme ait des
clartés de tout », mais ne veut pas qu'elle se pique

1. Abbé de Pure, *La Précieuse*, 1re partie, livre 1er, p. 193.
2. *Les Femmes savantes*, IV, 3.

de science, ni qu'elle étale ce qu'elle sait, a exactement les opinions de Mlle de Scudéry [1]. Les
femmes savantes de Molière sont donc inférieures
à leurs lectures, comme le milieu littéraire lui-
même, trop habitué à se piquer de bel esprit, était
au-dessous du bon ton véritable [2]. L'anonyme
*Portrait de la Précieuse*, qui se trouve dans le
*Recueil* de Mlle de Montpensier [3], indique que les
précieuses vont rarement à la cour, « parce qu'elles
n'y sont pas les bienvenues ». Si vague que soit
le renseignement, au moins prouve-t-il qu'on pouvait répudier la préciosité autrement que d'un
point de vue bourgeois.

Au fond les deux pièces sur lesquelles on s'appuie
si souvent pour établir le caractère bourgeois du
bon sens de Molière sont très voisines du *Bourgeois
gentilhomme* par l'inspiration. Le ridicule y frappe
la prétention roturière, l'effort laborieux du petit

1. Cette similitude, déjà remarquée par Victor Cousin,
qui cite divers passages de la 10e partie du *Cyrus*, saute aux
yeux si l'on rapproche les propos de Clitandre (I, 3) du portrait d'Alcionide dans la 3e partie, livre 3e, pp. 1111-1112, du
même roman : « Elle parle également de toutes choses, et
demeure pourtant si admirablement dans les justes bornes
que la coutume et la bienséance prescrivent aux Dames pour
ne paraître point trop savantes, que l'on dirait à l'entendre
parler des choses les plus relevées, que ce n'est que par le
simple sens commun qu'elle en a quelque connaissance. »
2. Voir ce que Boileau fait dire à son interlocuteur dans
la Satire X :
    De livres et d'écrits bourgeois admirateur,
    Vais-je épouser ici quelque apprentie auteur?
C'est le bon ton traitant de haut le bel esprit.
3. Paru en 1659.

monde pour égaler le grand. Si Molière semble y approuver parfois le bon sens bourgeois, c'est d'une façon très particulière, et peu flatteuse pour la bourgeoisie : en effet, les propositions d'un Chrysale ou d'un Gorgibus ne sont tenues pour valables qu'autant qu'elles sont destinées à prêcher à des bourgeoises la modestie, la fidélité à un rang médiocre. C'est le bon sens bourgeois si l'on veut, mais dans la mesure où il acquiesce à l'infériorité du bourgeois [1]. Et il n'est guère sympathique dans Molière que sous cette forme, comme en témoigne avant tout la comédie du *Bourgeois gentilhomme*, qui n'a pas d'autre signification que celle-là, et où le ridicule du marchand qui prétend à la qualité n'est pas compensé, mais augmenté par la sagesse de son épouse, sorte de réplique féminine de Chrysale. Les malheurs de Georges Dandin suggèrent la même leçon que les folies du bourgeois gentilhomme. Sans doute l'aristocratie n'est-elle pas toujours avantageusement représentée dans ces pièces : les Sotenville, pas plus que le Dorante du *Bourgeois*, ne sont des modèles sympathiques. Mais là n'est pas la question. Ce qui importe, c'est que l'infériorité sociale des bourgeois soit représentée avec tant de force, et qu'en aucun moment Molière ne songe à nous émouvoir contre ceux qui abusent de la différence des rangs. Cette insensibilité confine au scandale dans le cas de

1. Noter la facilité avec laquelle Chrysale fraternise avec une paysanne aussi mal dégrossie que Martine. En lui s'exprime une bourgeoisie sans ambition, qui se sent encore toute voisine du peuple.

*George Dandin*. L'infortune conjugale d'un rotu-
rier marié à une demoiselle noble et éclipsé par un
jeune courtisan y est représentée comme une chose
naturelle, éminemment divertissante. On peut
trouver le fait déplorable et immoral, mais Molière
ne s'est visiblement pas intéressé à cet aspect de
la question.

Il ne faut pas oublier que la bourgeoisie, au
XVII<sup>e</sup> siècle, jouissait encore d'un bien faible prestige dans la société. Les choses s'égalisent davantage au siècle suivant ; mais le « bourgeois » sous
Louis XIV, c'est surtout, pour l'opinion, le dra-
pier, le petit robin, le boutiquier, et on n'en parle
guère qu'avec dédain dans la bonne société. Il
serait inconcevable que Molière, qui s'adressait si
souvent à l'auditoire de Versailles, ait songé à lui
prêcher la philosophie de la place Maubert. Le ton
et l'esprit bourgeois passaient pour désastreux chez
un auteur. D'autres que Molière en ont subi le
reproche, Boileau par exemple, et non sans raison :
car il a vraiment introduit, en essayant de les
rendre imposants, l'esprit et les maximes morales
de la bourgeoisie dans la grande littérature. Aussi
essuya-t-il pendant vingt ans les sarcasmes et les
rappels humiliants des beaux esprits du monde [1].

1. Il faudrait comparer la *Satire V*, *Sur la noblesse*, et la
violence sarcastique qui y éclate par endroits, au conformisme du *Bourgeois gentilhomme*. Aucun des nombreux
ennemis de Boileau n'a manqué de lui reprocher son origine,
son inspiration, son style bourgeois. Voir Coras, *Le Satirique
berné*, 1668 (notamment l'épigramme sur la *Satire V*) ; Carel
de Sainte-Garde, *Défense des beaux esprits de ce temps contre*

Rien de semblable dans les critiques, pourtant nombreuses, qui assaillirent Molière : il faisait suffisamment rire aux dépens des bourgeois pour qu'on ne pût pas lui reprocher d'être issu d'eux ou l'accuser de leur ressembler. D'ailleurs, si mal que nous soyons renseignés sur sa façon de vivre, ses goût et ses sympathies, il est certain en tout cas qu'en choisissant dès sa jeunesse l'état de comédien, alors qu'il pouvait prétendre à une confortable succession bourgeoise, il a témoigné d'une médiocre estime pour le milieu dans lequel il était né, et qu'on invoque souvent à contresens pour expliquer son œuvre.

La représentation caricaturale du bourgeois était de tradition dans la littérature comique. Le bourgeois fournissait à la comédie un type nettement délimité, avec ses défauts et ses ridicules : avarice, faiblesse de courage, jalousie, penchant, le plus souvent bafoué, à la tyrannie domestique, suffisance réjouissante, égoïsme et naïveté. Ce type, distinct à la fois de celui du gentilhomme ou plus généralement de l'homme de bonne compagnie et de celui du valet, a été utilisé très fréquemment par Molière depuis ses débuts et tient dans son théâtre une place considérable, la première

un satirique, 1675 (articles III et XVII) ; Desmarets, *Remarques sur les œuvres satiriques du sieur D...*, 1675 (surtout le remarques concernant le *Discours au Roi* et la 1$^{re}$ *Épître*) ; Pradon, *Le Triomphe de Pradon*, 1684 (examen de la *Satire III*); *Nouvelles Remarques sur les ouvrages du sieur D...*, 1695 (remarques sur les *Satires VI et IX*, sur l'*Épître VI*) ; *Réponse à la Satire X du sieur D...* (préface et passim).

peut-être. Le Sganarelle du *Cocu imaginaire*, celui
de l'*École des Maris*, Arnolphe, le Sganarelle encore
du *Mariage forcé*, un dernier Sganarelle dans
l'*Amour médecin*, Harpagon enfin, forment comme
une longue lignée, à travers laquelle se retrouve,
pour la plus grande confusion de la bourgeoisie,
le même air de famille tour à tour rebutant ou
burlesque, issu d'un mélange fondamental de
passion possessive et de pusillanimité. Telles sont
bien les deux données premières du personnage,
variées et dosées diversement, mais présentes dans
toutes les variétés du type, qui se trouve ainsi
congénitalement affublé des défauts que le cynisme
aristocratique le plus achevé repousse encore
comme indignes de lui : avidité et couardise. Ces
deux défauts constituaient sans aucun doute, dans
l'opinion générale de l'époque, la ligne de séparation théorique de deux classes sociales.

Si c'est le plus souvent dans l'amour que le
bourgeois de Molière manifeste son infériorité, cela
ne résulte pas seulement du fait que le domaine
de l'amour et du plaisir est celui où s'affrontent
de préférence les valeurs chez Molière ; c'était une
tradition que l'incompatibilité du caractère bourgeois et de la galanterie. L'air bourgeois et le bel
amour n'allaient guère ensemble. Pour revenir par
exemple au cas significatif de Boileau, c'est tout
un de lui reprocher sa naissance et son esprit bourgeois, et de flétrir son inaptitude à la poésie galante[1].

1. Voir Coras, *loc. cit.*, parodie de l'*Épître IX* ; Bonnecorse,
*Lutrigot*, 1686, au chant II et note ; de même Perrault, dans
son *Apologie des Femmes*, 1694, écrite en réponse à la Satire X

Les traits habituels de la mentalité marchande
passaient pour mortels à l'amour, auquel la tradition courtoise, même réduite à la simple galanterie, attribuait une noblesse ou une excellence
indigne des âmes médiocres. Ce n'est pas que le
bourgeois ne soit sujet à l'amour. Molière, au contraire, aime à représenter ses Sganarelle et ses
Arnolphe amoureux, à leur prêter même une insistance passionnée dans le désir, une sensibilité
cruelle à l'échec. Mais ils ne savent pas aimer : ils
mettent dans l'amour la même jalousie, le même
instinct d'accaparement, qu'en toutes choses.
Ils parlent à leur bien-aimée comme Harpagon à
sa cassette, en propriétaires : « Vous ne serez plus
en droit de me rien refuser, et je pourrai faire avec
vous tout ce qu'il me plaira sans que personne s'en
scandalise. Vous allez être à moi depuis la tête
jusqu'aux pieds, et je serai maître de tout [1]. » Cet
égoïsme ingénu, si éloigné des procédés de la noble
et adroite galanterie, est ridicule à proportion de
la confiance qui l'accompagne :

> *Ha ! hai ! mon petit nez, pauvre petit bouchon,*
> *Tu ne languiras pas longtemps, je t'en répond.*
> *Va, chut ! Vous le voyez, je ne lui fais pas dire,*
> *Ce n'est qu'après moi seul que son âme respire [2].*

de Boileau, fait un portrait du « loupgarou », ennemi du sexe
et ami de l'antiquaille, qui, tout en s'appliquant à Boileau,
reproduit bien, dans certains de leurs traits, les barbons de
Molière ; voir enfin Pradon, dans le début de sa *Réponse à
la Satire X du sieur D...*, 1694.
  1. Sganarelle dans le *Mariage forcé*, scène II.
  2. Sganarelle dans l'*Ecole des Maris*, II, 9.

L'esprit du propriétaire a ses illusions et ses aveu-
glements, qui ne sont ni moins tenaces, ni moins
risibles que ses inquiétudes : d'où la fréquence du
thème comique de la jalousie bernée. Le Sganarelle de *l'École des maris*, au moment où il prononce les vers qui précèdent, est en train de favo-
riser à son insu une entrevue de sa bien-aimée avec
son rival.

Cependant, sous l'égoïsme et la suffisance, la
pusillanimité est vite discernable. Il ne s'agit pas
seulement de cette forme de couardise qui para-
lyse le héros du *Cocu* devant son rival. La terreur
d'avoir à disputer par les armes l'objet de son
amour s'accompagne d'une faiblesse non moindre
devant la femme elle-même. C'est qu'il y a au fond
de tous ces caractères un sentiment cuisant d'infériorité, mal dissimulé sous l'euphorie apparente.
Ainsi, dans *l'École des maris*, l'échec révèle en
Sganarelle une crainte foncière de la femme, à
peine distincte de son impuissance à aimer :

> *Malheureux qui se fie à femme après cela !*
> *La meilleure est toujours en malices féconde ;*
> *C'est un sexe engendré pour damner tout le monde.*
> *J'y renonce à jamais, à ce sexe trompeur,*
> *Et je le donne tout au diable de bon cœur* [1].

Au fond d'eux-mêmes, ces personnages ne se
sentent pas faits pour l'amour et pour le succès,
et c'est pourquoi ils cherchent leurs sûretés dans
une conception tyrannique de la vie conjugale ;

1. *Ibid.*, III. 9.

ou inversement leur égoïsme sans limite, leur inter-
disant toute communication vraie avec ce qu'ils
aiment et leur dérobant sans cesse la certitude
qu'ils recherchent, les rend inquiets et anxieux de
l'échec.

La figure d'Arnolphe dans *l'École des femmes*
est sans aucun doute la plus achevée que Molière
ait donnée du bourgeois amoureux. Une pièce
entière lui est consacrée, et non pas une pièce
quelconque. Il faudrait reproduire tout ce qu'il
dit pour le montrer tour à tour croquemitaine
solennel, barbon grivois, et surtout propriétaire
jaloux :

> *Je me vois riche assez pour pouvoir, que je crois,*
> *Choisir une moitié qui tienne tout de moi,*
> *Et de qui la soumise et pleine dépendance*
> *N'ait à me reprocher aucun bien ni naissance* [1].

Héritier perfectionné de plusieurs personnages
déjà ébauchés par Molière, il allie, dans une pro-

1. *L'École des Femmes*, I, 1. Que l'esprit de domination
puisse procéder, dans les relations des sexes comme ailleurs,
de la terreur d'être dominé, c'est chose trop évidente. Les
personnages brillants de la littérature aristocratique ignorent
la jalousie persécutrice, réservée aux amoureux peu propres
à inspirer de l'amour. Mais, comme d'autre part le bel amour
ne saurait se concevoir sans exclusivité, il en résulte un certain embarras dans la littérature galante, qui toutefois
trace assez bien les règles d'une jalousie noble : cette jalousie,
qui procède d'un excès d'amour, peut être susceptible et
douloureuse, mais elle n'est jamais vraiment agressive.
L'essentiel est que l' « objet » ne soit pas traité comme un
bien que l'on possède, mais comme une personne, et comme
une personne aimée. Les discussions subtiles sur la jalousie

portion parfaitement égale, l'assurance et l'inquiétude qui sont les deux données, contradictoires en
apparence seulement, de ce type humain. L'humiliation, au lieu d'être donnée ici dès le début comme
dans le *Cocu*, ou de ne surgir qu'à la fin comme dans
*l'École des maris*, s'élabore lentement, au cours
d'un dépouillement progressif du caractère, qui
finit par apparaître sous son véritable jour dans
l'infériorité et dans l'échec. La seule obsession du
cocuage trahit déjà une crainte profonde de la
femme, qu'Arnolphe exprime d'ailleurs naïvement dès la première scène. Quand sa disgrâce lui
a ôté progressivement son faux air de supériorité
despotique, il ne reste plus de lui que rage impuissante et supplications vaines. Molière a longuement et cruellement exploré, dans les deux derniers actes, les détours de son désespoir.

Tous ces portraits de bourgeois amoureux, dont
Molière a rempli son théâtre, ne font que trans-
poser dans l'ordre de la galanterie les traits attribués par le sens commun au bourgeois considéré

foisonnent dans la littérature romanesque et galante. Ce
qu'on a appelé préciosité, et qui n'est souvent que la galanterie commune à toute l'époque, repousse comme odieuse
la jalousie du type possessif. Molière lui-même, qui avait déjà
évoqué cet habituel débat dans une scène des *Fâcheux* (II, 4),
a donné deux couleurs très différentes à la jalousie dans les
deux peintures successives (dont la seconde pourtant est
faite sur la première et la reproduit en de longs passages de
dialogue) de Don Garcie, jaloux injuste mais respectueux,
et d'Alceste, jaloux violent à prétentions despotiques ; le
premier réussit, l'autre échoue. Voir notamment à ce sujet
le livre de Baumal, *Molière auteur précieux*.

comme être social. Harpagon, en tant qu'il incarne
le comportement bourgeois dans sa forme économique, presque chimiquement pure, est le type de
qui s'engendrent et en qui se résolvent les autres
personnages de la lignée. La passion de posséder
trouve en lui son véritable objet, l'argent, et sa
forme achevée, le délire. Un de ses mots les plus
forts, et qui trahissent le mieux ce tempérament
dans lequel l'instinct se repaît de l'objet, le désire
palpable, veut le *tenir*, est celui qui concerne la
prétendue dot attribuée par Frosine à Marianne :
« C'est une raillerie que de vouloir me constituer
sa dot de toutes les dépenses qu'elle ne fera point.
Je n'irai pas donner quittance de ce que je ne reçois
pas, et il faut bien que je touche quelque chose [1]. »
Ce désir de tenir est le fond, mais aussi la chimère,
de toute avarice. Il n'est de certitude et de jouissance vraies que dans des rapports de réciprocité
et d'échange avec le monde vivant. Harpagon ne
jouit finalement de rien de ce qu'il *tient*. Arnolphe
aussi voulait tellement tenir Agnès qu'il lui inter-
disait de penser à l'amour. La misère d'une semblable attitude altère la raison même. Arnolphe
voit partout des cocus et des femmes diaboliques,
Harpagon s'imagine entouré d'ennemis. Molière
a poussé ce trait chez lui jusqu'aux limites de la
folie : tout ce qu'il voit, dit-il lui-même, lui semble
son voleur. Harpagon joint ainsi l'extrême stylis-
ation de la caricature à la vérité psychologique
la plus directe. Molière a donné en lui la formule

1. *L'Avare*, II, 5.

abstraite d'une mentalité réelle, qu'on peut nommer bourgeoise, en désignant par ce mot, d'accord
avec tout le xvii⁰ siècle, une forme d'existence
morale inférieure, impuissante à réaliser le beau
caractère humain.

Le théâtre de Molière, ainsi considéré du dehors,
dans la répartition immédiatement apparente de
ses valeurs, dans la façon dont il distribue dès
l'abord, pour l'esprit et pour les yeux, l'attrayant
et le morne, le brillant et le médiocre, loin de plaider en faveur du bourgeois, fait donc résider tout
prestige dans des formes de vie et de sentiment
propres à la société noble. En cela Molière n'a pas
fait œuvre systématique : il a simplement représenté les bourgeois et les gentilhommes ainsi que
les concevait le sens commun, dominé comme toujours par les habitudes de pensée de la classe
sociale la plus haute. Et c'est justement en cela
que son œuvre est significative : elle témoigne d'un
certain état des idées reçues.

D'ailleurs les idées reçues elles-mêmes n'ex-
cluaient pas toute critique du caractère aristocratique. Le bon ton condamnait certains ridicules
nobles, que Molière a librement dépeints chez les
hobereaux ou les dames de province. Les Sotenville, Pourceaugnac, Mᵐᵉ d'Escarbagnas faisaient
rire à Paris et à Versailles, où la satire même des
courtisans ridicules n'offusquait pas. Les ennemis
de Molière ont essayé sans cesse d'intéresser la
susceptibilité des courtisans aux peintures que
Molière a faites des marquis. Mais ils confessent
avec amertume que les victimes de Molière semblent

se plaire à ses attaques, et, en tout cas, ils ne sont jamais parvenus, sauf un incident unique, tout personnel, et d'ailleurs des plus mal attestés, à dresser contre Molière les personnes en vue de la cour [1]. C'est que Molière s'en prend aux marquis au nom des principes même de l' « honnêteté », telle que la cour la conçoit ; en les ridiculisant il n'atteint pas leur classe, au contraire. Le témoignage du parterre, qu'il invoque contre leur mauvais goût dans la *Critique,* ne met pas en cause le prestige de la cour ; c'est pour le mieux assurer que Dorante, courtisan honnête homme et porte-parole de Molière, dénonce « une douzaine de messieurs qui déshonorent les gens de cour par leurs manières extravagantes, et font croire parmi le peuple que nous nous ressemblons tous [2] ». Un homme de qualité n'est pas forcément « honnête homme », et le peuple en est quelquefois bon juge. On ne voit nulle part qu'un semblable axiome ait passé pour subversif sous Louis XIV, ni qu'il obligeât celui qui l'émettait de renoncer aux idées du sens commun sur les catégories du noble et du bourgeois et sur leur valeur respective.

\*

1. Voir notamment Donneau de Visé dans *Zélinde* (1663) ; Boursault dans le *Portrait du Peintre* (1663). Le même Visé écrivait la même année une comédie intitulée *la Vengeance des Marquis,* et dans sa *Lettre sur les affaires du théâtre,* prenant la chose de plus haut, accusait Molière de maltraiter dans les marquis des familiers du monarque, « l'appui et l'ornement de l'État ».

2. *Critique de l'École des Femmes,* sc. V.

Le théâtre agit comme spectacle, et c'est par l'intermédiaire d'une mise en œuvre spectaculaire qu'il peut exercer une action morale, et suggérer telle ou telle conduite. Les « maximes » de Molière pourront ainsi se trouver quelque peu éclairées par les considérations qui précèdent. Nous nous y sommes volontairement tenu sur le plan du spectacle, qui est celui des différentes valeurs d'éclat ou de prestige, immédiatement perceptibles. Si l'on veut entrer dans la discussion morale proprement dite, et définir, non plus la poésie de Molière, mais sa sagesse, on y trouvera ce composé de vertus solides et adroites où s'exprime finalement l'équilibre de la civilisation courtisane. D'ailleurs cette sagesse, née à la cour, se donne en modèle à la société honnête tout entière. La cour n'est que le centre, et le raccourci, du monde monarchique.

L'influence des cours dans l'histoire morale de la noblesse ne date pas de la période absolutiste. L'esprit *courtois* leur doit son nom et sa naissance. C'est dans l'entourage des cours que s'est développée la grande tentative médiévale d'associer la religion de l'amour à l'héroïsme, le cœur à la vertu. Et il est hors de doute que cette orientation de la mentalité noble selon les chemins du cœur se ressent des tentations déjà sensibles que la vie brillante des cours offre aux barons féodaux. Le souvenir de la chevalerie amoureuse est bien resté lié à des idées de tendresse et de faste, à une magie magnifique, à l'émerveillement. Au xviie siècle comme au douzième, il n'est pas de

romans d'inspiration chevaleresque, dont les péripéties ne soient rapportées à la vie de quelque cour particulièrement prestigieuse. Mais le compromis que
représente l'esprit courtois entre l'héroïsme et le
plaisir ne devait pas résister indéfiniment aux
circonstances : le progrès des richesses et de la
grandeur royale au cours des siècles monarchiques,
les appâts toujours plus puissants de la vie de cour
ont fini par le rendre fragile. La monarchie a
encouragé, aux dépens des traditions de la chevalerie courtoise, une philosophie facile dont l'agrément devenait le centre [1]. D'une façon générale,
le xvii^e siècle enregistre, dans l'esprit aristocratique, un progrès sensible de la philosophie du
plaisir, qui se donne pour la philosophie du monde
et des temps nouveaux. Non seulement les
« honnêtes gens » rompent des lances contre
l'antique sévérité, qui n'est plus évoquée que sous
sa forme bourgeoise, toujours ridicule, mais les

1. C'est en quoi l'ancienne monarchie diffère le plus profondément des dictatures modernes, nées d'une régression
vers la misère. L'architecture, les arts, la peinture de ce
temps-là traduisent un idéal d'épanouissement (d'autant
plus librement exprimé qu'il ne se concevait que pour une
minorité). Les dictatures modernes, issues d'un resserrement relatif, et non d'un élargissement du bien-être général,
et plus inquiètes des mouvements de la masse, font de nécessité vertu, affectent le genre spartiate, condamnent régres-
sivement le plaisir, et ne connaissent d'autre magnificence
que la magnificence guerrière, miroir de toute misère. Cependant la contradiction des tendances contraignantes et déten-
dantes à l'intérieur de la monarchie devait lui être fatale.
Les amis du luxe et du progrès finirent par devenir les ennemis du respect.

conquêtes mêmes de la morale courtoise apparaissent comme les fruits d'un idéalisme désuet.
Molière ne s'en prend pas seulement aux parents
ou aux barbons tyranniques, mais aux Précieuses.

Ici s'ouvre un débat difficile. Les rapports
vrais de Molière avec la « préciosité » ont été singu-
lièrement obscurcis par le fait qu'on s'est le plus
souvent borné, pour les décrire, à consulter les
deux pièces qu'il a entièrement consacrées à ce
sujet, à savoir *les Précieuses ridicules* et *les Femmes
savantes*, et qui, isolées du reste de son œuvre,
montrent seulement dans Molière le champion
du bon sens contre les chimères de la littérature
romanesque. Réagissant contre cette interprétation hâtive, certains ont voulu, au contraire, que
Molière fût tout entier un écrivain précieux. Ce
qui rend toute cette discussion si confuse, c'est
l'absence d'une définition claire de cette préciosité
dont il s'agit de savoir si Molière l'a combattue ou
s'il l'a défendue. Partisans de l'une ou de l'autre
thèse rangent en effet sous le nom de préciosité
les choses les plus différentes. Tout d'abord, comme
la Précieuse est férue de belles-lettres, on prétend
définir la préciosité sur le plan littéraire, par un
parti pris de distinction dans le style, par un
certain pli de galanterie et d'ingéniosité ; mais
ce sont là des attributs communs à toute la poésie
du temps. Si la préciosité se définit par là, tout
le siècle est précieux, et il faut être aveugle pour
vouloir que Molière ne le soit pas. Il suffit de le
lire pour voir que, dans les endroits poétiques,
il a le style de son temps. Toute son époque blâ-

mait sans doute avec lui une certaine affectation excessive et ridicule de bel esprit, mais c'est une pure légende que celle d'une secte spéciale qui aurait fait de cette affectation sa loi propre. « On appelait précieuses, dit avec raison V. Cousin, toutes les femmes qui avaient un peu de culture et d'agrément [1]. » Le *Grand Dictionnaire des Précieuses* de Somaize (1661) ou le *Cercle des Femmes savantes* de La Forge (1663) sont comme des catalogues où figurent toutes les dames de la société mondaine, de même que la liste de ceux qu'on appelle des poètes ou des écrivains précieux contiendrait à peu près tous les auteurs du temps. Il ressort de tout cela que la préciosité n'est, en littérature, ni un parti constitué, ni une doctrine particulière. C'est le goût du monde cultivé, amateur de galanterie et de bel esprit. La préciosité ridicule, une fois écartées les invraisemblances et les exagérations inséparables de toute caricature, n'apparaît plus que comme un ensemble de travers universellement condamnés, et dont chacun refuse d'autant plus de se reconnaître coupable qu'ils ne font qu'exagérer des habitudes communes à tous, recherche de l'agréable et du brillant, du beau et de l'ingénieux. La préciosité ridicule se définit en outre par une surestimation de la littérature, et de l'intellectualité en général, qui fausse les valeurs de la vie. Ceci est frappant dans le roman de *la Précieuse*, de

1. V. Cousin, *La Société française au XVII^e siècle d'après le Grand Cyrus*, ch. XII.

l'abbé de Pure, où abondent les définitions qui
font de la précieuse une intelligence pure ; notamment : « C'est un précis de l'esprit, et un extrait
de l'intelligence humaine [1]. » Mais nous quittons
ici le domaine de la littérature pour celui de la
morale. Et le débat y devient plus clair. Là il
existe bien certaines positions particulières attri-
buées ordinairement aux Précieuses, et qui constituent en quelque sorte leur philosophie propre.
Ce sont ces positions qu'il conviendrait de discerner avant de se demander ce que Molière a pu en
penser.

La discussion morale qui s'engage au xviie siècle autour de la préciosité a pour objet principal
l'amour, dont on se demande quelle est la définition véritable, et quelle doit être la place dans la
vie. Saint-Évremond, dans le *Cercle*, au tome I de
ses *Œuvres mêlées*, définit d'un vers la Précieuse,

> *Occupée aux leçons de morale amoureuse.*

Même la manie d'intellectualité attribuée aux
précieuses résulte d'une certaine attitude à l'égard
de l'instinct amoureux : c'est pour épurer cet instinct qu'on en appelle à la sublimité des pensées.
Cela ressort à peine moins évidemment des *Précieuses ridicules* que des *Femmes savantes*, dont
toute la première scène, avec le parallèle établi
par Armande entre les joies du mariage et celles
de la philosophie, est suffisamment significative.
Mais, dès qu'on veut définir la conception pré-

1. 1re partie, 1er livre, p. 177.

cieuse de l'amour en tenant compte de l'ensemble
des témoignages qui s'y rapportent, on est arrêté
par une surprenante ambiguïté : on s'aperçoit que
les contemporains ont reproché aux Précieuses,
tantôt de vouloir bannir l'amour, et tantôt de lui
faire trop de place. Ainsi, dans une mascarade
contemporaine des *Précieuses* de Molière, *la Dé-
route des Précieuses*, on dit notamment :

> *Précieuses, vos maximes*
> *Renversent tous nos plaisirs ;*
> *Vous faites passer pour crimes*
> *Nos plus innocents désirs...*

ou encore :

> *Dieux ! qu'une Précieuse est un sot animal !*
> *Que les auteurs ont eu de mal,*
> *Tandis que ces vieilles pucelles*
> *Ont régenté dans les ruelles !*
> *Pour moi, je n'osais mettre au jour*
> *Ni stances ni rondeau sur le sujet d'Amour.*

Boileau dit exactement le contraire dans sa *Satire X*,
quand il met en garde le candidat au mariage
contre les effets corrupteurs exercés sur les femmes
par les romans précieux :

> *D'abord tu la verras, ainsi que dans* Clélie,
> *Recevant ses amants sous le doux nom d'amis,*
> *S'en tenir avec eux aux petits soins permis ;*
> *Puis bientôt, en grande eau, sur le fleuve de Tendre,*
> *Naviguer à souhait, tout dire et tout entendre.*
> *Et, ne présume pas que Vénus, ou Satan,*
> *Souffre qu'elle en demeure aux termes du roman :*
> *Dans le crime il suffit qu'une fois on débute ;*

*Une chute toujours attire une autre chute ;*
*L'honneur est comme une île escarpée et sans bords,*
*On n'y peut plus rentrer dès qu'on en est dehors.*
*Peut-être avant deux ans, ardente à te déplaire,*
*Éprise d'un cadet, ivre d'un mousquetaire,*
*Nous la verrons hanter les plus honteux brelans,*
*Donner chez la Cornu rendez-vous aux galants...*

Cependant ces deux critiques exactement opposées, et qui voient tour à tour dans la préciosité
un excès d'austérité et un encouragement à la
débauche, se retrouvent constamment dans la
polémique du temps, qu'il s'agisse des Précieuses
en particulier, ou plus généralement de la morale
des romans, qu'on identifie toujours à la leur. Et
en effet la préciosité ne fait que reprendre les positions traditionnelles de la littérature romanesque
et courtoise, et c'est parce que ces positions forment un compromis entre l'apologie de l'instinct
amoureux et sa condamnation, parce qu'elles
consistent à soutenir les droits de l'amour tout en
l'épurant, qu'elles subissent un double assaut.
Saint-Évremond, qui condamnait comme chimérique, un peu à la façon de Molière, la philosophie
précieuse de l'amour, la définit assez exactement,
dans ses deux aspects confondus, quand il écrit :
« L'amour est encore un dieu pour les précieuses.
Il n'excite point de passion dans leurs âmes ; il y
forme une espèce de religion... Elles ont tiré une
passion toute sensible du cœur à l'esprit et converti
des mouvements en idées [1]. » Tout est dans cette
définition : religion de l'amour, désaveu de l'ins-

1. Saint-Évremond, *Le Cercle.*

tinct naturel, appel à l'intelligence pour le sublimer.
L'abbé de Pure, dont le roman est le document le
plus étendu et le plus riche sur les idées morales
en cours parmi les Précieuses, va dans le même
sens ; une de ses héroïnes donne une remarquable
définition du parfait amour, qui ne se trouve selon
elle que chez la prude, dont le caractère concilie
les exigences du devoir et celles du cœur : « Je
crois... que le devoir aide et fortifie la passion.
Car l'âme y agit avec plus de liberté, et peut aussi
bien employer sa raison, avec tout ce qu'elle a de
lumière, que son cœur, avec tout ce qu'il peut
avoir d'ardeur. Elle ne se partage point ; le jugement ni la honte ne retranche rien de ses désirs et
de ses soins, et elle se porte tout entière à son
objet, avec ce doux avantage qu'elle satisfait
en même temps à la tendresse de ses sentiments
et à la rigueur de son devoir [1]. »

Il est normal qu'une conception semblable,
qui n'est que le développement moderne des vieux
germes courtois, rencontre à la fois l'opposition
des moralistes rigoureux et celle des partisans de la
liberté et de la nature. Moralistes austères et
amis du plaisir étaient, en partant de points de vue
opposés, les ennemis traditionnels de la doctrine
courtoise. Mais aussi peut-il arriver parfois que les
apologistes du plaisir et ceux du parfait amour se

---

1. 3e partie, 1er livre, seconde conversation, voir pp. 288
à 290. Il est à remarquer que le portrait est moins celui d'une
prude amoureuse (c'est-à-dire d'une hypocrite) que celui
d'une héroïne de roman, goûtant la perfection de l' « honnêt·
amour ».

trouvent ligués contre les rigoristes qui les
condamnent les uns et les autres, voire les confondent. C'est là le secret des rencontres de pensée
entre Molière et la préciosité. S'il condamne en elle,
comme une chimère, et comme un mal, la tentative
d'épurer et d'intellectualiser le désir, il se trouve
solidaire d'elle dans un effort commun pour
briser les vieilles contraintes et affirmer les droits
de l'amour.

Tout compte fait, la satire chez Molière atteint
moins fortement les lectrices des romans que les
barbons qui les persécutent. A côté des ridicules
propos romanesques que Molière a mis dans la
bouche des précieuses et des imprécations finales,
qui peuvent presque sembler sympathiques, d'un
Gorgibus contre les romans, on peut citer les
burlesques sermons de son homonyme et congé-
nère du *Cocu*, qui veut marier sa fille contre son gré :

> *Voilà, voilà le fruit de ces empressements*
> *Qu'on vous voit nuit et jour à lire vos romans :*
> *De quolibets d'amour votre tête est remplie,*
> *Et vous parlez de Dieu bien moins que de Clélie.*
> *Jetez-moi dans le feu tous ces méchants écrits,*
> *Qui gâtent tous les jours tant de jeunes esprits.*
> *Lisez-moi comme il faut au lieu de ces sornettes,*
> *Les* Quatrains de Pibrac, *et les doctes* Tablettes
> *Du conseiller Mathieu, ouvrage de valeur*
> *Et plein de beaux dictons à réciter par cœur.*
> La Guide des Pécheurs *est encore un bon livre.*
> *C'est là qu'en peu de temps on apprend à bien vivre,*
> *Et si vous n'aviez lu que ces moralités*
> *Vous sauriez un peu mieux suivre mes volontés* [1].

1. *Le Cocu imaginaire*, scène 1.

De même l'Arnolphe de *l'École des Femmes*,
en qui Molière s'est proposé évidemment de ridiculiser une conception détestable de la vie et de
l'amour, est un ennemi déclaré de la préciosité :

> *Moi, j'irais me charger d'une spirituelle*
> *Qui ne parlerait rien que cercle et que ruelle,*
> *Qui de prose et de vers ferait de doux écrits,*
> *Et que visiteraient marquis et beaux esprits,*
> *Tandis que, sous le nom du mari de Madame,*
> *Je serais comme un saint que pas un ne réclame ?*
> *Non, non, je ne veux point d'un esprit qui soit haut,*
> *Et femme qui compose en sait plus qu'il ne faut* [1].

Ce sont presque les paroles de Chrysale dans *les
Femmes savantes*, mais avec un son tout différent.
L'antipathie d'Arnolphe pour les précieuses s'exprime d'ailleurs à plusieurs reprises, et toujours
de façon ridicule :

> *Héroïnes du temps, Mesdames les Savantes,*
> *Pousseuses de tendresse et de beaux sentiments,*
> *Je défie à la fois tous vos vers, vos romans,*
> *Vos lettres, billets doux, toute votre science,*
> *De valoir cette honnête et pudique ignorance* [2].

Il n'a pas plutôt prononcé ces paroles qu'il est
cruellement désabusé. De même, plus loin, quand
Agnès se révolte contre lui :

> *Voyez comme raisonne et répond la vilaine !*
> *Peste ! une précieuse en dirait-elle plus* [3] ?

1. *L'École des Femmes*, I, 1.
2. *Ibid.*, I, 3.
3. *Ibid.*, V, 4.

Tous ces exemples prouvent assez que les ennemis
des précieuses, qui sont les ennemis de l'amour,
trouvent Molière sur leur chemin.

Les problèmes moraux qui sont familiers à la
préciosité, et que Molière tranche jusqu'à un certain point comme elle, revêtent volontiers chez lui
l'aspect de problèmes sociaux. Les textes précé-
dents ont tous trait à des situations qui mettent
en cause la condition des femmes au sein de la
société. Mais il n'y a là aucune nouveauté. Les
droits de l'amour et les droits de la femme se
confondaient déjà au moyen âge, où on les recon-
naissait ou rejetait ensemble. Les ennemis du bel
amour, les censeurs de l'instinct sont dès cette
époque les ennemis des femmes. Parallèlement,
l'idéalisation de l'amour s'accompagne dans la
littérature romanesque d'une attitude d'hommage
envers la femme, devenue la source des principales
valeurs de la vie. Depuis ce temps-là jusqu'au
nôtre, diverses raisons font du sexe masculin le
dépositaire exclusif des vertus les plus sévères :
rigueur, répression de soi, insensibilité. Tout au
moins est-ce dans ces vertus que l'homme croit
manifester son excellence propre. L'homme s'attribue comme un privilège la capacité de dédaigner le
plaisir, surtout le plaisir amoureux, considéré
comme l'ennemi principal du devoir. Ce combat de
la vertu virile contre l'amour prenant aisément
l'aspect d'une lutte contre le principe féminin, il est

normal que toute détente morale, tout afflux de
bonheur et de civilisation, se soient traduits au
contraire par une hausse du prestige de la femme.
Le moyen âge civilisé et riche est le moyen âge courtois. Et il n'y a pas d'époque où l'image féminine,
dans toute sa force et dans tout son attrait dévoilés,
ait tenu plus de place que dans les trois grands
siècles qui ont vu et suivi la Renaissance.

Le xviie siècle tout entier a témoigné le même
intérêt pour l'aspect social de la question féminine
que pour son aspect moral. Les discussions des
cercles précieux, telles qu'elles apparaissent par
exemple à travers le roman de l'abbé de Pure,
portent aussi souvent sur l'autorité des pères et des
maris que sur l'amour : c'était au fond un seul
sujet. La lutte des femmes et des jeunes gens
contre les entraves familiales, représentées par
quelque vieillard, père ou prétendant ridicule, est
partout présente chez Molière : c'est le ressort
universel de ses pièces, où toujours les jeunes
finissent par triompher des vieux, le penchant de la
contrainte, et la liberté amoureuse des vieux
préceptes familiaux. Il est bon, pour replacer
dans leur atmosphère les idées communes de
Molière et des précieuses, de songer à ce qu'étaient
ces préceptes, en usage depuis des siècles. Dès le
moyen âge, on voit des moralistes bien-pensants
s'efforcer de combattre l'influence de la littérature
courtoise en traçant à la femme ses véritables
devoirs : soumission absolue à l'homme et abdication
systématique de ses instincts et de son intelligence. Ils condamnent la parure, la coquetterie,

les visites, les lectures, la correspondance, font de
la chasteté, presque de l'absence de tout désir
spontané en tout domaine, l'unique vertu féminine,
préconisent une obéissance entière au mari, voire
un comportement servile devant ses colères ou sa
mauvaise humeur [1]. Au xvi^e siècle encore on
écrivait dans ce sens, et avec la plus grande gravité.
L'érudit Vivès, confirmant en pleine Renaissance,
dans son *Institution de la Femme chrétienne*, les
rigoureux enseignements du vieux temps, veut
que la femme évite conversations et visites,
s'occupe exclusivement de son ménage et de ses
enfants, qu'elle ignore, avec les romans, tous les
ouvrages où il est question d'amour, et surtout
qu'elle soit entièrement soumise à son seigneur et
maître. Ces idées traditionnelles, battues en brèche
par les progrès de la vie mondaine, étaient cependant très vivaces encore au xvii^e siècle; en dépit
de l'opposition des femmes et des beaux esprits,

---

1. Ainsi Philippe de Novaire dans les *Quatre tens d'aage
d'Ome* (xiii^e siècle) : Notre-Seigneur a commandé que la
femme fût toujours en commandement et sujétion. Pendant
son enfance, elle doit obéir à ceux qui l'élèvent, et, quand
elle est mariée, elle doit entière soumission à son mari,
comme à son seigneur. » (Paragraphe 21). Même Christine de
Pisan définit ainsi les rapports de la femme et du mari : « Elle
se rendra humble envers lui en fait, en révérence et en parole
lui obéira sans murmure et lui assurera la paix aussi soigneusement qu'elle pourra. » (*Le Livre des trois vertus*.) Et Anne
de France recommande à sa fille : « Il faut être spécialement
humble avec votre seigneur et mari, auquel, après Dieu,
vous devez parfaite amour et obéissance, et vous ne pouvez
en cela trop vous humilier. » (*Les Enseignements d'Anne de
France à sa fille Suzanne de Bourbon*, ch. XVI).

elles triomphaient dans l'éducation ordinaire,
telle qu'on la donnait dans les familles ou au
couvent, et régissaient les mœurs communes, avec
les seuls tempéraments que la force des choses et la
sociabilité naturelle ont coutume d'apporter à
toute oppression. C'est à ces idées que font allusion
les Précieuses de l'abbé de Pure quand elles évoquent « ces maximes importunes de nos pères.
qui n'approuvent les femmes qu'au ménage [1] »,
Ce sont ces idées que Molière, avec une fidélité
qui s'étend jusqu'aux expressions mêmes, attribue
à ses « barbons » [2]. L'écrit qu'Arnolphe donne à
Agnès, et qui, sous le titre de *Maximes du mariage*,
doit lui enseigner ses devoirs, reproduit les interdictions traditionnelles : ni toilettes, ni fards,
ni visites, ni présents, ni correspondance, ni belles
assemblées, ni jeu, ni promenades.

Molière fait évidemment cause commune avec
les précieuses en soutenant contre cette morale
oppressive les revendications féminines. Et il faut
bien marquer que les idées d'émancipation dans ce
domaine étaient fort peu sympathiques à la bourgeoisie, sans aucun doute plus rétrograde sur ce
point que le beau monde. Aussi est-il impossible
de faire passer pour une protestation du bon sens
bourgeois ce qui chez Molière est la protestation de
l'esprit nouveau contre des préjugés et des mœurs
spécialement ancrés dans la bourgeoisie. On a cru

1. *La Précieuse*, 1re partie, livre second, p. 314.
2. Voir notamment *l'École des Maris*, I. 2 ; *l'École des
Femmes*, I. 1 ; III. 2.

s'en tirer en écrivant que Molière a toutes les
idées d'un bourgeois moyen, *sauf* qu'il est partisan
des libertés féminines et du mariage d'amour. Mais
la restriction est trop grave; elle emporte toute la
thèse. En tout cas, c'est bien dans des bourgeois
que Molière a incarné la morale qui condamne
l'amour et la femme. C'est en eux qu'il l'a combattue.
Ce sont eux dont il a fait les victimes de la spontanéité et de la finesse féminines. La morale autoritaire des Sganarelle et des Arnolphe n'est qu'une
transposition, aisément reconnaissable, de cet
appétit de possession avare et inquiet, dont on
faisait le trait distinctif de l'homme sans noblesse.
Les maximes des barbons sont rarement sans
porter les traces d'une infériorité sociale. Molière,
en s'attaquant à l'autorité paternelle et maritale,
a plutôt pour lui l'opinion de la cour et des salons.
Défendre la galanterie et la dépense, partir en
guerre contre le vieux temps, c'était la belle
société qui s'en était toujours chargée; c'était
elle qui prétendait civiliser la vie, l'arracher à
l'antique rusticité : il fallait pour cela avoir l'esprit
libéral, le goût des belles choses. Ainsi s'explique
que Molière, au milieu de toutes ses audaces, et
alors même qu'il s'en prend à des préjugés puissants et universels, donne l'impression de s'appuyer
sur l'évidence contre un ennemi ridicule. Son
assurance serait moins grande contre les idées
reçues si le progrès de la vie civilisée n'avait
brouillé avec elles la partie la plus brillante de la
société, ne leur laissant d'autres champions qu'un
Sganarelle ou un Arnolphe.

La force des modes nouvelles dans la société française est suffisamment attestée par l'opinion générale qui faisait de la France le pays par excellence de la liberté féminine. Non seulement la barbarie des mœurs « turques » était universellement détestée dans les conversations de la société polie, mais on se flattait même de ne pas imiter la jalousie espagnole ou italienne. Molière, dans l'*Amour peintre*, a fait tourner le combat de la galanterie française et de la jalousie sicilienne à la gloire de la première et à la confusion de la seconde. « La plus grande des douceurs de notre France, dit une des Précieuses de l'abbé de Pure, est celle de la liberté des femmes... La jalousie n'est pas moins honteuse au mari que le désordre de sa femme ; et soit par mode ou par habitude, c'est la première leçon qu'on fait à ceux qui se marient, de se défendre du soupçon et de la jalousie [1]. » Les témoignages analogues abondent. Pradon, dans sa *Réponse à la Satire X*, qui est un réquisitoire contre la misogynie, toute bourgeoise selon lui, de Boileau, va dans le même sens :

> *L'honnête liberté que l'on permet en France,*
> *Loin d'accroître le vice en bannit la licence ;*
> *Sans se servir ici, comme en d'autres climats,*
> *De grilles, de verrous, de clefs, de cadenas,*
> *Qui ne font qu'enhardir souvent les plus timides,*
> *L'honneur et la vertu servent ici de guides.*

Un indice remarquable concernant l'état de l'opinion nous est donné par le fait que, parmi les

---

1. *La Précieuse*, 1ʳᵉ partie, livre second, p. 309.

nombreux détracteurs de *l'École des Femmes*,
aucun ne mit en cause les idées de Molière sur le
fond du sujet. Agnès n'a été trouvée « inquiétante »
qu'au xixᵉ siècle. En effet, le type du jaloux
séquestreur et persécuteur était généralement tenu
pour ridicule, surtout dans la société mondaine,
où les femmes, avec l'habitude de la dépense et des
plaisirs, avaient acquis jusqu'à un certain point le
droit de se conduire elles-mêmes. C'est sur cette
pratique des « divertissements » où participaient les
deux sexes, hors du contrôle trop strict de l'autorité
familiale, que reposait toute la belle galanterie.
Les romans, et la littérature précieuse en général,
sont remplis de ces réunions galantes, bals, promenades et « cadeaux », sérénades, lectures de poèmes
et de lettres, discussions sur l'amour, divertissements de danse et de chant. Ce sont là les plaisirs
que revendiquent les femmes et les jeunes filles
de Molière, et les maris ou les prétendants qui les
leur refusent sont représentés, sans exception,
comme ridicules et incapables d'inspirer de
l'amour. « J'aime le jeu, les visites, les assemblées,
les cadeaux et les promenades, en un mot toutes
les choses de plaisir [1] », dit Dorimène à Sganarelle,
son futur époux, dans *le Mariage forcé*. Et loin
de s'en tenir aux termes de l' « honnête liberté »,
elle demande à son prétendant, après l'avoir délivrée de la tyrannie paternelle, de vivre avec elle
dans « une complaisance mutuelle », véritable
dérision du lien conjugal tel qu'il est conçu d'or-

1. *Le Mariage forcé*, scène 2.

dinaire. Sans doute Molière ne laisse entendre
nulle part qu'il la donne en exemple, mais toute
la pièce montre assez que s'il a outré comiquement
la situation, c'est pour mieux ridiculiser l'infortuné
Sganarelle, qui s'abandonnait tout entier il y a un
instant à la joie naïve du propriétaire. La même
situation est reprise, et traitée de la même façon
réjouissante, dans *George Dandin* [1], avec cette
circonstance aggravante qu'ici l'héroïne, Angélique,
parle à son mari, et non à son fiancé. Ici non plus,
il est bien évident que Molière n'a pas entendu
proposer un modèle, mais Angélique justifie
suffisamment sa conduite en rappelant à son mari
qu'elle lui a été donnée malgré elle ; et surtout,
quelques réflexions que puisse suggérer Angélique,
il n'en demeure pas moins que la pièce tout entière
est conçue de façon à égayer le public aux dépens
de son mari.

*

Rien ne semble plus contestable, sitôt qu'on
remet Molière dans son siècle, que l'opinion, mise
en circulation deux cents ans après, selon laquelle
Molière est le défenseur de la famille bourgeoise.
Il n'est que trop évident, au contraire, que les
sentiments véritables de Molière sur l'amour et sur
le mariage sont devenus gênants pour la société,
dès l'instant qu'elle s'est tout entière embourgeoisée, et que les vieilles façons de voir bourgeoises

1. *George Dandin*, II, 2.

ont pris rang de philosophie officielle. Comme on ne
pouvait envoyer Molière au diable, on l'accommoda
aux temps nouveaux. Ainsi l'idée se fit jour
progressivement que les peintures souvent cho-
quantes ou scandaleuses que Molière avait tracées
du milieu familial répondaient à un dessein d'édification, et qu'il avait voulu rendre d'autant plus
odieux les excès ou les travers qu'il dénonçait,
qu'il les montrait plus funestes à une institution
sacrée entre toutes. Si l'on suit ce système, Angélique prouve par son exemple les déplorables effets
des mariages disproportionnés ; Agnès les dangers
que court l'innocence mal instruite, et ainsi de suite.
Ainsi toutes les protestations féminines contre la
contrainte sont travesties en autant de manisfes-
tations inquiétantes, gravement dénoncées par
Molière lui-même [1]. On reconnaît bien que Molière
a condamné la contrainte, mais c'était pour
maintenir l'ordre. La vérité est plutôt que Molière,
par tempérament, n'est pour l'ordre qu'autant
que la contrainte en est exclue. Les femmes sympathiques sont presque toujours chez lui en rébellion contre quelque autorité odieuse, bafouée au

---

1. On ne saurait imaginer jusqu'où va, dans ce domaine,
la délicatesse de certains critiques modernes. Ainsi la conduite d'Elmire dans *Tartuffe* passe généralement pour
« trouble » ou « ambiguë ». Pourtant nul ne met en doute
que ses complaisances envers Tartuffe ne soient de pure politique. C'est qu'on voudrait que son honnêteté lui rendît le
rôle qu'elle joue plus difficile. Certaine morale moderne a
tous les caractères d'un mari jaloux. Au temps de Molière,
Elmire ne provoque nulle inquiétude.

dénouement. Tout dans ses comédies respire le
triomphe de la jeunesse et du plaisir sur la respec-
tabilité et les convenances familiales. Le scandale
même est si fort parfois qu'il a résisté à tous les
essais d'accommodement. Agnès notamment a
assez mauvaise presse, et Brunetière, qui du reste
souligne en général le caractère subversif de la
morale de Molière, s'avoue franchement choqué
par ses jeunes filles. En fait, Molière s'est fort
peu soucié de la Famille en tant qu'institution.
Il reçoit comme une donnée le fait familial, la
famille comme le cadre naturel des problèmes
posés entre les êtres et les sexes. Au xviie siècle,
personne n'était encore ni pour, ni contre la
Famille. Seulement Molière, par goût naturel,
considérait volontiers comme une famille idéale
celle qui exercerait sur ses membres la contrainte
la plus faible, celle où les parents, unis selon leur
convenance, n'empiéteraient pas sur celles de leurs
enfants. On est bien obligé de constater que
Molière pousse en toute occasion à la détente du
lien familial et à l'affaiblissement de l'autorité
qui est destinée à faire prévaloir ce lien sur les
penchants de l'individu. Quand Molière donne le
libéralisme des pères et des maris comme le meilleur moyen pour eux de se concilier l'affection ou la
fidélité, il ne faut pas lui attribuer la préoccupation
de « sauver la famille », pas plus qu'il n'est le sau-
veur de la religion quand il laisse entendre dans
*Tartuffe* qu'un zèle excessif est la ruine de la piété.
Dans un cas comme dans l'autre, il s'agit moins
pour lui de sauvegarder une institution que de la

rendre tolérable, de l'ouvrir aux exigences supérieures de la vie.

*

Le dernier mot de Molière en matière de philosophie conjugale est que la confiance encourage
la fidélité, que la contrainte, au contraire, crée la
haine et la révolte. Mais si l'on cherche à situer
exactement une semblable conception au sein du
xviie siècle, on trouve que c'est l'idée maîtresse
de toute la littérature galante, et que la préciosité
en fait un de ses articles de foi. Les maris sympathiques ont, dans l'abbé de Pure, les mêmes
principes qu'Ariste. Convaincus, comme la Climène du *Sicilien*, qu'« un jaloux est un monstre
haï de tout le monde [1] », ils font tout pour éviter
le reproche d'appartenir à cette espèce décriée ;
ils n'osent exprimer le moindre grief de jalousie
sans l'entourer de délicatesses inouïes ; ils ont à
cœur, comme Polyeucte après le retour de Sévère,
de ne jamais sembler inquiets ou soupçonneux [2].
L'opinion féminine entretient soigneusement cette
tradition de galanterie déférente, à laquelle Molière
est fidèle quand il dit, par la bouche d'une de ses
héroïnes : « La grande marque d'amour, c'est
d'être soumis aux volontés de celle que l'on aime [3]. »
La morale que Molière fait prêcher par ses jeunes

1. *Le Sicilien*, sc. 18.
2. *La Précieuse*, notamment 1re partie, liv. second, p. 331,
339 ; 2e partie, liv. 1er, 3e conversation, *Histoire de Caliste*.
3. *Le Malade imaginaire*, II, 6.

filles, au sein des familles bourgeoises, vient en droite ligne des romans.

L'originalité de Molière est seulement que cette sagesse romanesque se trouve rarement exprimée chez lui sans une résonance de raillerie ou de scandale, comme s'il avait à cœur, non pas d'éclairer l'esprit par l'exposé d'une judicieuse doctrine, mais de lui ôter son assurance en déshabillant sans respect les préjugés. Tel est bien l'accent de Dorimène et d'Angélique ; tel est bien celui d'Ariste, cet honnête homme de *l'École des Maris*, qui prend plaisir à ahurir son frère à force de libéralisme [1]. La scène est célèbre ; la sagesse nouvelle s'y donne le luxe réjouissant de provoquer le scandale au lieu de chercher à l'apaiser.

Il est vrai qu'il y a autre chose encore dans l'attitude de Molière. Les propos de comédie sur le cocuage, la façon toujours légère dont le sujet est abordé, les railleries qui finissent par résoudre en farces sans conséquence les pseudo-tragédies de l'infidélité conjugale, tout cela vient doubler les maximes du libéralisme galant ou courtois, mais en y mêlant un autre accent. Il suffira de comparer à cet Ariste, homme du monde et philosophe de bonne compagnie, le Chrysalde de *l'École des Femmes*, quand il engage Arnolphe, à ne pas grossir l'importance du cocuage [2]. Chrysalde, qui au début de la comédie raillait la « démangeaison » d'Arnolphe de se faire donner un nom

1. *L'École des Maris*, I, 2.
2. *L'École des Femmes*, IV, 8.

noble, n'est pas seulement un bon bourgeois sans
prétention. Par son insouciance, sa bonhomie,
son peu de penchant pour les principes solennels
qui sont d'ordinaire le signe d'honorabilité de
sa classe, ce sage de fantaisie rejoint la tradition
populaire. Et, en effet, si quelque chose dans la
sagesse de Molière vient renforcer et étoffer le
libéralisme élégant des honnêtes gens, c'est, plutôt
que la raison bourgeoise, la franchise et l'audace
toutes naturelles du peuple. C'est ce qui apparaît bien dans le rôle de premier plan qu'il attribue
aux valets et aux servantes dans les débats de
philosophie matrimoniale. Les servantes surtout
se permettent d'exprimer, avec une liberté qui
conviendrait mal à leurs maîtresses, la révolte
des femmes. Tandis que les femmes ou les jeunes
filles de bonne condition font valoir leurs droits
avec la délicatesse des héroïnes de roman, leurs
servantes, qui sont toujours les auxiliaires de
leurs amours, puisent dans le bagage populaire
l'équivalent, en plus énergique et en plus réjouissant, de leurs plaintes et de leurs menaces, et
transposent en style agressif les mouvements de
l'amour-propre féminin contre l'injustice masculine. Ainsi Cléanthis, femme de Sosie :

> *Pourquoi pour punir cet infâme,*
> *Mon cœur n'a-t-il assez de résolution ?*
> *Ah ! que dans cette occasion,*
> *J'enrage d'être honnête femme* [1] *!*

Les servantes chez Molière ont plus de poids que

---

1. *Amphitryon*, I, 4.

les valets ; c'est par la bouche des femmes qu'il
a fait parler la sagesse sans fard du peuple. Tandis
que les valets ne mettent guère que leurs expédients
au service de leurs maîtres, les servantes représentent vraiment le bon sens et la vérité venant
à la rescousse des droits méconnus de la femme.
Créatures redoutables au despotisme masculin,
parce que la bienséance a peu de prise sur elles,
elles jettent à la figure des autorités les vérités
menaçantes de l'instinct et de la justice :

> *Toutes ces gardes-là sont visions de fou ;*
> *Le plus sûr est, ma foi, de se fier en nous :*
> *Qui nous gêne se met en un péril extrême,*
> *Et toujours notre honneur veut se garder lui-même.*
> *C'est nous inspirer presque un désir de pécher*
> *Que montrer tant de soins de nous en empêcher,*
> *Et, si par un mari je me voyais contrainte,*
> *J'aurais fort grande pente à confirmer sa crainte* [1].

Ou encore : « Voilà comme il faut faire pour n'être
point trompé. Lorsqu'un mari se met à notre
discrétion, nous ne prenons de liberté que ce qu'il
nous en faut, et il en est comme avec ceux qui
nous ouvrent leur bourse et nous disent : « Prenez. »
Nous en usons honnêtement, et nous contentons
de la raison. Mais ceux qui nous chicanent, nous
nous efforçons de les tondre, et nous ne les épar-
gnons point [2]. »

Le « féminisme » de Molière se présente donc
comme un accord de la galanterie noble et de la

---

1. *L'École des Maris*, I, 2.
2. *George Dandin*, II, 1.

franchise ou de l'humour plébéien, et cet accord
se fait en sautant par-dessus les régions de l'honorabilité bourgeoise. On peut même dire que le
mélange de l'agrément noble avec la raillerie
populaire définit en général le ton moliéresque.
Nous aurons l'occasion de revenir sur l'importance
de cette rencontre, qui nous oblige déjà, en évo-
quant à côté du Molière galant un Molière libre
et naturel, à préciser la nature de ses désaccords
avec la galanterie précieuse.

*

Il est de fait que Molière s'en est pris par deux
fois, au début et à la fin de sa carrière, à la galanterie romanesque. *Les Précieuses* renferment des
allusions expresses au *Cyrus*, à la *Clélie*, à la carte
de Tendre, et, sur les trois héroïnes des *Femmes
savantes*, deux au moins, Armande et Bélise, sont
entichées de la philosophie amoureuse des romans.
On croit d'ordinaire résoudre la contradiction
apparente par laquelle Molière est à la fois l'avocat
et le détracteur de la cause féminine en disant
que, solidaire jusqu'à un certain point de la préciosité dans ses revendications, il en condamne les
excès, et qu'entre la philosophie des barbons et
celle des femmes savantes, il adopte, une fois de
plus, le juste milieu. La vérité semblera moins
simple, si l'on songe qu'en bien des cas, Molière
se situe, par l'audace, au-delà et non en deçà des
précieuses. Sa philosophie de l'amour, moins
« épurée » que la leur, plus ouverte à l'instinct

et au plaisir, est plus libre de préjugés moraux.
C'est plutôt la philosophie des romans, dans son
effort pour idéaliser l'amour, qui peut sembler
un milieu ingénieusement tracé entre les interdictions traditionnelles et une liberté plus grande,
dont les comédies de Molière donneraient l'idée.
Ainsi il faudrait dire plutôt, pour éclairer l'attitude double de Molière à l'égard de la préciosité,
qu'il se sépare de celle-ci au point où, trop timide,
elle s'arrête sur le chemin commencé en commun.
Mais cette façon de voir n'est pas non plus entièrement satisfaisante, puisque dans une autre direction, c'est Molière qui s'arrête le premier : ainsi,
quand Philaminte prétend élever les femmes au
niveau des hommes dans l'ordre de l'esprit, ou
refuse de s'intéresser aux choses du ménage,
Molière rit à ses dépens, et son rire, cette fois est
conservateur.

Cependant la contradiction, avant d'être dans
les sentiments de Molière, est dans les conditions
mêmes où se trouve placé le désir féminin d'émancipation. Pareil désir peut se faire jour en effet
dans deux directions, qu'une tradition toute-
puissante nous montre divergentes l'une de l'autre.
Les femmes peuvent demander, à l'encontre de
la morale répressive qu'on leur impose, le droit
de vivre et de jouir selon le penchant de la nature,
— et elles peuvent demander qu'on leur accorde
une dignité, un rang égaux à ceux de l'homme ;
Molière accède autant qu'il se peut à la première
demande et ridiculise volontiers la seconde. Il
s'émeut quand l'instinct est outragé, beaucoup

moins si c'est la fierté ou le sens de la justice.
Tout le ridicule des femmes savantes est dans leur
obsession d'égalité, dans leur révolte contre la
supériorité de valeur et de prestige attribuée aux
hommes, car c'est bien à cela que revient, en
dernière analyse, le problème de l'ambition intellectuelle chez les femmes. Si elles réclamaient,
même avec quelque scandale, le droit de se conduire
et d'aimer à leur guise, Molière les écouterait
volontiers, mais justement elles se croient tenues
de mépriser l'amour pour échapper à l'infériorité
féminine. Molière a fait leur pruderie inséparable
de leur révolte, et a condamné d'un seul coup
l'une et l'autre. Et cette antinomie du bonheur
et de la dignité, ce n'est pas lui qui l'a arbitraire-
ment créée. Il l'a trouvée dans notre condition,
telle que l'ont façonnée des siècles de misère, et
un long, un incurable divorce de la grandeur et
de l'agrément. Le divorce est particulièrement
profond chez la femme, en qui l'opinion commune
incarne toute la faiblesse du cœur et des sens,
pour mieux en décharger l'homme. Sitôt donc
qu'elle aspire à quelque grandeur, il faut qu'elle
se renie tout entière. Il en résulte que les femmes
les plus hardies dans l'ambition sont rarement
capables de bonheur et d'accomplissement dans
l'amour. D'où l'extrême difficulté de définir,
dans l'ensemble des conditions créées par le milieu
social, qui sur ce point ne s'est guère modifié
depuis Molière, un idéal féminin achevé, qui par
quelque côté ne se ressente des misères de la condition réelle des femmes. Les vices du féminisme

précieux, ce qu'il a toujours d'irréel et de guindé,
la |spiritualité extravagante où il fait naufrage,
s'expliquent par là.

C'est une entreprise chimérique et vouée à
toutes les contradictions que de prétendre désavouer en soi la nature. Molière a bien vu la difficulté principale de l'idéalisme féminin : l'embarras
sans issue d'une doctrine qui réprouve l'amour sans
cesser de l'exalter, qui en étend partout le règne
pour faire régner partout la femme, et cependant
y dénonce l'écueil de l'indépendance féminine.
d'où un type de femme obsédée par l'amour et
révoltée contre l'amour, coquette et prude à la
fois, qui est exactement celui de la précieuse.
Et dans ce sens, la précieuse peut passer pour un
type universel. Or, c'est bien cette contradiction,
et le vain effort de synthèse spiritualiste par où
l'on prétend y remédier

> *Que d'un coup de son art Molière a diffamés*,

pour reprendre les vers de Boileau, ou plus exactement s'est proposé de diffamer. Molière n'a pas
manqué une occasion de découvrir l'infirmité
affective que déguise mal le platonisme des précieuses. A l'absurdité d'un amour

> *Où l'on ne s'aperçoit jamais qu'on ait un corps* [1],

Molière oppose, non pas un juste milieu, mais la
force tout entière de l'instinct :

1. *Les Femmes savantes*, IV, 2.

*J'aime avec tout moi-même, et l'amour qu'on me donne*
*En veut, je le confesse, à toute la personne* [1].

Cette défense de l'instinct se double d'une critique
aiguë de l'idéalisme moral : la sublimation des
désirs est illusoire : ce que perd la sensualité,
l'orgueil le gagne. L'idéalisme féminin dissimule
et entretient l'ambition féminine de dominer
l'homme, de l'attacher sans rien lui accorder.
Non seulement

 *Cet empire que tient la raison sur les sens*
 *Ne fait pas renoncer aux douceurs des encens* [2],

mais la pruderie et la soif d'adoration se renfor-
cent l'une l'autre. Enfin l'insensibilité de la
coquette se change en dépit violent dès que les
hommages manquent. Tout le rôle d'Armande
dans *les Femmes savantes* est destiné à illustrer
ces vérités.

Molière a fait une place privilégiée, parmi tous
les éléments de la névrose précieuse, au dispositif
de guerre et de domination que ces femmes insa-
tisfaites de leur sort maintiennent constamment
dirigé contre l'homme. Armande voudrait régner
sur son amant, et Philaminte règne sur son mari,
qui avoue trembler devant elle. Là où elles disent
égalité, on entend revanche, et revanche démesurée,
trouble stérile et sans issue. La guerre des femmes
contre les maris, telle est la forme concrète, mi-
scandaleuse, mi-burlesque, sous laquelle le sens

1. *Ibid.*, IV, 2.
2. *Ibid.*, I, 1.

commun conçoit la protestation féminine. Et ce
n'est pas sans quelque raison, car les femmes elles-
mêmes pensent et sentent selon les normes ordinaires, et répondent à l'oppression par le désir
d'opprimer. Mais l'hostilité contre l'homme crée
dans la femme de telles entraves à la vie qu'il en
résulte, au lieu d'élargissement, un resserrement
moral profond, une déformation de la vie entière.
On peut comprendre dans ces conditions qu'on
ait été tenté, après avoir rejeté les maximes oppres-
sives du vieux temps, d'engager la réforme dans
la voie la plus commode, celle de l'agrément et
du bonheur, sans soulever des problèmes plus
profonds et plus épineux que l'ensemble des
conditions sociales rendait difficilement solubles.
C'est bien ce qu'a fait Molière, chez qui le goût
de ce qui *va de soi* est à la fois l'origine et la limite
de l'audace.

\*

La révolte des femmes contre l'interdiction
d'aimer est chose relativement facile à dénouer,
car la haine de la privation suppose le désir déjà
formé. La nature triomphe alors d'elle-même,
et au surplus nature et société dans ce domaine
peuvent trouver sans trop de remous des accommodements. Au contraire, la révolte contre l'inégalité des sexes, mettant davantage en cause la
structure traditionnelle de la société, trouve plus
malaisément sa solution, même théorique. Elle
se meut dans l'incertain, l'irréel, le difficile.

Préoccupées de trouver des « remèdes aux maux de mariage », les précieuses de l'abbé de Pure imaginent les solutions les plus contradictoires, les plus extravagantes, depuis l'émancipation complète, par la polyandrie ou l'inconstance systématique, jusqu'à l'indifférence et à la froideur volontaire envers le conjoint, en passant par le divorce, par le mariage provisoire rompu à la naissance d'un enfant, par un système d'hégémonie alternée du mari et de la femme, par un état idéal dans lequel la nature se chargerait elle-même de punir les maris infidèles en tournant leur jouissance en douleur, ou en la faisant éprouver à la femme délaissée[1]. Insatisfaction, chimère, embarras insolubles : ce n'est pas là, de toute évidence, l'atmosphère de Molière. Le plus grave est que toute cette recherche fébrile, qui vise à établir des relations plus justes entre les sexes, ne réussit qu'à les brouiller sans remède. On allume la guerre des sexes par horreur d'un faux état de paix, mais on est impuissant à créer une paix véritable. On dérange la vie et on trouble l'amour, sans résultat. Cette sourde révolte des femmes,

---

1. *La Précieuse*, 3e partie, 1er livre, 1re conversation : *Des remèdes aux maux de mariage*. Sur le sujet du mariage, voir également, au même livre, la 2e conversation : *Des ragoûts pour les dégoûtés du mariage ;* au 2e livre de la même partie, les *Raisonnements de la précieuse sur le mariage.* — Également, 2e partie, 1er livre, 4e conversation, l'histoire d'Eulalie, mariée contre son gré ; 5e conversation (si une femme mariée par devoir a le droit de conserver sa tendresse à l'homme qu'elle aimait). — Enfin 4e partie, 1er livre, surtout au début et à la fin, l'annonce du règne des femmes.

cet orgueil ombrageux, ces plaintes, cette ambition
ne sont d'ailleurs pas des traits particuliers de
la précieuse. Toute la littérature romanesque de
ce temps-là en porte l'empreinte dans ses exi-
geantes et sensibles héroïnes, avides à la fois de
tendresse et d'empire. L'abbé de Pure n'a fait que
développer, avec plus de franchise que d'autres,
les pensées et les débats qui naissent chez les
femmes de ce type et dans leur entourage. « On se
marie pour haïr et pour souffrir », fait-il dire à
l'une d'elles [1]. Une autre, racontant sa propre
histoire, décrit en ces termes sincères la froideur
de la femme mariée contre son gré : « Elle est
obligée de recevoir dans son sein glacé les ardeurs
de son mari, d'essuyer les caresses d'un homme qui
lui déplaît, qui est l'horreur de ses sens et de son
cœur. Elle se trouve dans ses bras, elle en reçoit
des baisers, et quelque obstacle que son aversion
et sa peine puissent rechercher, elle est contrainte
de se soumettre et de recevoir la loi du vainqueur [2]. »
La même héroïne, en un autre endroit du roman,
ne voit pas d'autre remède qu'une insoumission
profonde au mari, soigneusement cultivée sous
l'apparence de la résignation : « La précieuse ...
ne se marie pas comme le vulgaire. Elle s'élève en
se soumettant ; plus elle s'humilie, plus elle a de
la fierté ... Elle est mariée comme si elle ne l'était
pas ... Elle distingue et sépare les choses ; elle sait
garder les rangs et les espaces de l'amour et de

1. *La Précieuse*, IIIe partie, 2e livre, p. 411.
2. *Ibid.*, II, 1, p. 274.

l'amitié [1]. » Enfin la guerre des sexes proprement
dite est annoncée avec un grand luxe d'imagination et d'ironie dans la dernière partie du roman,
où l'on voit un vieil astrologue observer le ciel
un jour d'éclipse, parmi le trouble général, et
prédire la revanche des femmes et le prochain
établissement de leur empire [2]. « Plus longtemps
l'injustice aura régné, s'écrie une précieuse, plus
de temps doit régner à son tour notre sexe [3]. »

Quant à concevoir l'égalité naturelle et tranquille de l'homme et de la femme, sans haine ni
préjudice d'aucune part, il serait surprenant que
le xviie siècle en eût été beaucoup plus capable
que ses successeurs. Mais cela n'a pas absolument
passé ses forces, ainsi qu'en témoigne au moins
l'écrit de Poulain de la Barre sur l'*Égalité des
deux sexes*, paru en 1673, et qui peut étonner
aujourd'hui encore : l'auteur, refusant expressément de se placer sur le terrain de la galanterie
(qui de toute évidence n'est pas celui d'une égalité
véritable) et fondant sur une critique cartésienne
du préjugé, dans le ton du Perrault des *Parallèles*,
l'affirmation d'une parfaite égalité de valeur,
surtout intellectuelle, des deux sexes, prend bien

1. *Ibid.*, III, 1, p. 129.
2. *Ibid.*, IV, 1, p. 14.
3. *Ibid.*, IV, 1, p. 207. Tout l'exposé du projet est remarquable par la force avec laquelle est dénoncée l'infériorité
de la condition féminine, notamment le penchant de la majorité des femmes à jalouser et à décrier celles qui secouent le
joug (p. 231). Noter aussi une critique générale de la coutume
au nom de la raison.

soin d'écarter, dès sa préface, l'idée d'une revanche
féminine. La guerre des sexes est le fait actuel,
non l'idéal ; l'égalité ne pourrait que la faire
cesser : « Il ne pourrait y avoir que des femmes
peu judicieuses, qui se servissent de cet ouvrage
pour s'élever contre les hommes qui les traite-
raient comme leurs égales ou leurs compagnes [1]. »

Pour Molière, au contraire, comme pour la
majorité de ses contemporains, l'égalité des sexes
revêt l'aspect de la guerre et de la division. Et
comme il n'aime les nouveautés que lorsqu'elles
sont aisées et qu'elles vont dans le sens du plaisir,
il n'a jamais évoqué le désir d'égalité chez les
femmes que pour en tirer des effets comiques
aux dépens des novatrices. Chez lui le rire, quand
il s'agit des femmes, se trouve être aussi souvent
l'arme du préjugé que la revanche de la nature.

*

L'hostilité de Molière à l'égard du féminisme
naissant, son intervention, dès les origines du
débat, en faveur des idées traditionnelles, ne
sauraient pourtant masquer ses audaces dans la
direction qu'il a choisie. Bien des héroïnes de ses
comédies ont encore de quoi scandaliser passablement les familles bourgeoises. Armande y

---

1. Le même auteur publia ensuite un écrit sur l'*Excellence
des hommes*, où se retrouvent, sous l'apparence d'une rétractation. les mêmes idées que dans l'ouvrage précédent, et
soutenues avec autant de force.

passerait pour folle, mais Agnès pour « vicieuse »,
et nul n'ignore que le second grief est beaucoup
plus grave que le premier. La Précieuse, en se
révoltant contre la servitude du mariage, se refuse
en même temps au plaisir, et c'est un avantage
incontestable aux yeux des moralistes. Agnès,
moins révoltée au fond et moins ombrageuse, va
droit à ce qui lui plaît, avec une spontanéité qui
défie toute morale :

> *Le moyen de chasser ce qui fait du plaisir* [1] ?

C'est en quoi Arnolphe a tort de la confondre avec
une précieuse. Dans ses explications finales avec
Arnolphe, elle incarne un défi si tranquille de
l'instinct à toute contrainte, son ingénuité est
si redoutable, qu'on a rarement osé regarder bien
en face cette « inquiétante » créature. La séduc-
tion qui émane d'elle est d'autant plus scandaleuse
qu'elle triomphe plus aisément, qu'elle dissipe
dès l'abord les fantômes que la morale crée autour
du désir : danger, péché, perdition. C'est cette
beauté, toute évidente, que revêtent en elle les
mouvements de la nature, et l'absence même de
perversité dans le désir, qui font crier à la perversité les descendants spirituels d'Arnolphe. Elle
ne s'insurge pas contre la morale, elle l'ignore et
la démontre inutile.

Ce qui distingue Molière, ce n'est pas tant
d'avoir représenté l'instinct tout-puissant, mais
d'avoir accepté sympathiquement cette toute-

---

1. *L'École des Femmes*, V, 4.

puissance. Que les commandements de la nature
soient malaisément surmontables, cette objection traditionnelle à l'idéalisme moral n'avait
pas en elle-même une signification subversive.
Molière, dans la mesure où il pense que l'instinct
naturel gouverne la vie, ne pense pas autrement
que les barbons qu'il ridiculise. Arnolphe et ses
pareils, loin de nier la force des tentations, en sont
littéralement obsédés : « La chair est faible »
est leur axiome principal. Mais le sens du réel
peut aussi bien conduire, en morale, à la rigueur
qu'à la facilité. C'est ce qui peut créer un semblant
d'accord, parfaitement illusoire, entre une certaine sagesse bourgeoise et celle de Molière, dis-
tantes l'une de l'autre de tout l'intervalle qui
sépare la méfiance de la sympathie. Toute la
question du « naturalisme » de Molière est là.

Il est un certain naturalisme qui, dans la toute-
puissance reconnue de l'instinct, dénonce la
toute-puissance du mal, et qui croit suffisant de
montrer l'homme soumis à l'empire de la nature
pour avilir l'humanité. Dans une semblable attitude, le goût du scandale se mêle curieusement
à la sévérité. Déjà au moyen âge la critique des
sublimations courtoises comporte, en même temps
qu'une intention édifiante, un parti pris de cynisme à l'égard de l'amour et de la femme. La
femme curieuse d'amour est l'objet de satires
méprisantes, où le ton goguenard et la morale
chatouilleuse vont de pair. Cette attitude jouit en
tout cas d'une assez grande fortune dans la littérature antiromanesque du xviie siècle. Les barbons

se montrent volontiers cyniques dans leurs propos ;
ils affectent de ne voir partout qu'adultères et
débauches. S'ils sont sévères pour l'instinct, leur
plus grand désir est d'en constater les ravages,
dans la maison d'autrui. Tout Arnolphe est là.
De même la *Satire X* de Boileau n'est qu'un mélange
constant de railleries cyniques sur la fidélité
conjugale, et d'axiomes moraux ultra-sévères.
Pour lui comme pour Arnolphe, l'honnête femme
ignore l'amour, et les cocus remplissent le monde.
Il n'est pas étonnant que cette pièce ait provoqué
une levée de boucliers parmi les tenants du bel
amour. Elle était comme le corps de doctrine des
barbons, introduit inopinément dans la grande
littérature. Mais si la polémique d'un Perrault
ou d'un Pradon contre la *Satire X* prétend venger
l'idéalisme galant des atteintes d'un certain naturalisme, l'œuvre de Molière dessine une troisième
position : sa philosophie de la nature rend illusoires
les prétentions de la morale romanesque, mais
demeure dépouillée de tout esprit de dénigrement,
de toute idée chagrine du bien et du mal [1]. Elle

---

1. La force de la tradition idéaliste dans la littérature favorable à l'amour était si grande qu'on ne comprit pas bien,
ou qu'on put sans absurdité feindre de ne pas comprendre
l'intention de Molière. Certains de ses ennemis, du seul fait
qu'il avait peint dans Agnès le triomphe du désir, sans l'idéaliser, ont cru pouvoir trouver dans sa pièce une intention
rabaissante à l'égard des femmes, et, si surprenant que cela
paraisse, faire d'Arnolphe le porte-parole de l'auteur. Voir
Donneau de Visé, *Zélinde* ; Robinet, *Panégyrique de l'École
des Femmes ;* voir aussi les propos prêtés par Molière à la
précieuse Climène, dans la *Critique*, scène 6.

s'accompagne d'un mouvement favorable au désir, et par là fait apercevoir plutôt qu'un juste milieu entre l'esprit bourgeois et la galanterie précieuse, une autre attitude qui les dépasse tous deux.

*

On est conduit nécessairement, dès qu'on précise la qualité du naturalisme de Molière, à poser la question de son attitude en matière religieuse. Il est superflu de démontrer que toute morale détendue comporte un danger et une menace pour le christianisme. Les accommodements sont délicats dans ce domaine et supposent une foule de précautions expresses et de raccords, dont Molière ne s'est que fort peu préoccupé, ou fort mal. Si son théâtre n'est pas expressément antichrétien, ni d'intention ni de fait, il n'en exprime pas moins un mouvement d'opinion, qui après avoir longtemps coexisté avec la tradition chrétienne, devait finir par s'en détacher et par la combattre. Toutes les discussions sur le *Tartuffe*, qu'elles aient été faussées par le souci de ne pas brouiller trop ouvertement Molière avec la religion ou par l'espérance évidemment anachronique de trouver en lui le philosophe militant, laissent intact ce fait éloquent : les porte-parole les plus divers du christianisme au xviie siècle, quel que fût leur caractère ou celui de leur secte, ont jugé le *Tartuffe* dangereux. On peut discuter à perte de vue sur les intentions de Molière, mais le fait est qu'il a mis d'ac-

cord contre lui des jésuites comme Bourdaloue,
des jansénistes comme Baillet, les espions militants de la Compagnie du Saint-Sacrement, qui
n'était spécialement ni jésuite ni janséniste,
des hommes comme Bossuet et Lamoignon qui
représentaient sous sa forme la plus générale la
sévérité du christianisme. Sans doute faut-il
tenir compte des protestations de Molière, qui ne
ressentait pas forcément au même degré que nous
l'opposition de sa morale et des préceptes du
christianisme. Même si logiquement l'incompatibilité existe entre la sagesse de Molière et la « folie
de la croix », il n'est pas dit qu'elle doive toujours
être ressentie. Les contradictions logiques n'écla-
tent souvent que fort tard, après une longue
période d'incubation, durant laquelle les incompatibles peuvent faire assez bon ménage. Le
xvii<sup>e</sup> siècle, et Molière avec lui, peuvent n'avoir
pas vu nettement deux forces ennemies dans la
sagesse des honnêtes gens et dans la loi chrétienne.
Toutefois une claire conscience du dilemme existait au moins chez les chrétiens les plus exigeants,
qui écartaient quant à eux tout compromis. Et
puis il faut moins se soucier, pour apprécier la
portée du *Tartuffe*, des intentions de Molière que
de la place prise par sa pièce dans l'histoire de
l'esprit public. De ce point de vue, les vicissitudes
du texte du *Tartuffe* et des desseins de son auteur
s'effacent devant le fait de la querelle soulevée
par l'œuvre, qui apparaît beaucoup moins aisément comme la suite d'un malentendu que comme
un épisode du discrédit progressif de la morale

chrétienne entre la Renaissance et l'Encyclopédie.
Le *Tartuffe* a été écrit à une époque où la force
du veto chrétien s'était atténuée, sans que cette
désaffection se traduisît encore par des audaces
philosophiques ouvertes. On commença par distinguer la superstition de la religion avant d'appeler superstition la religion elle-même. Non seulement le « moine bourru » de Sganarelle, mais les
« chaudières bouillantes » de l'enfer, beaucoup
plus vénérables pourtant, dont Arnolphe essaie
encore de terroriser sa pupille, ont commencé à
être ridicules avant le dogme. On riait de tout
cet attirail, bon à terrifier le peuple ignorant,
de ces grosses malices solennelles à faire peur
aux sottes, de ces foudres déjà mouillées entre
les mains des Jupiters grincheux du vieil Olympe
familial. On en riait peut-être sans arrière-pensée
d'impiété, et pourtant les ennemis de Molière ne
jugeaient pas inutile de dénoncer comme sacrilège
l'encouragement donné à cette sorte de rire [1]. Le
rire qui atteint la superstition rend un son désa-
gréable aux oreilles des dévots, même les plus
philosophes, soit qu'ils ressentent avec douleur
les offenses faites à toute croyance, même gros-
sière, au surnaturel, soit qu'ils redoutent de voir

1. Pour les protestations soulevées par le sermon d'Arnolphe (*École des Femmes*, III, 2), voir la scène 5 de la *Critique*. Même indignation des critiques dévots à propos des
remontrances grotesques de Sganarelle à son maître (*Don
Juan*, III, 1 ; V, 2) ; voir les *Observations* de Rochemont sur
cette comédie (1665), et l'Avertissement aux *Sentiments des
pères de l'Église*, ouvrage posthume du prince de Conti.

identifier la foi à la simplicité d'esprit, dont ils
n'aiment pas à s'avouer débiteurs. Les anathèmes
des chrétiens contre Molière s'inspirent plus d'une
fois de ce motif, qui se relie à d'autres plus graves :
le même rire qui atteint les superstitions terri-
fiantes frappe aussi les excès du scrupule religieux, et d'une façon générale tout le côté tendu
et antinaturel de la religion. La philosophie facile
des gens du bel air s'alliait au bon sens du peuple
pour tourner en dérision la pudibonderie, vraie
ou affectée, les mines contrites et le zèle agressif
des dévots. Dorine, en rabrouant Tartuffe dans le
langage d'une servante, faisait rire les spectateurs
de bonne compagnie. Le ridicule du dévot qui
s'effarouche d'un décolleté ou se reproche d'avoir
tué une puce en faisant sa prière n'était sans doute
pas chose entièrement nouvelle, mais les réactions
suscitées par les pièces de Molière donnent à penser
que la satire du bigot commençait à revêtir une
signification subversive : c'est parce que la religion
se sentait déjà menacée qu'elle n'aimait plus beaucoup la plaisanterie. Le temps n'est pas loin où le
rire sera contre elle l'arme ordinaire du naturalisme
philosophique.

Quelle qu'ait pu être l'intention de Molière,
la peinture qu'il a faite du « saint personnage »
annonce en plus d'un endroit les idées et le ton du
siècle suivant. Il n'est pas rare qu'une œuvre
dépasse le dessein de son auteur et emprunte à
tout un ensemble historique, dans lequel elle se
situe, une signification de fait, plus réelle que
sa signification intentionnelle. Le *Tartuffe*, en

plusieurs endroits, est de cent ans en avance :

> *L'amour qui nous attache aux beautés éternelles*
> *N'étouffe pas en nous l'amour des temporelles* [1].

C'est la pensée et le tour de Voltaire. Comment s'étonner que tout ce qu'il y avait de chrétien dans ce temps-là ait poussé les hauts cris au portrait, que referont sans cesse les philosophes, de ces dévots ambitieux et méchants,

> *Qui savent ajuster leur zèle avec leurs vices,*
> *Sont prompts, vindicatifs, sans foi, pleins d'artifices,*
> *Et, pour perdre quelqu'un, couvrent insolemment*
> *De l'intérêt du Ciel leur fier ressentiment ;*
> *D'autant plus dangereux dans leur âpre colère*
> *Qu'ils prennent contre nous des armes qu'on révère,*
> *Et que leur passion, dont on leur sait bon gré,*
> *Veut nous assassiner avec un fer sacré* [2].

Ces vers n'ont perdu leur virulence que depuis que la dévotion a cessé d'être un moyen privilégié d'intriguer, de dominer, et de nuire.

Sans même supposer que Molière ait voulu s'en prendre de façon précise à une secte de dévots militants, comme la Compagnie du Saint-Sacrement, et si l'on donne à son Tartuffe la valeur d'un type général, type du dévot remuant et avide de domination, il est bien évident que ce type a existé, et que la peinture de Molière évoquait aux yeux du public un personnage réel. Au-delà des cabales particulières, des compagnies

---

1. *Le Tartuffe*, III, 3.
2. *Ibid.*, I, 5.

plus ou moins secrètes qui se donnaient pour
tâche d'espionner les mœurs et de dominer les
actions des fidèles, ce qu'on appelait, d'une façon
générale, la « cabale » dévote désignait un ensemble
plus vaste, une solidarité de penchants, d'intérêts
et de conduite plutôt qu'un parti proprement dit.
« Ce personnage, écrit, à propos de M. Loyal,
l'auteur de la *Lettre sur l'Imposteur*, est un sup-
plément admirable du caractère bigot, et fait
voir comme il en est de toutes professions, et qui
sont liés ensemble bien plus étroitement que ne
le sont les gens de bien, parce qu'étant plus intéressés, ils considèrent davantage et connaissent mieux
combien ils se peuvent être utiles les uns aux autres
dans les occasions, ce qui est l'âme de la cabale [1]. »
La cabale ainsi entendue n'était ni jésuite ni
janséniste ; elle s'inspirait de tout ce qui dans le
christianisme pouvait permettre de censurer,
persécuter, envahir. Dans ce mélange de zèle et
d'intérêt, les duretés du jansénisme s'alliaient à
la diplomatie jésuitique. Tartuffe est tour à tour
sévère et casuiste.

Aujourd'hui comme alors le bigot passe également pour fanatique et pour hypocrite : cette
double flétrissure ne paraît pas contradictoire au
public, qui imagine fort bien ensemble la sévérité
violente et l'égoïsme. Seule une logique artificielle
évoquera le dilemme de la sincérité et de la grimace :
Molière croit sans doute à cette distinction, mais

---

1. *Lettre sur la comédie de l'*Imposteur (Molière, éd. des
Grands Écrivains, t. IV, p. 551).

il la ruine lui-même en déniant instinctivement
la sincérité véritable à tout ce qui est excessif,
en confondant l'outrance et le mensonge [1], en
dénonçant enfin, dans tous les cas, le droit que les
dévots s'arrogent de reprendre et de régenter le
prochain. En effet, c'est au point où le zèle dévot
devient indiscret que la ferveur sincère et l'hypocrisie cessent de se distinguer. Les « vrais dévots »,
ceux à qui Molière prétend rendre hommage sont
ceux qui ne cherchent pas à s'imposer à autrui :

> *Ce ne sont point du tout fanfarons de vertu,*
> *On ne voit point en eux ce faste insupportable,*
> *Et leur dévotion est humaine, est traitable.*
> *Ils ne censurent point toutes nos actions* [2]...

Tartuffe est un censeur des mœurs, et on le tient
pour hypocrite dans la mesure où il se mêle de
gouverner les autres. La révolte de la famille,
telle qu'elle s'exprime dès le premier acte par la
bouche de la servante, a bien cette signification.
Or, on ne peut nier que ce soit une forme de pensée
bien peu édifiante que de charger de tous les vices
quiconque fait profession de censurer le vice.
Considérée de ce point de vue, toute l'histoire
du *Tartuffe* est bien celle d'une escarmouche entre
la philosophie du monde et « l'Ordre moral »
chrétien.

Que Molière ait cru sa pièce compatible avec
la vraie religion, et que beaucoup de ses contem-

1. Cf. notamment, dans la même sc. 5 de l'acte I, les
propos de Cléante, surtout aux vers 339 et suivants.
2. Même scène.

porains aient partagé son sentiment, cela ne
prouve pas forcément qu'il n'y ait rien de subversif
dans le *Tartuffe*, cela tendrait au contraire à
prouver qu'il y avait déjà quelque chose de subversif chez tout le monde. L'existence même d'un
parti dévot, les efforts déployés pour organiser la
tyrannie du dogme et de la morale chrétienne sont
un signe qui ne trompe pas. L'« ordre moral »
n'a de raison d'être que dans la menace du désordre.
La désaffection de la morale religieuse se poursui-
vait depuis plus d'un siècle. La prochaine révolte
des esprits contre la contrainte chrétienne était
en germe dans la société ; l'Église, alarmée de ce
combat tranquille que lui livraient la vie civilisée,
ses plaisirs et ses lumières, réagissait déjà violemment, sans grand succès : il est significatif que la
cabale ait été cabale, qu'elle ait dû agir en secret ;
le pouvoir était contre elle. Louis XIV soutint
obstinément l'auteur de l'*École des Femmes*, du
*Don Juan* et de *Tartuffe* contre ses ennemis dévots.
Et non pas seulement pour des raisons acciden-
telles, parce que les dévots mécontentaient le
jeune roi ou censuraient ses amours, mais parce
que, plus profondément, la monarchie, surtout
dans ses périodes de bonheur, était solidaire d'un
certain épanouissement de la vie, au moins dans
les hautes classes. C'est un pouvoir qui se veut
riche et fait refluer sa richesse sur la partie de la
société qui l'entoure ; qui se veut aisé en un certain
sens, et qui, dans ce qu'il a de meilleur, prétend
contenter pour régner. Le xviiie siècle fera la
théorie de cette monarchie éclairée, qui coordonne

les progrès et les développements naturels, comme
la raison coordonne les désirs sans les contrarier.
La morale de la raison, de la raison accordée aux
choses, cette morale qui est celle de Molière, s'est
développée parallèlement aux progrès de la
monarchie : avant de s'élargir en une doctrine de
l'État et du monde, ouvertement dressée contre
l'esprit de contrainte et la religion, elle existait
déjà, au temps de Louis XIV, sous la forme,
plus modeste, d'une théorie de la sagesse personnelle et civile.

*

Le naturalisme de Molière consiste donc moins
à dénoncer la présence de l'instinct naturel sous
ses déguisements idéaux, comme feraient Pascal
ou Nicole, qu'à dénoncer la sévérité elle-même,
à laquelle Pascal et Nicole aboutissent, comme un
déguisement de l'agressivité et de l'égoïsme. La
puissance irrésistible de la nature engendre ici
une irrésistible indulgence qui se communique,
au moins par le rire, à toutes les formes, même
les moins belles, du désir. Le rire enveloppe tout
dans le même mouvement. La séparation du bas
et du sublime s'efface, dissipant l'anxiété ou le
scrupule, libérant un scepticisme supérieur que
n'altère aucune ombre de tristesse. Cette sorte
de scepticisme se retrouve dans une façon particulière de porter la « qualité », dont les prérogatives, indépendantes de toute illusion de mérite
moral, ne cherchent guère à se justifier, et sont

l'objet d'une raillerie libre, tolérée par les gens de
qualité eux-mêmes, bien accueillie en tout cas par
le public de Versailles. Ainsi, dans le prologue
d'*Amphitryon*, la réponse de Mercure à la Nuit,
qui se fait scrupule de servir les amours de Jupiter :

> *Un tel emploi n'est bassesse*
> *Que chez les petites gens ;*
> *Lorsque dans un haut rang on a l'heur de paraître,*
> *Tout ce qu'on fait est toujours bel et bon ;*
> *Et suivant ce qu'on peut être,*
> *Les choses changent de nom.*

C'est au moment où l'irrespect, le doute jeté sur
les hiérarchies de la morale et de la société, le
mélange naturel et la confrontation comique des
valeurs que l'artifice des hommes sépare d'ordinaire passent ou semblent passer les limites du
simple jeu, que l'on perçoit soudain la grandeur de
Molière. C'est cet accent libre, cette facilité de
regard, qui le mettent au premier rang. Alors
l'opposition du valet et du maître, de la servante
et de la maîtresse appelle des revanches secrètes,
qu'on n'eût pas prévues. La rapine chez Scapin,
la fourberie chez Mascarille, la jalousie ou le
cynisme chez Gros-René ou chez Alain, même la
pusillanimité chez Sosie ou chez tel bourgeois
qu'une épée fait trembler, perdant tout aspect
ignoble, apparaissent comme la vérité, librement
confessée, du caractère humain. Toute cette
humanité sans apprêt a sa poésie à elle, irrésistible
comme la vérité , agile, merveilleuse à déjouer les
illusions et les bienséances. L'honnête homme a

besoin d'être complété, et en quelque sorte ironisé
par l'accompagnement de ce double plus humain
que lui fait son valet ; Dorine et ses pareilles
jouent le même rôle auprès des jeunes filles timi-
des et glorieuses, à qui elles enseignent sans
détours les grands chemins de la vie et du cœur.
La convention de la pudeur féminine a du mal
à sortir intacte de cette confrontation avec la
vérité, venue d'un étage social supérieur. Par
l'entremise de tous ces personnages, l'instinct,
libre de toute entrave, vient se mesurer à l'honnêteté, et fait douter qu'elle puisse lui résister.
Partout le plaisir tourne en dérision la dignité,
comme dans ce prologue d'*Amphitryon* où les
métamorphoses de Jupiter en animaux amoureux
inspirent à Mercure ces réflexions vraiment admirables :

> *Laissons dire tous les censeurs:*
> *Tels changements ont leurs douceurs*
> *Qui passent leur intelligence.*
> *Ce Dieu sait ce qu'il fait aussi bien là qu'ailleurs ;*
> *Et dans les mouvements de leurs tendres ardeurs*
> *Les bêtes ne sont pas si bêtes que l'on pense.*

Le passage sans scrupule du Dieu à la bête, la
loi facile et égalisante de l'amour, la dissolution
de toute hiérarchie dans l'univers, le jeu sans
bornes d'un désir exempt de toute angoisse, le
mélange libre des valeurs, de semblables leçons
de sagesse, qui naissent à chaque instant du texte
de Molière, sont, plus qu'un simple badinage, le
signe d'une liberté morale, indiscutable, de la
société pour laquelle il écrivait.

Le scepticisme dans la noblesse de cour a cependant son revers ; ses audaces s'accompagnent de l'habitude d'obéir, de se conformer à ce qu'on nomme souvent trop vite la nécessité. La philosophie de l'agrément conduisait, par la détente, à l'acceptation de l'ordre établi. C'était, et ce fut longtemps encore, jusqu'à la Révolution et au-delà, un axiome politique courant, que la privation est le prix de la liberté et la docilité la rançon du plaisir. Les maximes héritées sur ce point de l'antiquité s'étaient trouvées confirmées par l'expérience d'un despotisme magnificent. Le même rire qui, dans Molière, favorise le plaisir, s'oppose à toute exaltation émancipatrice et fait aussi volontiers le jeu du préjugé que celui du progrès. Le bon sens n'est souvent chez lui que le sens de la conformité aux usages régnants :

*Toujours au plus grand nombre on doit s'accommoder,*
*Et jamais il ne faut se faire regarder.*
*... Je tiens qu'il est mal, sur quoi que l'on se fonde*
*De fuir obstinément ce que suit tout le monde,*
*Et qu'il vaut mieux souffrir d'être au nombre des fous*
*Que du sage parti se voir seul contre tous* [1].

La raison même, loin d'être un instrument de subversion, n'est souvent que la résignation à la nécessité naturelle, qui se joue de nous et de nos prétentions. La plaisanterie des *Femmes*

1. *L'École des Maris*, I, 1.

*savantes* sur les lois de l'équilibre dont la connaissance n'empêche pas de tomber par terre, avec toute sa beauté, traduit un penchant général à placer au-dessus de la conscience la force des choses, et humainement la force des habitudes et des usages. Avec l'idéalisme, c'est l'inquiétude du mieux qui est condamnée. Molière, se conformant aux préjugés qui régissaient malgré tout la société, admet qu'un bourgeois est à jamais un bourgeois, une femme à jamais une femme. Tout le reste passe pour chimère, justiciable du rire souverain des ancêtres. Inutile de dire le parti que l'on a tiré, depuis cent ans, non sans en déformer bourgeoisement la nature, ni sans en grossir démesurément l'importance dans l'ensemble de l'œuvre, de ce scepticisme conservateur. « Ce n'est pas en général par le rire que nous nous égarons, écrit Saint-Marc Girardin à propos de la comédie de *Georges Dandin* : la sentimentalité est plus corruptrice que la gaîté, même quand la gaîté s'écarte quelque peu de la morale... Depuis que le sophisme s'est glissé dans l'émotion, je me défie plus des larmes que du rire [1]. » C'est Molière utilisé contre Rousseau, et à bon droit, puisque Rousseau lui-même, à plusieurs reprises, s'est défini contre Molière. L'opposition du rire et du sentiment, où se reconnaît aisément dans ce cas celle du conformisme et de la révolte, a formé l'essentiel des polémiques provoquées par le *Misanthrope*, celle

---

1. Saint-Marc Girardin, *Cours de littérature dramatique*, t. V, chap. XXXIII.

des comédies de Molière, *Tartuffe* mis à part,
qui fut discutée le plus longuement et le plus
passionnément. Le *Tartuffe* et le *Misanthrope*
peuvent passer à bon droit pour les deux colonnes
de l'œuvre de Molière : si on définit son génie
par le mélange de la hardiesse et de la conformité,
ces deux pièces sont chacune à un pôle de son
théâtre. Bien mieux, *Tartuffe* marque le point où
la liberté de vivre vient en conflit ouvert avec la
tradition religieuse, et le *Misanthrope* celui où
la sagesse tourne à la docilité. Il est naturel que
les démêlés les plus vifs se soient produits autour
de ces deux avancées.

Alceste incarne, et réfute, l'idéalisme réformateur, que Molière a dépeint en lui de la façon la
plus défavorable, en le rattachant à un tempérament mal équilibré, à la fois persécuteur et susceptible, égoïste et malheureux, désemparé et violent.
Il est de fait que toute révolte suppose une inadaptation profonde à l'état des choses, et que
toute inadaptation au réel, forcément liée à
quelque insatisfaction douloureuse, paye, en misères et en faiblesses inévitables, la rançon de sa
fécondité dans l'ordre de l'esprit. La société, telle
qu'elle est à chaque époque, est un fait tellement
écrasant, qu'il est difficile de réaliser contre elle
un équilibre supérieur au sien. En un sens, l'homme
le mieux équilibré est celui qui a pris place lui-
même avec le moins de souffrance dans l'agence-
ment, si barbare qu'il soit, de la société existante.
L'emprise d'un système social est si forte qu'il
faut qu'il ait cessé d'être pour devenir l'objet

d'une condamnation tranquille. Si l'on entre dans
la psychologie des individus, et non pas seulement
dans la comparaison des valeurs, on trouve neuf
fois sur dix l'inquiétude au fond de la révolte,
et l'inquiétude a toujours son passif : entraves
affectives, agressivité irraisonnée, mauvais contrôle de soi. Pourtant les êtres que leur sensibilité,
leur insatisfaction ou leur fierté empêchent à
certains égards de vivre normalement, quand ils
ne sont pas simplement broyés par la machine
sociale, en perçoivent souvent les vices avec plus
de lucidité que les autres, les détestent davantage,
les dénoncent mieux, et peuvent faire que leur
propre faiblesse devienne une force pour le genre
humain, et leur déséquilibre particulier la cause
d'un équilibre général nouveau. Tel n'est évidemment pas le point de vue de la philosophie conservatrice, qui s'emploie à tirer le plus grand parti
possible des coïncidences qu'elle constate entre les
vices du caractère et l'esprit de révolte. Il faut bien
reconnaître que Molière, dans le cas d'Alceste,
n'a pas procédé autrement.

Il n'y a rien à ajouter ni à changer à la fameuse
critique que Rousseau a faite du *Misanthrope* dans
sa *Lettre à d'Alembert* : il est bien vrai que Molière,
tout en donnant à son personnage le langage de la
vertu idéale, l'a montré exagérément sensible à ses
misères personnelles, embarrassé dans l'application de ses principes, et ridiculement violent dans
des bagatelles. Il a transformé un débat général,
dont la société pouvait sortir mal en point, en un
débat intime dont celui-là seul qui en est le

théâtre sort ridicule. « Le misanthrope et l'homme
emporté, dit Rousseau, sont deux caractères
différents : c'était là l'occasion de les distinguer. »
Molière a bel et bien confondu le misanthrope
vertueux, qui selon Rousseau devrait convaincre
d'infamie la société, et l'homme emporté et faible
que son tempérament rend simplement inférieur
à la vie sociale. « Ce n'est pas que l'homme ne soit
toujours homme », admet Rousseau, qui décrit
lui-même, avec une justice et une pénétration plus
fréquentes chez lui qu'on ne veut bien le dire, les
circonstances affectives souvent déplorables de la
misanthropie même vertueuse. Mais enfin, tout est
une question d'accent, et il s'agit de savoir si l'on
insiste sur la valeur des aspirations générales, ou
sur la présence des conflits intimes. Rousseau a
bien vu que Molière disqualifiait le misanthrope de
façade par la révélation du misanthrope secret et
de ses faiblesses : la manière dont il a façonné son
Alceste est à elle seule une véritable argumentation
contre la vertu exigeante et réformatrice [1].

La maladie morale d'Alceste et les vices de
caractère qui forment le fond de sa passion pour la
vertu apparaissent, plus indiscutables qu'ailleurs,
dans son comportement amoureux. L'amour est
ici, une fois de plus, le miroir de toute la vie. Al-

1. On ne voit pas bien pourquoi ceux-là qui félicitent
Molière de sa conception modérée et conformiste de la vertu
s'inscrivent en faux contre les critiques de Rousseau, et
prétendent qu'il n'a pas compris Molière. Il l'a fort bien
compris, mais en le combattant. On peut lui reprocher son
système de morale, mais non son manque de clairvoyance.

ceste peut entrer dans la catégorie des jaloux
moralisants dont le théâtre de Molière renferme
tant de peintures. Les scènes qui l'opposent à
Célimène reproduisent jusqu'à un certain point
celles où une coquette bafoue un barbon ridicule.
Dès la première scène, le misanthrope se voit
comparé par Philinte au Sganarelle de l'*École des
Maris*, dont pourraient le rapprocher son refus de
suivre les usages, sa nostalgie du vieux temps et sa
haine du bel esprit, enfin sa jalousie bourrue et
injurieuse. Ignorant jusqu'aux moindres précautions de la galanterie, il fait rire malgré lui un
public façonné aux prévenances et aux soumissions
du bel amour :

> *Oui, je voudrais qu'aucun ne vous trouvât aimable,*
> *Que vous fussiez réduite en un sort misérable,*
> *Que le Ciel, en naissant, ne vous eût donné rien,*
> *Que vous n'eussiez ni rang, ni naissance, ni bien,*
> *Afin que de mon cœur l'éclatant sacrifice*
> *Vous pût d'un pareil sort réparer l'injustice,*
> *Et que j'eusse la joie et la gloire, en ce jour,*
> *De vous voir tenir tout des mains de mon amour* [1].

Ce langage est bien proche de celui d'Arnolphe.
Mais la vérité profonde d'Alceste, si égoïste et
accaparant qu'il soit, est dans sa faiblesse, dans
la sincérité enfantine de sa douleur. C'est un tyran
bien démuni, et d'avance défait, en qui on chercherait en vain la moindre trace de cette suffisance si
tenace chez les barbons. Aussi, tandis que les
barbons représentent aisément les principes conser-

1. *Le Misanthrope*, IV, 3.

vateurs, tandis qu'ils prêchent toujours le main-
tien des contraintes traditionnelles, Alceste brandit
la revendication subversive de justice et de vérité
comme l'arme habituelle et vengeresse des faibles.
Mais si sa droiture et sa faiblesse le rendent sympathique, sa droiture n'en souffre pas moins à nos
yeux de n'être que le remède et le complément de
sa faiblesse. Ce n'est pas par hasard qu'il a choisi
Célimène : avide d'émouvoir et d'accaparer un
cœur, et persuadé secrètement de n'y pouvoir
réussir, il s'est fixé justement à la femme la mieux
faite pour lui faire sentir son échec, et pour justifier la colère moralisante par laquelle il essaye de
compenser cet échec. Ce mécanisme, à la fois
touchant et vain, est exactement le même qui le
conuit dans la vie sociale ; peu propre à soutenir
la lutte pour la vie, faible, chagrin, trop juste
et trop injuste, il recherche à plaisir les situations
mortifiantes, pour s'y repaître de sa colère et de
sa nostalgie du bien :

> *Ce sont vingt mille francs qu'il m'en pourra coûter ;*
> *Mais pour vingt mille francs j'aurai droit de pester*
> *Contre l'iniquité de la nature humaine,*
> *Et de nourrir pour elle une immortelle haine* [1].

Molière a bien pris soin de mettre en relief dans
Alceste tout ce qui peut, en le rendant ridicule,
dissiper le bien-fondé de sa révolte : cet égocen-
trisme puéril et désemparé, cette fuite constante
dans la bouderie, ce désir de solitude qui dissimule
mal la douleur d'être trop seul, ce langage démesuré

1. *Ibid.*, V, 1.

qui trahit plus de dépit que de vertu, ces exhibi-
tions constantes de sa colère, par lesquelles il
discrédite même son bon droit, tout cela fait bien
d'Alceste le personnage divertissant que voyaient
en lui les contemporains [1].

Il est difficile d'imaginer une interprétation plus
absurde du *Misanthrope* que l'interprétation romantique selon laquelle les tourments d'Alceste,
sublimes en eux-mêmes, auraient été conçus comme
tels par Molière [2]... Le procès de cette interprétation
a été suffisamment fait pour qu'il soit inutile de
reprendre la discussion par le détail : Alceste était,
de toute évidence, un personnage de bourru extra-
vagant, propre à attendrir par ses malheurs et sa
sincérité, mais toujours risible par ses excès, et
par ses échecs. Il suffit de rappeler qu'Alceste est
l'ennemi de tout ce qui est, qu'il est en révolte
contre la nature humaine et la nécessité sociale,
bref, qu'il est parti en guerre contre le train des
choses, pour concevoir à quel point il peut contredire la philosophie habituelle de Molière. Si le mot
de naturalisme convient à cette philosophie, c'est
parce qu'il exprime un effacement de la prétention

1. Voir Visé, *Lettre écrite sur la comédie du Misanthrope*
(1667).
2. Il faut bien noter que ce n'est à aucun degré l'interprétation de Rousseau, qui admirait sans doute un misanthrope idéal, mais reprochait à Molière d'avoir méconnu et
caricaturé en Alceste ce personnage imaginaire. Rousseau
est peut-être à l'origine de certaines idées romantiques,
mais il ne les attribue pas à Molière, qu'il enveloppe au contraire, de son point de vue très légitimement, dans son aversion pour les philosophes mondains.

humaine devant le *fait* tout-puissant. Toute la
morale de Molière consiste à savoir s'incliner devant un certain nombre de faits. La force des
usages défie autant chez lui la justice que la force
des désirs défie la bienséance. C'est dans ce sens
qu'il est amoral. Faguet, remarquant que Molière
« a substitué la morale du ridicule à la morale
de l'honneur [1] », ne fait que constater chez lui cette
suprématie du fait sur le droit, dont le rire est
l'instrument universel. Le même auteur a raison
de nommer « démoralisation », au sens littéral de ce
mot, l'effet produit par Molière : tout au moins
a-t-il réduit la morale à n'être que l'accompagnement, le plus discret possible, de la vie. La souplesse
en morale est comme un tribut que le bonheur paie
à l'ordre des choses, dont il profite, et, sur le plan
social, aux puissances régnantes dont il dépend.

\*

Il est difficile en effet de séparer la morale de
Molière des conditions de la vie de cour, et, plus
largement, de la société monarchique. L'opposition
d'Alceste et de la cour est à chaque instant marquée
dans le *Misanthrope* :

> Le Ciel ne m'a point fait, en me donnant le jour,
> Une âme compatible avec l'air de la cour ;
> Je ne me trouve point les vertus nécessaires
> Pour y bien réussir et faire mes affaires.
> Être franc et sincère est mon plus grand talent ;

1. E. Faguet, *En lisant Molière*, p. 137.

> *Je ne sais point jouer les hommes en parlant ;*
> *Et qui n'a pas le don de cacher ce qu'il pense*
> *Doit faire en ce pays fort peu de résidence* [1].

Alceste est d'un autre siècle, d'un siècle où n'auraient pas encore existé les servitudes et les souplesses de la cour de Versailles. Il parle le langage
du vieux temps, de la vieille franchise ; il maudit
le règne du plaisir, de la facilité et de la soumission.

Les discussions sur l'esprit de cour ne sont pas
rares dans l'ancien régime, avant même Versailles.
Et toujours la corruption de la cour est tenue pour
une nouveauté, que l'on oppose implicitement à la
vertu rude et droite des époques passées. Ainsi
Balzac, dans son Discours sur *la Gloire :* « Il n'est
que trop vrai que ce malheureux intérêt... est
maintenant le Dieu de la cour, est l'objet et la fin
du courtisan. » S'en prendre aux maximes de
l'égoïsme et de la souplesse, c'était infailliblement,
à cette époque, mettre en cause le mouvement qui
entraînait la haute société vers la facilité matérielle
et la soumission morale. La cour n'était que le
symbole le plus saisissant d'un état de choses
nouveau : c'est là surtout que la noblesse, qui avait
en principe le dépôt des vieilles vertus, apprenait
à jouir et à obéir. Condamner l'amoralité brillante
de la cour, c'était résister au temps, se cramponner
à un passé plus simple et plus libre que le présent [2].

1. *Le Misanthrope*, III, 5.
2. Les goûts littéraires d'Alceste, son aversion pour la
poésie brillante et le bel esprit ne sont qu'un aspect, riche
en effets comiques, de son opposition aux mœurs régnantes
et à l'esprit de la belle société.

C'est pourquoi Alceste apparaît sans cesse en conflit avec son époque, plutôt qu'avec l'humanité en général ; c'est pourquoi Philinte, pour le convertir croit nécessaire de condamner

> *Cette grande raideur des vertus des vieux âges* [1].

Éliante elle-même, qui le juge favorablement, voit en lui une sorte de Don Quichotte, un paladin attardé au milieu des modernes [2].

L'opposition à la cour traduit une opposition plus profonde, quoique moins consciente peut-être, au despotisme ; se soumettre aux mœurs du temps, se soumettre à la force, c'est tout un. Philinte prêche sans doute le conformisme en termes très généraux :

> *Il faut fléchir au temps sans obstination,*
> *Et c'est une folie à nulle autre seconde*
> *De vouloir se mêler de corriger le monde* [3].

Mais le théâtre des siècles monarchiques nous offre, en plus d'un endroit, des propos analogues sur l'inanité de toute résistance à la force des choses, revêtus d'une signification politique plus expresse :

> *N'examinons donc point la justice des causes*
> *Et cédons au torrent qui roule toutes choses,*

---

1. *Le Misanthrope*, I, 1. Dans cette scène, qui pose les termes du débat en même temps qu'elle ouvre l'action, il est constamment question d'une différence d'époques (les « vices du temps », les « mœurs d'à présent », « notre siècle », etc.)
2. *Ibid.*, IV, 1.
3. *Ibid.*, I, 1.

dit le roi Ptolémée dans la *Mort de Pompée*, au moment où il s'apprête à immoler son hôte à César vainqueur [1]. Mettant plus clairement encore la philosophie de la nature au service de la politique amorale du despotisme, le César de Voltaire prêchera à Brutus une philosophie résignée et docile, qui n'est pas d'une autre essence, la différence de ton et de situation mise à part, que celle de Philinte :

> *Prends d'autres sentiments, ma bonté t'en conjure.*
> *Ne force point ton âme à vaincre la nature* [2].

Le drame d'Alceste n'est donc pas seulement celui d'un caractère dressé contre le monde ; le misanthrope à prétentions vertueuses est l'ennemi des mœurs dociles et adroites, et ces mœurs sont à la fois l'ouvrage et le soutien du pouvoir absolu.

Victor Cousin, s'élevant contre la légende d'après laquelle le duc de Montausier aurait été l'original d'Alceste, invoque le fait que Montausier était absolutiste convaincu, et semble penser, avec raison bien qu'il n'explique pas trop pourquoi, que cette qualité est incompatible avec l'humeur d'Alceste [3]. La signification profonde du personnage d'Alceste dans l'histoire de la société française est attestée par l'intérêt que lui ont voué, sous l'ancien régime, des moralistes particulièrement accoutumés à lier la discussion morale à la discussion politique.

1. *Pompée*, I, 1.
2. Voltaire, *La Mort de César*, III, 4.
3. V. Cousin, *La Société française d'après le Grand Cyrus*, ch. IX.

Ce n'est pas par hasard que Fénelon, aristocratique ennemi du despotisme, et champion lui aussi,
contre la cour, du vieux temps et des mœurs
frugales, a pris contre Molière le parti d'Alceste [1].
Le débat esquissé dans *le Misanthrope* devait se
prolonger plus de cent ans. L'opposition de ces deux
deux attitudes qu'on pourrait définir, l'une par
le goût de la facilité uni à la soumission, l'autre par
l'esprit de justice joint à la nostalgie des mœurs
simples, emplira jusqu'au bout l'ancien régime.
Dans ce conflit, chacun des adversaires a son
prestige, chacun ses tares : docilité d'un côté, haine
du progrès de l'autre. Alceste était déjà la caricature des gens du dernier parti, faite par un homme
du premier. Cette peinture spontanée a d'autant
plus de prix qu'elle a précédé les discussions
explicites du siècle suivant. S'il a été possible à
Rousseau de venger Alceste avec plus de succès
que ne l'avait fait Fénelon, c'est que la dénoncia-
tion de la cour, et du régime dont elle était le
symbole, avait acquis chez lui une signification
sociale nouvelle, avait cessé d'exprimer seulement
la mauvaise humeur des gentilshommes devant
les nouveautés. Le regret du passé et les maximes
de la vie simple, prenant un élan plus vaste, ont
traduit les espérances de tous ceux qui se sentaient
victimes du « train des choses ». Rousseau a défendu,
dans le gentilhomme grincheux de Molière, sa
propre révolte, toute plébéienne, contre la société ;
et la Révolution française a mis à la scène la réha-

1. Fénelon, *Lettre à l'Académie*, VII.

bilitation d'Alceste contre Philinte [1]. Outre sa
valeur permanente, dont nous sommes, à trois
siècles de distance, de bons témoins, le symbole
créé par Molière était doué, sur le plan de l'histoire,
d'une telle force significative qu'il a accompagné
jusqu'au bout la société où il avait pris naissance.

*

A qui veut définir, à travers toute la richesse
de l'œuvre de Molière, l'essentiel de son attitude
morale, s'offre sans cesse le contraste d'un élargissement du champ humain vers le plaisir et la
confiance, et d'une limitation concomitante de nos
ambitions, effet d'une complaisance sceptique au
train des choses. Mais ce sont là, au-delà de Molière,
les traits les plus généraux de son siècle et du suivant. Par là se définit la forme dernière de la
civilisation de l'ancien régime. Et les deux termes
du contraste trouvent leur commun principe dans
l'acquiescement à un ordre inévitable : la loi
naturelle du plaisir et la règle de l'accommodation
sociale ont le même empire, et il suffit de s'y laisser
entraîner en même temps pour trouver l'équilibre
de la sagesse. La pensée originale de toute cette
époque a été de croire compatibles, voire inséparables l'un de l'autre, l'épanouissement selon la
nature et l'esprit d'acquiescement aux normes
sociales.

1. Dans la *Suite du Misanthrope*, de Fabre d'Églantine
(1790).

Le débat relatif à la grandeur et à la misère
humaines, qui se pose à chaque instant autour de
Corneille, de Pascal, de Racine même, reçoit ici
sa solution la plus tranquille et la plus évasive à la
fois, celle qui consiste à se soustraire à la misère
en désavouant l'ambition de la grandeur, en la
réduisant au moins à un jeu où se dissout toute angoisse. L'inquiétude qui pour l'homme résulte de la
limitation de son être est considérée comme un
mal à guérir, ou à méditer, et non comme un signe
d'élévation. L'idée même d'élévation ou de bassesse tend à se fondre dans l'égalisation de toutes
choses, et la préoccupation des *valeurs* perd tout ce
que gagne le sens de la conformité au réel. La noblesse n'est plus que dans l'accord le plus élégant
de l'homme avec sa condition. Toute poésie, toute
réussite, toute valeur, résident dans cet accord.
L'obsession anxieuse du destin, qui est au fond de
toutes les affirmations idéales de l'héroïsme, se
dissipe dans l'idée d'une concordance du désir
et des choses, où les choses sont peut-être plus
clémentes, mais où le désir surtout est moins
tendu. Ce qui demeure de prestige poétique autour
de cet accord est le seul reste, accommodé à un
usage nouveau, des splendeurs héroïques. C'est
un je ne sais quoi qui nie la misère, même en la
connaissant, un charme facile qui s'est substitué
à l'élan d'une conquête glorieuse.

Le propre de cette conception est qu'en accor-
dant à l'homme tout ce qu'il peut souhaiter,
puisque sa condition cesse d'être tenue pour
humiliante, elle l'oblige à renoncer à la croyance

où il est de valoir plus que toute autre chose dans
l'univers, de ne pas être simplement un fait, ou
une nature semblable aux autres. Les voies qui
conduisent à cela, à cette émancipation de la vie
dans l'égalisation des valeurs, n'ont fait que
s'ouvrir davantage au xviiie siècle, où elles s'élar-
gissent enfin en une perspective immense et
multiple sur tout l'humain. Ce n'est pas ici le lieu
de définir les progrès de cette forme de pensée, ni
de chercher comment elle a fini par ruiner l'ordre
dont elle était née. Ce qui est hors de doute c'est
que nous en trouvons déjà dans Molière les deux
données essentielles : l'audace du désir naturel
réhabilité et la dissolution sceptique de la conscience.

# RÉFLEXIONS
## SUR L'HUMANISME CLASSIQUE

L'examen de ce qui s'est pensé autrefois n'a de sens et de vertu véritables que par rapport au présent et à l'avenir. Il pourra sembler étonnant que cette affirmation termine un ouvrage où l'on a prétendu rendre compte des idées du passé par des conditions sociales transitoires, aujourd'hui oubliées. Mais comment imaginer que les idées puissent n'avoir de signification que dans ce rapport historique ? L'état de la société détermine, avec la psychologie des groupes humains qui la composent, la formation et le sens des courants de la pensée morale ; mais cela n'est ainsi que parce que la société a d'abord besoin de pensée, autrement dit parce que l'homme social a besoin de se conduire par des motifs plus vastes que ses intérêts immédiats. Aussi la psychologie sociale est-elle toujours plus qu'une psychologie. La façon de vivre et de sentir est toujours ici une façon de penser, et de penser des valeurs. C'est la définition même de l'homme social d'être idéologue, parce que c'est la loi de toute société d'être une organisation, et une organisation discutable, qui ne vit qu'en se justifiant. De ce fait,

les idées ne sauraient consister dans de simples
reflets des conditions sociales. Condamner l'idée
à ce rôle pour ainsi dire nul, c'est à la fois la rendre
inexplicable, et lui ôter tout intérêt. Elle est le
moyen efficace par lequel le groupe oriente dans
le sens de ses besoins la pensée, c'est-à-dire finalement la conduite de ses membres. Le rapport de
la pensée avec la vie était jadis exprimé de façon
parfaite par un mot dont on se servait pour désigner les idées dans ce qu'elles ont d'actif, et qui
en elles justifie et anime une conduite. Le mot de
« maximes » rendait bien l'aspect pratique, ten-
dancieux, et en même temps la prétention à la
généralité, de toute pensée morale. On peut dire
de tout système d'idées qu'il est un ensemble de
maximes dont les circonstances sociales éclairent
la source, c'est-à-dire la destination.

On ne saurait cependant s'en tenir à cette
constatation. C'est un fait de grande conséquence
que les suggestions du milieu social se présentent
sous la forme d'impératifs généraux, dont l'expression dépasse de beaucoup la cause qui les a fait
naître, que ce qui résulte d'un état de choses
passager se donne pour l'expression d'une nécessité
éternelle : dans toute idée il y a une transposition
de cet ordre. On pouvait y voir une mystification,
et faire de cette mystification la définition même
de la vie spirituelle, si les créations de l'esprit
n'arrivaient à déborder à leur tour le système social
où elles ont pris naissance. L'homme social cherche
des normes supérieures à son existence individuelle,
et sans doute une classe sociale, où la société

dans son ensemble, c'est-à-dire en dernier ressort
la classe qui la gouverne, inspire sa recherche et
la guide vers ses propres buts. Mais la faculté
propre à l'homme de former des idées générales
sur la vie et le bien, et de légiférer sur des valeurs,
est à double sens. Si précieuse qu'elle soit à la
société, elle prétend par définition s'exercer au-
dessus d'elle, et l'évoque à son tribunal. Le plus
souvent assurément pour la justifier, de sorte que
les puissances du réel continuent de dominer celles
de la pensée, auxquelles elles n'abandonnent alors
qu'une supériorité illusoire. Mais cela n'empêche
pas que l'homme pensant est à même de concevoir plus de justice, de bonheur, de vérité, de
grandeur qu'il n'en a sous les yeux. Ces imaginations répondent à des besoins éminemment sociaux
sans doute, mais qui sont aussi les agents trans-
formateurs de la société réelle, et peuvent, quand
les circonstances s'y prêtent, appuyer des forces
sociales nouvelles et bouleverser l'ordre établi.
En fait, toute construction morale est un essai de
compromis entre la nécessité sociale et des aspirations moins bornées, entre les valeurs que l'état
de la société accrédite et d'autres, plus indiscutées
quoique plus irréelles, et qui les appuient, mais
en les dépassant. Souligner cet écart au lieu de
le voiler, dénoncer l'hypocrisie de la morale ré-
gnante, comment cette attitude, si fréquemment
adoptée et si favorable au progrès, serait-elle
possible s'il n'y avait à chaque moment un divorce
entre ce que l'homme peut concevoir et ce dont il
s'accommode?

C'est ce qui rend si difficile de parler des créations de l'esprit sans les juger, de les remettre dans le paysage social de leur naissance et de leur développement, sans évoquer en même temps un désir plus grand qu'elles qui les a animées, mais n'a pu se dégager d'elles entièrement, faute d'un horizon réel encore assez vaste. Ainsi d'anciennes valeurs, limitées aussitôt que conçues, usées par le temps ou l'échec, peuvent produire, après une longue éclipse, un héritage inattendu, se ranimer et grandir dans des conditions plus propices. L'intérêt que l'on porte au passé de la pensée naît presque toujours du désir d'en faire un usage nouveau, et ce désir est l'expression même de la perfectibilité propre à l'espèce humaine.

*

Ce qui fait aujourd'hui encore la grandeur des siècles classiques, c'est qu'une philosophie morale s'y est développée, qui donnait à l'humanité son véritable prix. L'humanisme moderne s'est réclamé d'abord de la tradition antique et a prétendu trouver chez les Grecs et chez les Latins des modèles déjà achevés de son propre idéal. Il n'en avait pas moins ses racines propres dans le monde européen moderne. Il serait injuste de négliger, au sein du moyen âge lui-même, la présence vivace d'un certain sens et d'un certain culte de l'humain. L'humanisme classique n'a jamais perdu vraiment le souvenir de la chevalerie.

En outre, il a bientôt montré, en se développant, sa nature toute moderne. Sous le vêtement antique est apparue une puissance nouvelle, alimentée par un progrès général de la vie et des relations sociales, qui ne devait rien à l'héritage de l'antiquité.

Le développement de cet humanisme moderne, avec tout ce qu'il comportait d'audace dans la conquête de la lucidité et du bonheur, a fini par mettre ouvertement en péril la somme d'idées et de croyances traditionnelles sur lesquelles continuait de vivre la société européenne. Sans doute cet humanisme, entendu comme un bouleversement des valeurs et de la vie morale, a atteint son point le plus haut à la veille de la Révolution. Mais le xviiie siècle ne fait que continuer une œuvre entreprise avant lui, et à laquelle, en dépit d'apparences superficielles, son prédécesseur n'a pas peu contribué. On aurait tort de se laisser tromper par le ressaisissement, voire le renforcement, au cours de ce siècle, du contrôle chrétien et monarchique. Sans même l'aborder par le côté qui fait de lui l'annonciateur explicite du siècle suivant, sans chercher dans les dernières décades du grand siècle les premières affirmations ouvertes de l'esprit critique, de l'irrespect et du naturalisme moral, et en se bornant à l'envisager dans sa période d'originalité propre, où les débats se maintiennent hors des domaines réservés, on verra que ce siècle, même retenu dans les limites de la pure morale, s'inscrit comme une étape importante dans la conquête de l'humain. L'hé-

roïsme, la galanterie, la beauté, l'honnêteté ou
le plaisir y prennent naissance dans la nature,
lui doivent leur attrait, lui communiquent leur
valeur. C'est bien à tort qu'on oppose ce siècle au
suivant, comme s'ils étaient ennemis, l'un élevant
ses constructions sur les ruines de l'autre. Descartes, Corneille, Molière, Voltaire, Diderot,
Rousseau même, appartiennent, d'un certain
point de vue, à une même lignée. Ce n'est qu'après
la Révolution française, et dans une époque où
il s'agissait surtout de se prémunir contre de
nouveaux périls de subversion, qu'on s'est appliqué à dresser l'un contre l'autre les deux siècles.
Il fallait honnir tout ce qui avait inspiré la Révolution, sans renier en bloc une tradition d'humanisme inséparable de la civilisation monarchique
elle-même. Sous l'empire de ce besoin, on a fini
par attribuer une importance démesurée aux différences qui séparent le règne de Louis XIV des
suivants. On aurait bien étonné les Encyclopédistes si on leur avait dit qu'ils différaient par
essence des honnêtes gens du siècle précédent.
Ils se croyaient plus éclairés, plus ouverts à la
vérité et à l'humanité, mais de la même race.
Au xixᵉ siècle, Taine fut seul à affirmer, et d'ailleurs dans une intention hostile, la continuité de
l'esprit classique et de l'esprit encyclopédique ;
encore ses raisons sont-elles des plus discutables.
Ce n'est pas tant par le culte de la raison abstraite,
ainsi qu'il le prétend, que les deux siècles se tiennent ; c'est plutôt par la valeur qu'ils attribuent,
dans l'ensemble, à la qualité d'homme, à l'équili-

bre de la lucidité et de l'instinct, par la façon dont
ils allient tous deux le beau et le naturel, dont ils
dessinent le caractère et les exigences de la véritable humanité. Cependant c'est devenu un postulat, qu'une ère absolument nouvelle commence
avec les *Lettres persanes*. Quelques vues accessoires masquant l'ensemble du mouvement historique, les deux siècles ont fini par s'opposer l'un
à l'autre comme deux symboles contraires, l'un
d'ordre et de discipline, l'autre de subversion et
d'utopie. La victime principale de cette déformation a été évidemment le premier des deux siècles,
en qui les seuls principes contraires à l'homme sont
demeurés visibles. Nous avons vu en plusieurs
endroits à quel prix et moyennant quels faux
jugements sur les plus grands de ses écrivains.

En réalité, le grand siècle donne le spectacle
d'une consolidation générale de certaines valeurs
morales proprement humaines qui, moyennant
les limitations et les précautions que l'époque
impose, acquièrent définitivement droit de cité.
Le jansénisme lui-même, pris dans son sens le plus
général, comme un renforcement de la rigueur
chrétienne, n'a fait que souligner, par un effort
de réaction resté sans lendemain, le triomphe
d'un climat nouveau, favorable à l'homme naturel,
et désormais inséparable de la civilisation morale
de la France. Dans un certain sens, on peut dire
que le pessimisme chrétien lui-même a été assimilé par l'humanisme. Il y a au xviie siècle une
certaine façon lucide de scruter les tares de la
nature, une sérénité dans la perception la moins

flatteuse de l'homme, qui doivent plus à la philosophie qu'à la religion. L'angoisse et le dégoût y ont moins de place que le désir du vrai, la fierté de l'atteindre même à nos propres dépens, le souci d'une sagesse sans fard [1].

Au siècle précédent, tout avait été mis en question, dans un bouillonnement confus de nouveautés, de violences, de crises diverses. Sous Louis XIII et Louis XIV, tout se décante, s'assoit; on prend une conscience plus claire, à la fois des aspirations et des obstacles. La résistance s'accuse, l'audace se borne d'elle-même, la discrétion devient la loi, et pour ainsi dire le style naturel, de l'humanisme. Mais le xviie siècle, par la sobriété même de sa pensée, par sa prédilection pour les débats de pure morale, à la fois resserrés dans leur contenu et universels dans leur application, permet de saisir avec une clarté toute particulière la nature de cette éthique humaniste, qui caractérise avant et après lui une longue période de l'histoire de la pensée.

*

Toute construction, dans l'ordre des valeurs

---

1. La Rochefoucauld, vu sous cet angle, continue Montaigne bien plus qu'il n'accompagne Port-Royal. Voir à ce propos, dans les *Lettres de M. le Chevalier de Méré*, 1682, in-12°, t. I, p. 83-91, la lettre du chevalier à Madame la Duchesse de X..., sur un entretien qu'il a eu avec La Rochefoucauld. Voir également la maxime 182.

morales, gravitant autour des deux notions de
l'agréable et du grand, on s'aperçoit, à travers le
XVIIe siècle français, que ce qui s'est édifié conti-
nûment entre la Renaissance et la Révolution
peut se définir par ces trois éléments conjugués :
conquête de l'agréable ; adoucissement de la contradiction entre l'agréable et le grand ; jonction
de l'idée du grand et de la figure humaine. Telle
a bien été l'œuvre des trois grands siècles. Tout
d'abord, ils affaiblissent le sentiment de culpabilité attaché à la satisfaction des désirs, et plus
généralement le dégoût de l'homme pour sa nature.
C'est Voltaire demandant à Pascal : « Pourquoi
nous faire horreur de notre être ? » Mais ce que
Voltaire dit ouvertement, sans craindre de heur-
ter une tradition redoutable, presque tout le
XVIIe siècle profane le pense confusément, en
imprègne sa vie et ses œuvres. La primauté
attribuée au plaisir comme critère du beau n'est
que la forme, transposée sur le plan esthétique,
d'une philosophie morale dont la satisfaction,
le contentement, l'honneur fait à la nature est
la loi profonde. Ce n'est pas par hasard que l'anti-
naturalisme chrétien réitère alors ses anathèmes
contre toute littérature dramatique, voire
poétique. C'est que la poésie et le théâtre tout
entiers y sont pleins des appâts de la nature, de
l'agrément, de la gloire. Le durcissement chrétien
que l'on constate si souvent au XVIIe siècle, et
dont le jansénisme est la forme la plus extrême,
n'a pas réussi à faire passer pour criminel ce tout-
puissant agrément qui demeure le caractère pre-

mier du beau, en morale comme en poésie, et qui
est la loi des héros, des honnêtes gens et des
poètes.

Cette réhabilitation fondamentale du désir
humain permettait de répondre d'une façon nouvelle à la mort et au malheur, de concevoir, par
suite, une idée du grand plus assurée et plus
sereine. Le dilemne de l'agréable et du grand
tendit à s'effacer. Rien de plus frappant, au xviie siècle, que la fusion constante de la grandeur et
de l'agrément, de ce qui exalte et de ce qui séduit.
Non que l'opposition des deux termes ne persiste :
leur réconciliation parfaite ne saurait se concevoir que comme une idée limite, plus conforme
à la condition des dieux qu'à celle des hommes ;
mais la tendance est indiscutable. Toute la littérature du xviie siècle pourrait se définir par là.
L'idée que l'on s'y fait du héros ne suppose jamais
l'écrasement de l'instinct, le silence mortel de la
nature. Tout ce que nous avons dit de Corneille
revient à dire que l'héroïsme apparaît chez lui
solidaire de l'aspiration à l'existence ; tout ce
qui dans la grandeur pourrait regarder la mort,
en subir l'attrait ou le vertige, tourner à la haine
ou au dégoût de l'être, tout cela est rejeté dans
l'ombre, ou plus exactement dissous dans le
mouvement du moi vers la gloire. Bien plus, s'il
est vrai qu'on distingue à côté du héros l'homme
de cour, si l'on conçoit à part la générosité et
l'enjouement, la prouesse et le divertissement,
on les réunit, on les fond ensemble aussi souvent
qu'on les sépare. Du *Cid* à *Nicomède*, à *La Prin-*

*cesse d'Élide*, à *Amphitryon* même, il n'y a jamais
contradiction absolue, ni démenti formel. Ne pas
sentir cette parenté secrète, c'est être sourd à la
tonalité fondamentale du siècle. Nulle part, pas
même dans Corneille, qui va pourtant aussi loin
qu'il est possible dans le sens du difficile et du
rare, nulle part la grandeur n'exclut une certaine
facilité [1], qui est la marque des êtres bien nés.
Tout le sublime cornélien, nous avons essayé de
le montrer, est finalement un sublime de la nature
humaine. Et dans l'esprit du xviie siècle tout
entier, la haute sagesse et la sagesse naturelle,
la générosité et le bonheur sont presque toujours
mêlés, quel que soit celui des deux termes qui
prédomine, chez Descartes et Corneille, chez
Méré, chez Molière. Sur un plan plus vaste au
siècle suivant se mêleront au moins autant qu'elles
se combattront, la philosophie des jouissances et
la morale du citoyen. C'est cette alliance de deux
principes moraux, agrément et grandeur, que
toute barbarie et toute misère tendent à opposer,

---

1. Que ce mot ne soit plus employé, depuis quelques
années, que dans un sens péjoratif, c'est un témoignage accablant que l'avenir ne manquera pas de faire valoir contre
notre époque. Rien n'est plus certain, si éloignée qu'en soit
l'apparence. La « facilité » est abusivement confondue avec
la lâcheté, et condamnée avec elle ; on escamote ainsi la
question principale, qui porte sur le but et non sur les moyens ;
l'élévation de la condition humaine ne saurait consister que
dans la conquête, même difficile, de plus grandes *facilités*,
dans tous les sens du mot. Notre époque préfère, pour mille
raisons, répéter sans fin l'apologie pompeuse de son impuissance, à grand-peine tournée en gloire.

qui a été, dans la France de jadis, la marque véritable d'une haute civilisation [1].

L'alliance de l'agréable et du grand ne saurait
aller sans une fixation de la grandeur dans l'homme
lui-même. Moins dégoûté de sa nature, quand il
en ressent les faiblesses, il croit pouvoir y trouver
le remède en même temps que le mal. La réduction de la faiblesse humaine, le triomphe remporté
sur la mort, cette victoire qui est toujours au
centre de l'idée du grand, ne lui semblent plus
dépendre d'une puissance étrangère à son être,
d'une providence devant laquelle il n'est lui-
même que néant. Au lieu de se renier pour échapper à sa misère, il s'en remet à lui-même, incline
à ne rien concevoir de plus grand que sa propre
nature, à laquelle il restitue, comme étant issu
d'elle, le désir même qu'il a encore de la dépasser.
Une fois levé l'interdit qui pèse sur la nature,
le sens du grand rejoint son origine humaine.
La vogue de la morale stoïcienne dès le début
des temps modernes ; la fortune persistante
au xviie siècle de cette morale, interprétée comme
une morale de la grandeur purement humaine,
et son conflit ouvert avec la religion ; l'élargisse-

1. De là vient l'extrême difficulté où se sont toujours
trouvés ceux qui ont prétendu fonder sur la tradition de
pensée de l'ancienne France une doctrine de pure réaction.
Ils en sont réduits, si l'on veut bien y voir de près, à admirer
les rapports sociaux de cette époque plus que les œuvres de
ses écrivains ou, dans les œuvres, surtout ce qui peut trahir
les rapports sociaux. La véritable anthologie du xviie siècle
à leur usage serait une anthologie d'épîtres dédicatoires.

ment de l'idée du beau moral au siècle suivant,
où l'être humain est la source et la fin de tous les
enthousiasmes : ce sont là les signes et les étapes
de ce retour de la grandeur à son siège véritable,
que les siècles classiques ont accompli et qui reste
la raison profonde de leur prestige. Cette force
naturelle, cette clarté, cette valeur ineffacée des
figures qu'ils tracent et des pensées qu'ils conçoivent, tout cela est dû, qu'on le veuille ou non, à
ce qu'ils ont rendu l'humanité à elle-même.

*

On ne saurait trop insister sur le fait que cette
revalorisation de l'humain a coïncidé avec un
progrès général dans l'ordre matériel. L'humanité
s'estime dès qu'elle se voit capable de faire reculer
sa misère ; elle tend à oublier, en même temps que
sa détresse, l'humiliante morale par laquelle,
faisant de nécessité vertu, elle condamnait la
vie. Déjà au moyen âge, les premiers éléments de
la morale humaniste naissent dans l'entourage
des cours les plus riches, dans les moments de
paix et de prospérité relatives. Le développement
et le triomphe de ces germes n'ont été possibles,
dans les siècles modernes, que par les immenses
progrès accomplis dans l'industrie humaine, les
richesses, les jouissances. Le sentiment d'une vie
plus pleine, d'une condition plus facile, le rejet
naturel de l'angoisse accompagnent intimement,
et de façon presque consciente, la pensée des
grands siècles. La misère, au contraire, ne laisse

à l'esprit d'autre refuge que l'humilité, le désaveu
de la nature. Si l'on ne s'y résout pas, comment
éviter alors la tentation et le vertige de la violence,
seul moyen de s'assouvir quand tout est rare,
assouvissement elle-même à défaut de mieux?
La misère ne laisse d'autre issue, à qui veut s'affirmer grand, que la force et l'empire. La gloire humaine conçue sous cette forme, la poésie de l'épée,
étaient entretenues par une tradition trop puissante pour qu'on n'en trouve pas la trace vivante
dans la pensée des siècles modernes. Nous avons
signalé en plus d'un endroit ces réminiscences,
très vives dans la conception du héros ou de la
grande âme, sensibles encore dans l'idée du plaisir,
bien souvent indistincte de celle du bon plaisir.
Mais le prestige de la force baissait — et dans la
pensée plus encore que dans les mœurs — avec le
recul de la misère générale. Aussi la gloire s'huma-
nisant, cherchant l'issue la moins inhumaine,
la moins inquiète aussi, élisait-elle de préférence
l'attitude de l'octroi généreux, de la bienveillance,
de la justice. Les héros de Corneille, tout imprégnés
pourtant d'un orgueil violent, savent être magna-
nimes et justes : ce sont même leurs vertus les plus
hautes. Les idées de noblesse dans l'amour, de
justice ou de clémence dans le traitement des
personnes, sont difficilement séparables de la
gloire cornélienne, si brutale qu'elle soit par ailleurs. Et là où la grandeur tend à céder le pas au
plaisir, dans la poésie, les divertissements, la comédie, ou bien dans les moments heureux de la tragédie, ce qui demeure de majesté tient à un air de

bienveillance, élevée et facile à la fois, qui est
inséparable de l'expression du bonheur. On ne
peut lire une strophe de poésie galante de ce temps-
là, un divertissement de Molière, un dénouement
de Corneille, sans se sentir aussitôt dans cette
atmosphère. A mesure que la vie était apparue
plus facile, l'affirmation barbare de soi faisait place
à la réhabilitation générale de la qualité d'homme.
La satisfaction, attirant à elle le prestige usurpé
de la violence, suggérait l'idée d'une humanité
réconciliée avec elle-même et retrouvant tout son
prix dans chacun de ses membres. Le discrédit
de la brutalité, renversant la notion du grand,
la fait coïncider avec le respect de la nature
humaine, c'est-à-dire avec la justice. Le nom
même d'humanité désigne, en même temps que la
qualité d'homme, le sentiment qui porte à respec-
ter cette qualité partout où elle se trouve.

*

De pareils enseignements, transmis alors que
commençaient de s'élargir devant l'homme les
chemins du bonheur et de la connaissance, n'ont
rien perdu de leur valeur dans une époque comme
la nôtre, où justement le sens de l'humain est
compromis en même temps que s'obstruent les
voies du progrès, où le resserrement de la vie
engendre le mépris de l'homme et la religion du
néant. Le grand siècle, trop souvent admiré ou
combattu pour les seules puissances de contrainte

qu'il renferme, témoigne déjà en faveur d'une conception de l'homme civilisé qui n'a cessé de se fortifier et de s'élargir après lui, que notre temps prétendrait en vain rejeter, et qu'il appartient à un avenir peut-être plus proche qu'il ne semble de sauver et d'approfondir encore.

*Bergerac, août 1940.*

# TABLE DES MATIÈRES

Cet ouvrage
a été achevé d'imprimer
sur les presses de l'Imprimerie Bussière
à Saint-Amand (Cher), le 16 février 1973.
Dépôt légal : 1er trimestre 1973.
Nº d'édition : 18042.
Imprimé en France.
(274)